Reputacja

fabryka słów®
WYDAWNICTWO

A. PILIPIUK

Reputacja

Ilustracje

Paweł Zaręba

fabryka słów®

Lublin 2015

Światy Pilipiuka

1. 2586 kroków
2. Czerwona gorączka
3. Rzeźnik drzew
4. Aparatus
5. Szewc z Lichtenrade
6. Carska manierka
7. Reputacja

Reputacja

Bergen, Norwegia, lipiec 1909

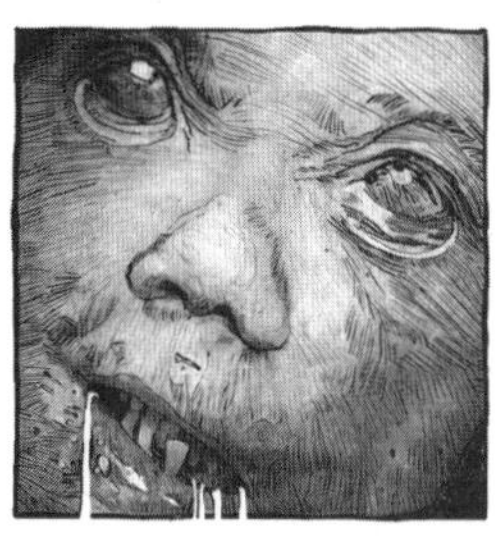

Czarny dym z dwu kominów bił wysoko w niebo i dopiero tam rozwiewał się na boki. Parostatek sunął przez fiord, nic sobie nie robiąc z krótkiej, ostrej fali. Wiało. Doktor Paweł Skórzewski oparł się plecami o ścianę nadbudówki i postawił kołnierz. Tu, na zachodzie, fiordy nie były szczególnie głębokie, za to rozlewały się szeroko. To po lewej, to po prawej co i rusz pojawiały się łąki, schodzące ku wodzie. Z pokładu statku doktor widział wyraźnie niewielkie farmy, stada białych owiec i łodzie przycumowane do nabrzeży lub wyciągnięte na ląd. Minęli niewielki kościółek z długim pomostem, wychodzącym w morze.

Można sobie mieszkać, pomyślał lekarz. Ale jesienią czy zimą, gdy trzeba w niedzielę popłynąć łódką na mszę albo odstawić dzieci do szkoły na drugi brzeg, życie w tej sielankowej okolicy nagle okazuje się bardzo ciężkie...

Spojrzał w ciemne wody fiordu i wzdrygnął się mimowolnie. Z tego, co czytał, w tym miejscu głębokość zatoki sięgała kilkuset arszynów. Oderwał wzrok i spojrzał dla odmiany na góry, piętrzące się przed nim. Skały poznaczone były tu i ówdzie połaciami krzewów i rachitycznych drzewek. Od szczytów wiało chłodem, a może tylko tak mu się wydawało.

W walizce stojącej na deskach pokładu spoczywał list od doktora Hansena. Skórzewski nie musiał go wyciągać, przez ostatnie tygodnie przeczytał go tyle razy, że treść wryła mu się w pamięć co do literki. Pisywali do siebie od lat, od tamtej zimy, gdy się poznali. Przesyłali sobie ukłony przez wspólnych znajomych. Kilka razy spotykali się na zjazdach i sympozjach naukowych. Ale mimo ponawianych zaproszeń Polak nie był w stanie zmusić się do ponownych odwiedzin w Bergen. Aż przyszedł list naprawdę alarmujący. Na tyle alarmujący, by czym prędzej jechać do Murmańska i tam łapać statek płynący do Anglii wzdłuż wybrzeża Norwegii.

Nie odwiedzałem tego miasta, gdy panował spokój, pomyślał lekarz, patrząc na białe magazyny i budynki portowe coraz gęściej zdobiące brzegi. Teraz, gdy sytuacja ulega dramatycznemu pogorszeniu, lecę jak ćma do płomienia...

W sierpniu w Bergen miał się odbyć Drugi Światowy Kongres Leprologiczny. Najsłynniejsi lekarze z całego świata przybywali osobiście lub delegowali najbardziej zaufanych współpracowników. Armauer Hansen, odkrywca bakterii trądu i człowiek, który poważnie ograniczył rozmiary epidemii tej choroby w Norwegii, miał pełnić funkcję gospodarza zjazdu. Szykowało się wielkie medyczne święto, a zarazem miało to być spotkanie robocze. Obok wygłaszania referatów planowano omawiać dalszą koordynację wysiłków na rzecz ograniczenia zasięgu strasznej choroby. Tymczasem z listu wynikało, że doktor się boi...

Skórzewski zacisnął szczęki. Znał ten rodzaj strachu aż za dobrze. Bergen... Tu po raz pierwszy ujrzał manifestację sił, które od tamtej pory zdawały się mu towarzyszyć przez całe życie. Tu się wszystko zaczęło, tu doznał pierwszego dotknięcia nienazwanego... Wtedy wygrali, ale wspomnienie było na tyle przykre, że nie chciał tu wracać. Przez trzydzieści dwa lata udawało mu się omijać Norwegię. Ale w końcu...

– Kobyłka u płotu – westchnął, zaciskając mocniej dłonie na lasce.

Mijali niewielką zatokę, która otworzyła się po lewej. Zaskoczony doktor przez chwilę obserwował kompletnie surrealistyczny obrazek – tramwaj jadący u stóp urwiska, niemal brzegiem morza. Zza cypla wyłaniały się już mury zamku. Przed jego oczami przesuwały się kilkupiętrowe magazyny, obite malowaną na biało drewnianą klepką.

– Trochę się tu zmieniło pod moją nieobecność... – mruknął w zadumie. – A zarazem pewne rzeczy chyba pozostały takie same... No i jest lato.

Statek wykonał niewielką korektę kursu, wpływając w głąb zatoki Vågen. Zamek był niegdyś siedzibą władców Norwegii, potem duńskich namiestników. Lekarz patrzył na grube mury wzniesione z szarych głazów, spiętrzone ziemne szańce, najeżone szarymi lufami dział. Nad twierdzą dumnie łopotała norweska flaga. Niepodległość...

Skrzywił się duchu. Pamiętał wydarzenia sprzed zaledwie kilku lat. Proklamacja w Norwegii, zaciąg do ochotniczej armii... Stanęli naprzeciw siebie: po jednej stronie osiem tysięcy skrzykniętych pospiesznie wieśniaków, uzbrojonych we flinty, a po drugiej licząca sześćdziesiąt tysięcy ludzi, świetnie wyposażona szwedzka armia. Nacisk dyplomacji carskiej na rząd w Szwecji był zapewne czynnikiem decydującym, by zaniechano rozlewu krwi i przyznano Norwegom wolność...

– Wolność dla Bułgarii, wolność dla Norwegii, a Polacy na zawsze pod butem – mruknął lekarz poirytowany. – Carowie dają różnym ludom hojne podarki, pod warunkiem oczywiście, że dają nie ze swego...

Poczuł zazdrość i irytację, jakby flaga wolnej Norwegii wywieszona została specjalnie po to, by sprawić mu przykrość.

Minęli stare drewniane kupieckie domy Gamle Bryggen. Część dzielnicy już wyburzono, stawiając na tym miejscu ciężkie murowańce, ale dwie trzecie drewnianej zabudowy nadal przeglądało się w wodach zatoki Vågen. Pamiętał labirynty drewnianych uliczek i pasaży. Pamiętał aż za dobrze spotkanie z Dziadkiem Trądem...

Wtedy była zima. Wszystko wyglądało inaczej. Ciemności, mróz, krótki polarny dzień. Długie, ponure wieczory. Dziadek Trąd... Demon? Duch zarazy? Kim lub czym była ta istota? W każdym razie zdołali go zabić i spalić.

Wykończyliśmy go, powiedział sobie twardo. Od trzydziestu dwóch lat panujemy nad epidemią, a ta straszliwa zaraza jest w stałym odwrocie. Tu, w Norwegii nadal stanowi problem, ale liczba nowych zachorowań spada z roku na rok.

Mijały ich inne okręty, większe i mniejsze. Ruch w porcie był znaczny. Przy nabrzeżu, uwiązane do nasmołowanych pali, cumowały dziesiątki niedużych łodzi rybackich. Krzyczały mewy. Pachniało surową rybą, wędzoną rybą, zepsutą rybą... Ale wszystko dusiła woń smoły, dziegciu, a także rozgrzanych smarów i czadu z kominów parostatków. Ulicą biegnącą wzdłuż magazynów przejechał samochód, a zaraz za nim spalinowy omnibus.

Wszystko płynie, wszystko ewoluuje, pomyślał lekarz. Miasta, domy, ludzie. Tylko te góry trwają niezmienione. Dwudziesty wiek, kto by pomyślał? Wiek nieokiełznanego postępu... Zagryzł wargi.

Przed oczy wracały niechciane obrazy z wojny mandżurskiej... Szarpane rany, zadawane przez szrapnele i odłamki japońskich granatów. Okrywające się parą karabiny maszynowe, siekące bez litości rosyjską piechotę. Desperacka obrona chutoru Jawyne, kilkunastu kozaków całą noc odpierających ataki niemal dwu setek ninja. Ojciec Konon, mnich-sanitariusz, potężny, silny jak niedźwiedź, bez cienia strachu na twarzy wynoszący rannych z najgorszego piekła bitwy.

By odegnać złe myśli, ponownie skierował wzrok na góry otaczające zatokę.

Poczuł nieprzyjemny dreszcz. Nagle odechciało mu się schodzić na ląd. Okręt dobił wreszcie do przystani. Majtkowie rzucili cumy. Skórzewski schylił się, podniósł walizkę i z pewnym wahaniem zszedł po trapie.

Otoczył go tłum tragarzy oferujących swoje usługi, ale zbył ich uprzejmie. Walizka była lekka, a skrzynia z książkami pozostawiona w ładowni i tak musiała przejść kontrolę celną. Przez chwilę zastanawiał się, czy nie wziąć dorożki, wreszcie zdecydował się iść pieszo. Odruchowo zaczął liczyć kroki, ale zaraz tego poniechał.

Powędrował przez miasto znajomą trasą. Bergen dorobiło się nowego, większego i nowocześniejszego szpitala-leprozorium, ale doktor Hansen nadal rezydował w starym, przy ulicy Króla Oskara. Dawny szpital jakiś czas temu przemianowano na jednostkę doświadczalną. Zarząd umieszczał tam zarówno pacjentów, którzy jakoś tam rokowali, jak i tych, na których postawiono już definitywnie krzyżyk. Hansen nieustannie badał trąd i ciągle bezskutecznie szukał nowych metod terapii. Nie brakowało mu ochotników do testowania nowych leków.

Skórzewski szedł niespiesznie, napięty jak struna. Ale nic się nie działo. Po niebie sunęły białe chmurki. Wokoło widział uśmiechniętych ludzi, białe elewacje nagrzane słońcem, czerwone róże pnące się po ścianach, soczystą zieleń na stoku góry, a nad nią szare skały skąpane w blasku. Ale nawet ten tchnący optymizmem widoczek wydawał mu się fałszywy...

Uliczka była brukowana. Niektóre domy wyburzono, na ich miejsce pojawiły się nowe, ale bez trudu rozpoznawał znajome zaułki. Znów zaczął liczyć kroki i znów przestał. Wreszcie wyrosła przed nim dobrze znana wieżyczka szpitalnego kościoła.

*

Przy bramie niegdyś stał posterunek żandarmerii. Teraz otworzył mu zwykły dozorca. Na pytanie o doktora Hansena wskazał budynki po prawej stronie dziedzińca.

– Doktor jest u siebie na mieszkaniu, ale pewnikiem leży w łóżku, był ostatnio trochę niezdrów.

Słabo mówił po niemiecku. Skórzewski podziękował i ruszył we wskazanym kierunku. Kilkoro pacjentów w różnym wieku siedziało na ławkach pośrodku dziedzińca. Na widok gościa wstali i ukłonili się, on też uprzejmie uchylił kapelusza. Choroba każdego dotknęła w inny sposób. Widział nietknięte twarze i oblicza przeżarte naroślami... sprawne dłonie obok zdeformowanych kikutów. Laski i kule stojące przy oparciu. Zacisnął zęby.

To da się wyleczyć, pomyślał. Trzeba tylko znaleźć sposób. Lek. Remedium... Coś, co zniszczy bakcyle. Dla nich wprawdzie i tak nie będzie już ratunku, pozostaną okaleczeni do końca życia, ale miliony innych unikną oszpecenia i przedwczesnej śmierci.

Pod rosnącym na środku dziedzińca drzewem leżało kilka martwych ptaków. Chorzy zdawali się nie zwracać na nie uwagi. Nikt nie sprzątnął padliny...

Hansen mieszkał w budynku naprzeciw szpitala. Doktor nacisnął klamkę i wszedł do sieni, a potem skierował się na lewo. Wyglądało na to, że od jego ostatniej wizyty niczego tu nie zmieniono. Zapukał do drzwi. Nikt nie odpowiedział, więc wszedł do wnętrza bez zaproszenia.

Uderzył go zapach potu i odczynników chemicznych, stara, znajoma woń choroby... Z sąsiedniego pokoju wyskoczył młody człowiek w białym kitlu, zapewne pielęgniarz.

– Doktor Paweł Skórzewski z Petersburga – przedstawił się lekarz. – Do doktora Armauera Gerharda Hansena.

– Doktor Hansen jest... eee... niedysponowany – powiedział pielęgniarz po niemiecku. – Naszykujemy panu pokój gościnny i myślę, że jutro...

– Prosić – dobiegło z pokoju.

Pielęgniarz bez słowa ustąpił z drogi. Gość odstawił walizkę i wszedł do pomieszczenia, które okazało się być sypialnią. Zasłony były zaciągnięte, więc w pokoju panował półmrok. Okna szczelnie zamknięto, choć na zewnątrz było bardzo ciepło. Doktor Hansen leżał w łóżku. Nakryty dwiema pikowanymi kołdrami, trząsł się jak w febrze. Po twarzy spływały mu grube krople potu. W kącikach zaczerwienionych oczu zebrała się żółta ropa. Długa, siwa broda była posklejana i skołtuniona.

Skórzewski zapamiętał go jako przystojnego mężczyznę w sile wieku, teraz miał przed sobą wyłysiałego, wyniszczonego przez życie starca.

Minęły trzydzieści dwa lata, przeszło mu przez myśl. Ale on wygląda, jakby upłynęło sześćdziesiąt...

Chory spojrzał półprzytomnie. Mrugnął kilka razy, by oczyścić pole widzenia, ale najwyraźniej rozpoznał gościa od razu. I widać było, że ucieszył go widok przyjaciela.

– Przyjechałeś – uśmiechnął się. – Nie spodziewałem się ciebie tak wcześnie... Myślałem, że za tydzień lub dwa dopiero. A to... niespodzianka. Tak, niespodzianka...

Składał niemieckie zdania z wyraźnym trudem. Dreszcze sprawiały, iż szczękał zębami.

– Trafiła się okazja, rosyjski okręt płynął z Petersburga przez Morze Białe do Murmańska, tam szczęśliwy traf sprawił, że złapałem kolejne połączenie. Pomyślałem, że pomogę przy przygotowaniach do konferencji. – Mając świadomość, że pielęgniarz wciąż stoi w drzwiach,

Skórzewski wolał nie wspominać o treści listu, który otrzymał od Hansena.

– To dobrze... – wymamrotał chory i przymknął oczy. – Jutro omówimy... Tak, jutro... Jutro będzie czas na wszystko... I ja jutro już pewnie będę się czuł lepiej.

Oddech uspokoił się, chory zapadł w płytki sen. Skórzewski pochylił się nad łóżkiem. Odruchowo dotknął czoła Hansena i prawie cofnął rękę. Było rozpalone jak piec. Ujął dłoń. Nie musiał nawet liczyć pulsu. Tętno było bardzo szybkie.

– Stan jest bardzo ciężki – ocenił sucho. – Co mu się przytrafiło? – zapytał pielęgniarza.

– No, malaria – bąknął chłopak.

– Że niby co?! – Polak wytrzeszczył oczy. – Malaria w Norwegii!? Nad samym morzem?! Jakim cudem? Przecież tu nie ma błota, a komary trafiają się sporadycznie...

– Komary są z hodowli – wyjaśnił pielęgniarz. – Ich namnażanie jest bardzo proste, potrzebują słodkiej wody, odrobiny pożywienia i ciepła. Mamy w laboratorium dwa duże balony larw.

– Ale po co je hodujecie?

– Doktor Hansen, by być w dobrej formie na kongresie, postanowił poddać się uprzednio kuracji Wagnera-Jauregga.

Paweł ścisnął skronie. Coś mu to mówiło. Czytał o tym rok lub dwa lata temu. Artykuł? Nie, chyba tylko streszczenie zagranicznej publikacji na ten temat. Był taki szaleniec praktykujący w Baden...

– Proszę jaśniej! – polecił.

– To nowy pomysł na leczenie przewlekłych zakażeń bakteryjnych – odpowiedział prędko młodzieniec, wyraźnie przestraszony stanowczym tonem doktora. – Stosujemy go wedle metodyki doktora Juliusa Wagnera-Jauregga z Wiednia. Chorego zaraża się celowo malarią. Gdy pierwotniaki ją wywołujące namnażają się we krwi, następuje reakcja ciała, nagłe uderzenie gorączki. Temperatura z reguły przekracza czterdzieści stopni Celsjusza i utrzymuje się przez dwa lub trzy dni. Należy ją jedynie kontrolować i w razie nadmiernego wzrostu chłodzić ciało chorego okładami z lodu albo w wannie z zimną wodą. Po trzech dniach, gdy gorączka zaczyna spadać, podaje się chininę, żeby zlikwidować zarodźce malarii. Po kilku tygodniach, gdy chinina całkowicie wyeliminuje się z organizmu, kurację trzeba powtórzyć... Zazwyczaj zaraża się trzykrotnie.

Skórzewski milczał, wstrząśnięty. Teraz sobie przypominał. Słyszał o tej metodzie przed paru laty i już wówczas ogarnęła go zgroza.

– Podaliście mu jakieś leki?

– Tylko wodę i odrobinę soli, wypaca bardzo dużo...

Gość wypatrzył na stoliku termometr i stetoskop. Osłuchał nieprzytomnego. Zmierzył ciśnienie. Gorączka oscylowała nieco powyżej czterdziestu jeden stopni. Teoretycznie był jeszcze drobny margines bezpieczeństwa, ale to, co słyszał w słuchawce stetoskopu, nie brzmiało dobrze.

– Ryzyko jest zbyt duże – powiedział wreszcie. – Serce bardzo słabe. Poproszę okłady z lodu i podawaj chininę natychmiast, na moją odpowiedzialność. On tego nie przetrzyma! Trzeba niezwłocznie zbić gorączkę!

– Leczenie prowadzi doktor Lindenbrock! – zaprotestował pielęgniarz.

– Co znowu za doktor Lindenbrock? – burknął poirytowany Skórzewski.

– Laura von Lindenbrock, z Baden. Przyjechała dwa tygodnie temu z Berlina, również ma wystąpić na kongresie. Poszła teraz do miasta. Powinna już wrócić, ale...

Skórzewski przymknął oczy, przeszukując pamięć. Tak, kojarzył to nazwisko. Chyba spotkali się na którymś poprzednim kongresie? Taka blondynka w okularach, z ustami zaciśniętymi w gniewną kreskę.

– Do diabła z doktor von Lindenbrock! – warknął doktor Paweł. – Przejmuję ten przypadek. Proszę podać chininę. Jeśli jest lód, naszykować cztery termofory i zimne okłady. Rusz się, człowieku...

– Wolne żarty.

Skórzewski bez słowa wyciągnął z kieszeni rewolwer.

– Chinina, ścierwo! – syknął, odciągając kurek. – Jeśli doktor Hansen umrze, zastrzelę jak psa!

Pielęgniarz spojrzał w czarny otwór lufy, a następnie w oczy przybysza i najwyraźniej wyczytał w nich gotowy wyrok. Przełknął nerwowo ślinę.

– Tak jest – bąknął.

Nawet dość szybko się uwinął. Po kwadransie Hansen zawinięty był w mokre prześcieradła i obłożony lodem. Chinina zadziałała, gorączka powoli spadała. Skórzewski odłożył termometr, pokazujący już tylko trzydzieści dziewięć i pół stopnia, i dopiero teraz odetchnął z ulgą. Pielęgniarz z miną zbitego psa zaproponował, że zaparzy herbaty. Gość łaskawie wyraził zgodę. Chłopak wyszedł. Doktor rozsiadł się wygodnie w fotelu. Przejrzał gazety leżące na stoliku pod oknem, niestety, wszystkie były po norwesku. Zły i zdenerwowany popatrywał na zegarek.

– Gdzie to babsko się szlaja! – syknął po polsku. – Tak ryzykowna kuracja, a ona zostawia pacjenta.

Przeszedł się tam i z powrotem po pokoju. Znowu spojrzał przez okno. Zmierzył choremu gorączkę. Temperatura spadła do w miarę bezpiecznego poziomu trzydziestu dziewięciu stopni. Pielęgniarz przyniósł herbatę, a potem napoił nieprzytomnego wodą.

– Co za szaleństwo – prychnął Skórzewski. – A tak właściwie, gdzie podziewa się doktor Nilsen? Czemu to on nie kontrolował kurację?

– Doktor Nilsen pracuje w głównym kompleksie szpitala. Zresztą obecnie przebywa w USA – wyjaśnił pielęgniarz. – Tutaj zostaliśmy ja, doktor Hansen i jeszcze trzy osoby personelu. Ale niedawno wszystkie trzy odeszły. Więc jest nas dwóch i doktor von Lin...

– Już słyszałem o pani doktor – uciął Skórzewski. – Teraz chciałbym sobie z nią porozmawiać. A tak właściwie to co, u diabła, chcieliście tą metodą wyleczyć?!

– No... – jęknął pielęgniarz, strzelając spojrzeniem na boki.

– Tajemnica lekarska – dobiegło od drzwi.

– Doktor Laura von Lindenbrock – mruknął Skórzewski, taksując drobną blondynkę niechętnym spojrzeniem i kłaniając się krótko.

– Nie powiem, że miło mi pana widzieć, panie doktorze – odpowiedziała gniewnie. – Przerwał pan moją terapię! – Jeden rzut oka wystarczył jej, by ocenić sytuację.

– *Primum non nocere,* pani koleżanko. Zagrożenie życia pacjenta było zbyt poważne.

– Kuracja ta, choć wygląda drastycznie, w większości przypadków nie jest groźna dla życia. Pacjent zniósłby leczenie – zbagatelizowała. – A teraz, żeby powtórzyć procedurę, muszę czekać kilka tygodni. – Oskarżycielskim gestem wskazała buteleczkę z chininą.

Na nosie miała ciemne okulary przysłaniające część trójkątnej, lisiej twarzy. Czarna suknia upodabniała ją do zagniewanej pruskiej nauczycielki. Z tego, co się orientował Skórzewski, dobiegała czterdziestki, ale wyglądała młodziej, choć włosy splecione w kok przetykały już tu i ówdzie srebrne nitki. Mimo drobnej postury głos miała mocny, a ton nieznoszący sprzeciwu. Starannie akcentowała niemieckie wyrazy. Z pewnością wśród swoich współpracowników budziła respekt, ale doktor tylko wzruszył ramionami.

– Drzwi są za panią i proszę z nich niezwłocznie skorzystać – powiedział spokojnie, ale stanowczo. – Porozmawiamy rano. Jeśli mój przyjaciel umrze, postaram się, by niezwłocznie i z całą surowością miejscowego prawa pociągnięto panią do odpowiedzialności karnej.

– Sam sobie tego zażyczył – odparowała.

– Przecież choruje na serce! Powinna pani podchodzić do swoich eksperymentów bardziej odpowiedzialnie. Na przykład przebadać pacjenta przed zakwalifikowaniem go do tak ryzykownej terapii. A teraz żegnam! – Odprawił ją władczym gestem.

Kobieta wyszła, ostrożnie przymykając drzwi. Zapadła niezręczna cisza.

– Życzy pan sobie kolację? – zapytał pielęgniarz.

Gość zawahał się. Obiad jadł jeszcze na statku, od tego czasu minęło niemal osiem godzin. Obżerać się na noc też niezdrowo...

– Poproszę.

Siedział do północy, aż wreszcie, upewniwszy się, że najgorsze minęło, zostawił przyjaciela pod opieką pielęgniarza, a sam udał się na spoczynek. Pokoik na piętrze, który mu przydzielono, był niewielki, lecz sympatyczny. Proste drewniane meble malowane na biało olejną farbą. Łóżko z dobrze wypchanym siennikiem. Serweta na stole. W kącie była nawet umywalka z bieżącą wodą. Doktor rzucił walizkę na fotel. Płaszcz powiesił na wieszaku z rogów renifera. Obejrzał ładny olejny obraz, przedstawiający dziewczynę na łódce, płynącą przez fiord.

Nagle jego nozdrza wyczuły cień nieprzyjemnego zapachu. Dobiegał z okolic okna. Odsunął zasłonę. Na podłodze pod parapetem leżał zdechły szczur. Walał się tu na tyle długo, by cuchnąć, ale na szczęście w truchle nie zalęgły się jeszcze robaki. Przełamując obrzydzenie, doktor podniósł martwe zwierzę laską i wyrzucił za okno. Zawstydził się po chwili swojego odruchu, ale cóż mógłby zrobić teraz, w nocy? Rano poprosi dozorcę, aby zajął się sprzątnięciem ścierwa. Chyba rzeczywiście w szpitalu brakowało personelu...

Wydobył z walizki list i raz jeszcze przestudiował go słowo po słowie. Wyjrzał przez okno. Noc była jasna, Bergen leżało na podobnej szerokości geograficznej co Petersburg. Dziedziniec szpitala już opustoszał. Tylko przy bramie świecił w ciemności żar papierosa dozorcy. Wyjrzał jeszcze przez okno wychodzące na drugą stronę, ale w zaułku też nie zobaczył nic podejrzanego.

Może on się myli? – zadumał się na chwilę.

Nieco uspokojony położył się spać.

*

Wstał o świcie i zajrzał do Hansena. Chory spał, gorączka spadła. Pielęgniarz drzemał w fotelu przy łóżku chorego. Doktor Paweł popatrzył na wykres temperatury, wykonany kredą na tabliczce, i odetchnął z ulgą. Niebezpieczeństwo minęło. Obudził pielęgniarza i kazał mu położyć się do łóżka. Chory mógł już spać bez opieki. Jako że do śniadania została jeszcze masa czasu, postanowił przespacerować się po mieście. Pogoda była ładna, choć niebo zaciągnęły chmury. Ruszył ulicą Króla Oskara. Nogi same zaniosły go do portu. Rybacy wrócili już z nocnych połowów. W skrzynkach i na stołach obitych blachą prezentowali co ładniejsze okazy złowionych ryb i skorupiaków.

Patrzył na kraby, niemrawo ruszające szczypcami, na wielkie połcie mięsa z wielorybów, srebrzyste łososie i śledzie. Oprócz świeżych ryb oferowano także solone, wędzone i suszone. Wśród zapachów przebijała się woń dymu z wędzarni. Stolik w kącie zastawiony był piramidami puszek z sardynkami. Produkowały je małe fabryczki w Stavanger. Wśród wytwórców panować musiała mordercza konkurencja, bo lekarz naliczył etykietki trzydziestu różnych firm. Ciemny olej, wytapiany metodami domowymi z rybiej wątroby, sprzedawano w litrowych butelkach. Były też puszki z produktem przemysłowym. Twarz doktora Schwaryencorna, właściciela przetwórni, uśmiechała się z blachy powielona dziesiątki razy. Szpiczasta bródka, krzywy nos, okulary w rogowych oprawkach i czapka z wydry – całe oblicze przemysłowca tchnęło niezachwianym optymizmem. Po prawdzie produkowany w jego wytwórni preparat naprawdę był niezłej klasy.

Tran i owoce morza, pomyślał Skórzewski. Gdyby udało się to tanio przewieźć daleko w głąb Polski, na Podkarpacie, do Galicji, w Lubelskie, tam gdzie krzywica, awitaminoza, anemia i skrofuły zbierają ponure żniwo wśród dzieci... Albo na Syberię, gdzie bywa z tym jeszcze gorzej.

Obok na stole leżały dwie wypatroszone foki. Miały podobne do psich mordki, ciemne oczy patrzyły jakby z wyrzutem. Przeszedł na lewo, ciekawiła go część „przemysłowa". Latarnie używane na łodziach, haki, sieci, liny, pływaki... Wszystko, co było potrzebne do łowienia ryb i pracy na morzu. Po sąsiedzku oferowano pasy transmisyjne do lokomobili, wykonane z wyprawionej skóry wieloryba, pęki kuponów zelówkowych ze skóry morsów i woreczki guzików toczonych z ich zębów, wiązki wygotowanych fiszbinów dla gorseciarzy, a także skórki wydr i młodych fok. Ocean hojnie obdarzał skalisty i nieurodzajny kraj swoimi bogactwami.

– Do pełni szczęścia brak im tylko bursztynu – mruknął.

Nasyciwszy oczy towarem, lekarz dla odmiany przyjrzał się sprzedawcom. Twarze rybaków, spalone słońcem, wiatrem i słoną bryzą przypominały barwą polerowany brąz. Ogorzałe ramiona, pokryte twardymi węzłami mięśni, naznaczone jaśniejszymi kreskami blizn. Silne dłonie o spękanej skórze i grubych, zrogowaciałych paznokciach. Czasem któremuś brakowało palca lub jego kawałka.

To jak sztuka. Praca rzeźbi ciało... – pomyślał. Sól i wiatr wypalą twarz jak cegłę. Dwudziestolatek wygląda, jakby miał lat czterdzieści. Ale zarazem zabieg ten konserwuje i gdy marynarz dobiega siedemdziesiątki, nadal wygląda na czterdzieści. A potem przychodzi choroba i niszczy... Nieodwracalnie.

Westchnął w duchu. Od tak dawna miał na co dzień do czynienia z ludźmi kalekimi i wyniszczonymi przez infekcje, że widok rybaków kipiących zdrowiem oraz tężyzną fizyczną stanowił miłą odmianę i sprawił mu nieoczekiwaną przyjemność.

Długo stał, patrząc na nabrzeżne szopy, pomosty, dziesiątki cumujących tu rybackich łódek. Krzyczały mewy, nawoływali się marynarze i bindużnicy. Ruszył naprzód. Ominął nową część zabudowy i stanął przed starymi drewnianymi budynkami. Pasaże biegnące w głąb były ciemne i cuchnęły suszoną rybą. Wtedy, gdy polowali na Dziadka Trąda, była zima i noc... Teraz, w pełnym blasku letniego poranka nadal odrzucała go myśl o zapuszczaniu się w te zaułki.

Przemógł się. Sprawdził, czy ma rewolwer na podorędziu. Mocniej zacisnął dłoń na lasce. Stare deski zaskrzypiały pod nogami. Szedł przed siebie. Mijali go co jakiś czas tragarze. Jedni toczyli beczki z olejem, inni pchali wyładowane wózki. Byli i tacy, którzy dźwigali worki po prostu na plecach. W magazynach trwał ożywiony ruch, układano suszone ryby jak polana, aż po sufit. Kilka spasionych puchatych kotów, czekając przy drzwiach, miauczało przymilnie. Uśmiechnął się lekko, lubił zwierzęta...

Nie był w stanie powiedzieć, w którym miejscu starli się z tamtą dziwną istotą. Minęło zbyt wiele czasu, wspomnienia się zatarły. Zresztą za dnia wszystko wyglądało zupełnie inaczej... Czuł, że to był kompletnie błędny trop, ale mimo wszystko opuścił labirynt drewnianych uliczek z pewną ulgą.

Żadne ze mnie medium, dumał, wędrując po mieście. Fakt, kilka razy w życiu widziałem różne dziwne rzeczy, ale w zasadzie nigdy nie szukałem celowo takich sensacji... Tylko raz, wtedy. A i to pomógł przypadek. Trzeba rozmówić się z Hansenem. Niech powie dokładnie, co go zaniepokoiło.

Odruchowo zaczął liczyć kroki, ale zaraz przestał.

*

Wrócił do szpitala akurat na śniadanie. Nad kominami snuł się dym. Pielęgniarz, ten sam, którego spotkał wczoraj, poprosił go do środka. Hansen czuł się już o niebo lepiej. Zakutany w gruby serdak siedział przy stole. Pielęgniarz wniósł koszyk z pieczywem, dzbanek z kawą i talerz z wędlinami.

– Przepraszam za wczorajsze przywitanie. Nie byłem w najlepszej formie – bąknął Norweg tytułem usprawiedliwienia.

– Właśnie chciałem z tobą o tym porozmawiać. Ta kuracja to kompletne szaleństwo! – powiedział Paweł bez ogródek.

– Niemniej jednak efekty daje bardzo zachęcające – odparował Hansen, nalewając sobie kawy. – Jej podstawy naukowe też wydają mi się mocne. Nie od dziś wiemy, że wysoka temperatura niszczy bakterie. Graniczna temperatura, mam na myśli poziom denaturacji cieplnej białek ludzkiego ciała, niestety ogranicza praktyczne wykorzystanie tej wiedzy.

– Graniczna dla nas – wszedł mu w słowo Paweł. – Bakterie mogą być bardziej odporne. Tak czy inaczej, sztuczne wywołanie i utrzymanie przez dłuższy czas takiej gorączki to swego rodzaju wyprawa na samą krawędź życia. No i wystarczy przesadzić o kilka dziesiątych stopnia, by uszkodzenia tkanek okazały się nieodwracalne. Kategorycznie zabraniam ci tak ryzykować. Mówię to jako lekarz i jako twój przyjaciel! W dodatku to, co usłyszałem... Jak się miewa twoje serce?

– W normie – odrzekł spokojnie Hansen, smarując kromkę chleba masłem.

– Nie powiedziałbym.

– W normie, jak na mój wiek – zbagatelizował Norweg. – A co do kuracji... Też jestem lekarzem, napatrzyłem się na śmierć i nieuleczalne cierpienia. Widziałem ich tyle, że perspektywa śmierci nie robi już na mnie większego wrażenia. Poza tym, jak to mówią, tonący brzytwy się chwyta.

– Jeśli można wiedzieć, co właściwie ci dolega? – zapytał Polak. – Przez wiele lat pracowałeś w leprozorium, pozostając przy tym w pełnym zdrowiu. Czyżbyś w końcu zaraził się... – przełknął ślinę – od swoich pacjentów? – dokończył cicho.

– Nie, na szczęście nie. Choruję od dawna na syfilis – bąknął Hansen i spuścił wzrok. – Wiesz, przybyłem tu jako młody lekarz zaraz po studiach, nie miałem wiele pieniędzy. Praca przy trędowatych była ciężka i niewdzięczna, ale za to rząd bardzo dobrze nam płacił. W dodatku to było fascynujące. Wiesz, to choroba niczym zagadka dręcząca ludzkość od samego zarania dziejów, opisana szczegółowo w Starym Testamencie i na egipskich papirusach. Myślałem, że to ja znajdę odpowiedź. Znajdę lekarstwo. Czułem, że dyrektor Danielsen się myli... To było wyzwanie... Ja, świeżo upieczony absolwent uczelni, podważam odważnie teorię badacza, który nie tylko był znanym lekarzem, ale też wybitnym zoologiem.

– Nie znajdował bakterii w pobranych próbkach. Twierdził, że przyczyną trądu są obciążenia dziedziczne... Pamiętam – odparł Skórzewski, sięgając po wędlinę.

– Żeby to jednoznacznie potwierdzić, osiemnaście razy próbował zaszczepić trąd na sobie. Nie wyszło. Dopiero ja zburzyłem cały gmach jego teorii i dociekań. To był wielki uczony. A ja? Nikt... Testy, próby... Po roku nie wyobrażałem sobie, że mógłbym zajmować się czymkolwiek innym. Potem to odkrycie z barwieniem tkanek. Triumf. Znalazłem przyczynę, udowodniłem, że to bakterie. Oszałamiający sukces, przed którym skapitulował tak wybitny umysł. Zaimponowałem staremu, doświadczonemu badaczowi do tego stopnia, że oddał mi swoje stanowisko. Było trochę szarpaniny, masa lekarzy konserwatystów uważała barwienie preparatów za hochsztaplerstwo. Ale szybko się okazało, że nie ja jeden to stosuję. Golgi we Włoszech opracował metodę barwienia tkanki nerwowej. Dostałem order, rządowe nagrody, pensję królewską... Ale... Sam wiesz, jak jest, kiedy grzebiesz się w czymś takim, stajesz się znany w mieście, cieszysz się szacunkiem, jednak nie masz wielu przyjaciół. A kontakty z kobietami kończą się kompletną katastrofą. Próbowano mnie nawet swatać, ale żadna panna nie miała odwagi wiązać się z lekarzem zajmującym się taką zarazą.

– Rozumiem...

– Młody byłem, krew się burzyła, dokuczała samotność. Fantastyczna praca badacza nie do końca rozpraszała nudę. A Bergen to miasto portowe... Jak by to powiedzieć, sama obecność marynarzy tworzy wokół portu pewną sferę cienia...

– Zatem chodziłeś na wesołą uliczkę do panienek...

– Ano właśnie – westchnął Hansen. – Niezbyt często, starałem się wybierać zdrowe, ale mimo ostrożności złapałem to. Wielu bywalców podobnych przybytków zaraża się prędzej czy później. Byłem lekarzem, trułem bakcyle czym się dało. Kora z drewna gwajakowego, związki rtęci... Mijały lata, zmieniały się metody. Pojawiały się nowe leki. Trzymałem chorobę w ryzach. Jod pozwala pozbyć się większości objawów. Ale zatłuc raz na zawsze bakcyli syfilisu nadal nie sposób... Teraz czytam o doświadczeniach Paula Ehrlicha ze związkami arsenu.

– Salwarsan, słyszałem. Faktycznie, wygląda to bardzo obiecująco... – mruknął Skórzewski. – Próby kliniczne potwierdzają skuteczność. Na pewno jest to bezpieczniejsze niż zarażanie się malarią i o niebo bezpieczniejsze niż kuracja chininowo-arszenikowa, którą sprawdzałeś, gdy byłem tu ostatnio, trzydzieści lat temu. Nie wiedziałem tylko, że robisz doświadczenia ze względu na siebie.

– A twoje badania? – Norweg chyba chciał zmienić temat. – Pisałeś, że szukasz funduszy na jakieś eksperymenty...

– Zaintrygowało mnie zjawisko opisane przez francuskiego lekarza wojskowego Ernesta Duchesne'a w rozprawie „Antagonizm między pleśniami i mikrobami" – wyjaśnił Polak.

– Słyszałem o tej pracy – kiwnął głową Armauer. – Udało mu się wyleczyć szczury zakażone tyfusem. Zastosował wyciąg z pleśni *penicillium*.

– Tak przynajmniej twierdził. Czytałem jego oryginalne notatki. On coś faktycznie odkrył. Dotknął tajemnicy. Trzeba tylko wykonać kolejne kroki.

– Moim zdaniem to kompletna bzdura. Jego doświadczenia próbowało powtórzyć kilka zespołów. Jedni twierdzą, że coś tam im się udało, inni, że nic podobnego... W każdej nauce podstawowym kryterium oceny odkrycia jest powtarzalność eksperymentu.

– Ano właśnie – uśmiechnął się Skórzewski. – Powtarzalność. Te same efekty kuracji wobec tych samych chorób w identycznych lub zbliżonych warunkach. Dlatego także ja gromadzę fundusze, chcąc sprawdzić jego obserwacje. Jeśli ma rację, a naprawdę wiele na to wskazuje, możemy stać u progu wielkiego odkrycia.

– Pleśni są zazwyczaj bardzo toksyczne – skrzywił się Hansen.

– Mamy w arsenale leki, które lecząc jedną chorobę, wywołują inną. Wiele kuracji, które stosujemy, jest ryzykowne albo powoduje nader poważne skutki uboczne. Często bywa i tak, że trujemy bakterie substancjami naprawdę paskudnymi w nadziei, że bakcyle zdechną, zanim wykończymy pacjenta. A niektórzy idą jeszcze dalej, usiłując poszczuć jedne bakcyle na drugie – dociął Skórzewski.

Armauer zamyślił się głęboko. Układał sobie w głowie to, co usłyszał.

– Zostawmy to... Pisałeś w liście, że coś cię niepokoi? – zagadnął Polak.

– Jak by to powiedzieć... Coś się dzieje. Niedobrego. Czarna seria. Gdy stopniały śniegi, wybuchła grypa. Wiosną mieliśmy epidemię czerwonki. Jeśli chodzi o trąd, cztery nowe zachorowania, i to u ludzi z „czystych" rodzin. Nie wiadomo, gdzie ani jak mogli się zarazić. Pogorszenie stanu u kilku innych. Mamy też falę zachorowań na gruźlicę. Komisja medyczna przebadała wesołe panienki, jedna trzecia natychmiast pożegnała się z zawodem. Tak jakby kongres poruszył gniazdo os. Zaraza za zarazą. Lekarze ze szpitala miejskiego twierdzą, że nie pamiętają równie fatalnej wiosny.

– Rozumiem.

– No i jeszcze... Bo choroby to dalece nie wszystko...

Wyciągnął z etażerki opasły brulion, oprawiony w czarne płótno. Strona za stroną powklejał doń wycinki z bergeńskich gazet.

– Na szczęście prenumerujemy prasę i miałem prawie kompletne roczniki. Wiadomo, to jest miasto portowe. Trafiają się tu czasem włamania, bójki między marynarzami, potrącenia pieszych, czasem byk prowadzony do rzeźni zerwie się ze sznura... – wyjaśniał Hansen. – Od kiedy jeździ tramwaj, co i rusz ktoś pod niego wpada albo z niego wypada. Zrobiłem zestawienie statystyczne. Tydzień po tygodniu, miesiąc po miesiącu.

Rozłożył wetknięte luzem na końcu karty z wykresami słupkowymi.

– Nie mam, niestety, wśród pacjentów żadnego matematyka, musiałem sam liczyć. Spójrz jednak, wszystkie wskaźniki wyraźnie rosną. Zachorowania, wypadki, bójki, włamania, morderstwa, rozboje...

– Zeszłej wiosny też było więcej wypadków i przestępstw – zauważył Skórzewski. – Przyroda budzi się do życia, ludzi także ogarnia czasem gorączka. Obserwowano to już w średniowieczu. Ostatnie tygodnie przed otwarciem sezonu żeglugowego były ponoć najgorsze.

– Tak, ale w tym roku jest niemal trzykrotnie gorzej.

– Może dziennikarze zabrali się na poważnie do roboty?

– Nie, to akurat sprawdziłem. W dodatku... spróbowałem zestawić zdarzenia z ostatnich trzech miesięcy i pozaznaczać na planie miasta...

Rozwinął arkusz brystolu, cały upstrzony czarnymi kropkami. Obok każdej wypisał datę. Kropki miały kolorowe obwódki, zrobione kredką – zapewne zjawiska podzielono na różne kategorie.

– Rozumiesz coś z tego? – zapytał bezradnie.

– Wokoło szpitala pusto, za to dalej jakby kręgi na wodzie... – mruknął Skórzewski. – Ale faktycznie coś z tego wynika. Nic się nie działo wokół leprozorium. Czyli co? Spokój w oku cyklonu?

– Jeśli tak, to jest jakaś przyczyna, dla której złe omija to miejsce.

– A może macie w kościele przy szpitalu jakieś szczególnie mocne relikwie? Wygląda to, jakby coś chroniło szpital i okolicę.

– No skąd by się tu wzięły relikwie? Przecież to luterańska *kyrka*, i to z osiemnastego wieku – wzruszył ramionami Hansen.

– Dzieje bergeńskiego leprozorium sięgają średniowiecza. A może wasza świątynia stoi na miejscu wcześniejszego kościoła katolickiego i coś jest zakopane, zamurowane w fundamentach?... Nie, to chyba bez sensu – odpowiedział sam sobie Skórzewski. – Te kropki... Ile było nieszczęść, których nie zdołałeś precyzyjnie umiejscowić na planie?

– Dwie trzecie...

– Zlokalizowanie miejsc i zaznaczenie pozostałych może całkowicie zmienić ten obraz.

– Wiem... – westchnął Norweg. – Żaden dowód w sumie. Jest jeszcze coś. Wydaje się głupie, ale... Od kilku tygodni zdychają nam zwierzęta.

– Zwierzęta? Dlaczego?

– Problem w tym, że nie wiadomo. Mam na myśli wszystkie zwierzęta, które przebywają na terenie leprozorium. Pierwsze były koty – padły wszystkie cztery w ciągu jednego tygodnia. Później, mimo że kotów nie było albo właśnie dlatego, zaczęliśmy znajdować martwe myszy. I szczury.

Skórzewski przypomniał sobie zwierzę, które znalazł poprzedniego wieczoru w swoim pokoju.

– Może ktoś wyłożył gdzieś na terenie szpitala zatrute jedzenie – zasugerował.

– Raczej nie – odparł stary lekarz. – Zresztą problem nie dotyczy tylko kotów i gryzoni. Otóż zdechł także pies naszego dozorcy, stary, groźny kundel, który nienawidził obcych i jadł tylko to, co dostał od swojego pana. A później zaczęliśmy znajdować ptaki...

– Ptaki? – podchwycił Polak. – Wczoraj pod drzewem na dziedzińcu leżały przecież...

– Właśnie – potwierdził Hansen. – Przylatują, siadają na drzewie, na podwórzu, na dachu szpitala... i już zostają. Przypuszczam, że to dzieje się w nocy, bo co dzień rano znajdujemy nowe truchła. Nie nadążamy ich uprzątać – westchnął.

Skórzewski przez chwilę milczał, mieszając kawę. W końcu odłożył łyżeczkę i sięgnął po filiżankę.

– Czy może istnieć jakieś racjonalne wytłumaczenie? – odezwał się wreszcie. – Czy zainstalowaliście w szpitalu jakąś nową aparaturę, która mogła wpłynąć negatywnie na zwierzęta? Coś, co emituje fale elektryczne? Magnetyczne?

– Nic takiego nie mamy – odparł Hansen, gładząc brodę. – I nie wiemy, dlaczego zwierzęta zdychają. Zrobiłem sekcje kilku z nich. Nie jestem wprawdzie zoologiem, ale wiesz, jak jest. Umiemy przecież stwierdzić wyraźne patologie nawet u innych gatunków. Nie znalazłem jednak żadnej racjonalnej przyczyny ich zgonu. Sam więc widzisz, że dzieją się tu dziwne rzeczy. Zupełnie jak wtedy. I mam przeczucie nadciągającej burzy. Tak jakby napięcie elektryczne zwiastujące wyładowania już stroszyło mi włosy.

– Tylko przeczucie?

– Nic namacalnego. Ale od naszego pierwszego spotkania nauczyłem się ufać moim przeczuciom... – Rozłożył bezradnie ręce.

– Ja też się tego nauczyłem – westchnął Skórzewski. – Teraz pytanie, co dalej. Przyjmijmy, że jednak nadciąga ta burza. Jak sądzisz, kiedy uderzy grom i lunie deszcz?

– Podczas kongresu – odpowiedział Hansen szybko. – Czuję, że właśnie wtedy nastąpi katastrofa. Nie wiem jeszcze jaka. Delegaci przybędą różnymi środkami lokomocji. Część morzem, część pociągiem z Oslo, niektórzy być może lądem. Ale uderzy tutaj. W szpitalu. W oku cyklonu, w którym panuje nienaturalna cisza... Cisza przed burzą.

– Gdybym miał stawiać diagnozę, orzekłbym, że cierpisz na paranoję. Ale zbyt wiele dziwnych wypadków sam przeżyłem, by lekceważyć symptomy zagrożenia. Pomyślmy. Na logikę, jako gospodarz konferencji jesteś najbardziej zagrożony – mruknął Skórzewski. – Jak mówi Biblia: „Uderz w pasterza, a rozproszą się owce". Od dziś żadnych ryzykownych kuracji.

– Nie sądzę, żeby chodziło o mnie. Nie jestem niezastąpiony. Byłem jednym z kilku pomysłodawców tego zjazdu. Owszem, specjaliści od trądu mnie poważają, ale moja sława jest już nieco przebrzmiała. Jako pierwszy zobaczyłem i opisałem bakterie. Tego nikt mi nie odbierze. Ale mój uczeń, Nilsen, zrobił pierwszy test błyskawiczny, ten z zastrzykiwaniem pilokarpiny. Szukając przez ponad trzydzieści lat, nie opracowałem skutecznej metody zniszczenia tych bakcyli. Miałem wprawdzie pewien pomysł, ale... – Urwał. – Właściwie to moja rola sprowadza się do dzwonienia dzwonkiem i przedstawiania kolejnych mówców. Nie będę miał nic ciekawego do pokazania – powiedział jakby z żalem.

– Hmmm... Może zatem szpital? Na razie wszelkie nieszczęścia omijają was, jakby los czy inne siły usiłował was uspokoić, rozleniwić może. A potem – trach!

– Śmierć tak wielu wybitnych lekarzy... – zadumał się Hansen. – Ale to na szczęście niewykonalne. No, może tylko ostrzał artyleryjski... Albo wybuch skrzyni dynamitu. Lecz to nasze, ludzkie sposoby. Nie pasują do sił, które wydają mi się być swego rodzaju pasożytem, żerującym na naturze, na ludzkości...

Laura von Lindenbrock pojawiła się, gdy już wstawali od stołu.

– Witam panów. – Skinęła sztywno głową. – Jak pan się dziś czuje, doktorze Hansen?

– O niebo lepiej niż nocą, choć jestem jeszcze bardzo osłabiony – odpowiedział. – Obiecywałem jednak pokazać pani kilka ciekawszych przypadków. Mój gość też pewnie chętnie rzuci okiem na to, co udało się osiągnąć przez ostatnie lata.

– To może poczekać. – Wzruszyła ramionami.

– Nie, nie, chodźmy. – Hansen dźwignął się zza stołu i lekko zatoczył.

Skórzewski podtrzymał go za ramię. Wyszli na dziedziniec. Jeszcze wczesnym rankiem dzień zapowiadał się przyjemnie, jednak gdy siedzieli przy śniadaniu, niebo zasnuły ciężkie deszczowe chmury. Ochłodziło się.

Przeszli przez sień i skręcili w lewo. Hansen nacisnął klamkę. W nozdrza uderzył ich typowy szpitalny zaduch. Woń odczynników chemicznych, leków, świeżo wyszorowanej podłogi i ukryty pod innymi zapachami specyficzny odór strachu i cierpienia. Nozdrza doktor Laury zadrżały, zatrzymała się na chwilę w drzwiach, jakby otumaniona.

– Nic przyjemnego. – Skórzewski najchętniej w takich chwilach zapaliłby fajeczkę, ale od wielu lat był zagorzałym wrogiem tytoniu.

– Chore ciało zawsze wydziela więcej potu – zauważył Hansen. – Mamy tu umywalnię, pościel pierze się regularnie, a jednak czuć. Taki paskudny smród, jakby woń choroby...

– Jak w każdym szpitalu, doktorze – uspokoiła go kobieta. – Przywykłam.

Główny hol był wysoki na dwie kondygnacje. Na parterze po lewej i prawej znajdowały się dwuosobowe pokoiki. Na wysokości pierwszego piętra biegła galeria, z której wchodziło się do identycznych pomieszczeń. Głównym źródłem światła były wysokie okna w ścianie frontowej, od ulicy. Na samym końcu pomieszczenia po lewej znajdował się korytarzyk prowadzący do kościoła.

Zimą czy podczas deszczu nie trzeba nawet wychodzić na zewnątrz, aby zaznać pociechy religijnej, pomyślał lekarz.

Hol stanowił jakby wspólny salon dla chorych. Ustawiono tu stoliki i krzesła. Pacjentów było kilkunastu. Niewielka grupka zebrała się na końcu pod oknem, wokół kobiety czytającej na głos jakąś książkę. Kilkoro obserwowało rozgrywkę szachową.

– Staramy się zapewnić im jakieś rozrywki – powiedział cicho gospodarz. – To przeważnie prości ludzie ze wsi nad fiordami. Przywykli do swobody. Trudno im wytrzymać w zamknięciu. Zdarzają się też czasem ucieczki.

– A jednak ci ludzie żyją tu podwójnie uwięzieni. Ich dusze tkwią w ciałach toczonych straszliwą i nieuleczalną chorobą, a do tego nie wolno im opuszczać leprozorium. W Molokai mają do dyspozycji całą wyspę... – zauważył Polak. – Czy nie byłoby lepiej przenieść cały ośrodek poza Bergen? Dolin i wysp jest tu pod dostatkiem.

Otwarta przestrzeń poprawia nastrój. To zaś przekłada się na ogólną witalność.

– Nie ja o tym decyduję – westchnął Hansen. – Po prawdzie to od czasu tamtego procesu o niewielu rzeczach już decyduję...

Paweł słyszał o tej sprawie. Jakaś kobieta oskarżyła Armauera, że celowo próbował zarazić ją trądem. Nie bardzo wiedział, co o tym myśleć. Jego przyjaciel miewał naprawdę szalone pomysły, ale żeby coś takiego...? W każdym razie proces toczył się wiele miesięcy i nie przyniósł rozstrzygnięcia, ale wszechwładny dawniej dyrektor dla uspokojenia opinii publicznej został pozbawiony funkcji szefa głównego szpitala i trafił jak na zesłanie tu, do miejsca, gdzie zaczynał praktykę.

Było coś na rzeczy czy może ktoś uknuł spisek, by zagarnąć jego stanowisko? – zadumał się Skórzewski.

Nie wypadało zapytać wprost, ale przecież pamiętał, że przyjaciel był skłonny do zachowań nadmiernie ryzykownych. Nadszedł pielęgniarz.

– Poproś na początek Edwarda – polecił gospodarz.

Weszli do niewielkiego gabinetu. Zaraz też przyprowadzono pacjenta. Gdy zdjął koszulę, Skórzewski wzdrygnął się mimowolnie, widząc rozległe plackowate narośle, szpecące skórę. Chory miał około czterdziestki. Sądząc po muskulaturze, kiedyś dużo pracował fizycznie. Polak uznał, że ma przed sobą cieślę lub może drwala. Ściślej mówiąc, byłego cieślę lub drwala. Patrzył ze współczuciem na zdeformowaną dłoń. Niegdyś pełna siły, teraz pozostawała skurczona, niewładna, pozbawiona była części palców...

Laura też patrzyła. Nozdrza lekko jej drgały, ale z twarzy nie sposób było nic wyczytać.

Jej okulary mnie drażnią, pomyślał Skórzewski. Lubię patrzeć w oczy, one tak wiele wyrażają. W jej przypadku szkła są jak maska... No i te nozdrza drżą jej jak chrapy kobyły przed biegiem. Dlaczego tak dziwnie się zachowuje?

– Udało mi się zatrzymać rozrost narośli. – Hansen wskazał ramię chorego. – Użyłem podskórnych i domięśniowych zastrzyków z jodu. W ciągu sześciu miesięcy infekcja nie objęła większego obszaru skóry.

– A nowe ogniska? – zaciekawiła się kobieta.

– Dwa na plecach. Od razu zastosowałem jod i zatrzymałem ich ekspansję.

– Tak czy inaczej, to działanie doraźne – zauważyła von Lindenbrock. – Bakterie z pewnością są obecne we krwi i jest chyba kwestią czasu, gdy zainfekują kolejne rejony.

– Owszem – potwierdził Armauer. – Leczenie objawowe. Ale krwi nie umiemy jeszcze oczyścić. Wydaje się, że jod i chinina ograniczają żywotność bakcyli w osoczu i być może ich zdolność infekcji tkanek, ale tych preparatów nie da się stosować przez dłuższy czas. Niszczenie, a choćby tylko ograniczanie rozrostu zmian przedłuża życie i sprawność ciała. Nie będąc w stanie pokonać choroby, ograniczam jej skutki, odsuwam w czasie kalectwo. W tych warunkach to już dużo.

Odprawił chorego. Kolejnym był około dziesięcioletni chłopiec. Włosy miał gęste i ciemne, oczy niemal czarne. Uśmiechnął się nieśmiało do lekarzy i bez nakazu zdjął koszulę. Skóra na plecach była czysta, jednak na brzuchu, w okolicy pępka znajdowała się narośl około trzycentymetrowej średnicy.

– To jeden z naszych najnowszych pacjentów – westchnął Hansen. – Normalnie byłby umieszczony w szpitalu, a nie tutaj, ale prosił o to... Znajduje się tu jego matka i starsza siostra. Obie przebywają u mnie już od lat, mieliśmy nadzieję, że rodzina jest czysta. – Zacisnął szczęki.

– Trąd, niestety, potrafi kilka lat przyczaić się i rozwijać bezobjawowo – powiedział cicho Skórzewski. – Szkoda dzieciaka.

Chłopiec odwrócił się bokiem, lekarz odgarnął jego włosy z lewej strony, odsłaniając ucho. Na małżowinie wykwitło już kilka grudek.

– To pojawiło się niedawno – powiedział stary lekarz. – Zastosowałem standardową w tym wypadku kurację, ale choroba zdaje się postępować. Obawiam się, że nie ma wielkich szans... – westchnął. – O ile w ogóle można mówić o szansach w przypadku zgromadzonych tu pacjentów.

Chłopiec powiedział coś w niezrozumiałym dla Skórzewskiego dialekcie. Polak osłuchał się trochę z językiem używanym tu, na południu, w regionach, gdzie przez wiele lat odciskały się silne wpływy duńskie. Wiedział jednak, że na północy mówi się zupełnie inaczej, tam norweski zakonserwował się w czystej, bardziej archaicznej formie. W dodatku społeczności zamieszkujące izolowane doliny wytworzyły własne gwary. Doktor Hansen coś mu odpowiedział. Dzieciak zrobił smutną minę i rozłożył ręce. Polak spojrzał na przyjaciela pytająco.

– Mówi, że jego przyjaciółka, wiewiórka, nie pojawia się od kilku dni – rzekł lekarz po niemiecku. – Nie chciałbym go ranić, ale obawiam się, że albo uciekła, albo spotkał ją podobny los, jak inne zwierzęta.

Powiedział coś do chłopca łagodnym tonem. Mały uśmiechnął się, ubrał i wybiegł z pokoju.

– Jeszcze ma energię, oby starczyło mu jej na długo – mruknął Hansen. – Może zdążę znaleźć dla niego jakieś lekarstwo... Albo któryś z moich uczniów.

– Gdyby zechciał pan, doktorze, spróbować mojej kuracji na pacjentach – odezwała się niespodziewanie doktor von Lindenbrock – jestem do dyspozycji.

– Dziękuję, koleżanko – odparł. – Myślę, że za wcześnie na jakiekolwiek działania. Próby kliniczne nie zostały jeszcze dokończone.

– Myślę, że w przypadku tego chłopca...

– Dziękuję – uciął stanowczo Hansen. – Proszę wprowadzić następnego pacjenta – zwrócił się do pielęgniarza.

Przez kolejne dwie godziny przedefilowało przed nimi kilkanaścioro chorych. Hansen, choć widać było, że jest bardzo zmęczony i sam ciężko przechodzi infekcję, szczegółowo wyjaśniał każdy przypadek, opisując stosowane kuracje i uzyskane efekty terapeutyczne. Wyniki były skromne. Rokowania w zasadzie zawsze złe lub bardzo złe.

Śmierć ich wszystkich nadal stoi tuż za drzwiami, myślał Polak. On co najwyżej spowalnia jej nadejście... Z drugiej strony, to szpital doświadczalny. Jeśli znajdzie lek, oni pierwsi na tym skorzystają. Choć narażają się też bardziej, bo to na nich sprawdzane są nowe preparaty i metody leczenia. A te mogą się okazać naprawdę groźne... Coś za coś.

Spojrzał spod oka na Niemkę. Obserwowała chorych z wyraźnym podekscytowaniem, kolejne przypadki budziły jej żywe zainteresowanie. Nie zadawała w zasadzie pytań, poprzestawała na wyjaśnieniach starego lekarza. Skórzewski zżymał się na widok jej podniecenia. Wydawało mu się kompletnie nie na miejscu.

Pewnie pierwszy raz styka się z trądem. Norwegia, Rosja i Grecja to ostatnie poważne rezerwuary tej choroby na kontynencie, rozważał, szukając usprawiedliwienia. W Niemczech zapewne mają do czynienia z pojedynczymi przypadkami, i to przywleczonymi przez powracających z Tanganiki czy też, jak to nazywają, Niemieckiej Afryki Wschodniej.

Jednocześnie czuł, jak narasta w nim niechęć do tej kobiety. Patrzyła na kolejnych chorych z zainteresowaniem, ale chłodno, nie jak na ludzi, lecz jak na okazy zoologiczne. On sam wiele razy starał się utrzymywać dystans. Tłumił emocje, bo utrudniały pracę, przeszkadzały w znajdowaniu rozwiązań. Mimo to zawsze widział w pacjentach zwykłych, cierpiących ludzi.

– I tak to mniej więcej wygląda – powiedział Hansen, gdy ostatni chorzy opuścili gabinet. – Ciągła walka, ciągłe testowanie metod, środków, preparatów. Niewielkie sukcesy. Ale te prawdziwe efekty ograniczania epidemii uzyskujemy metodami pozamedycznymi, a wręcz administracyjnymi. Izolacja chorych, przymusowa hospitalizacja, obowiązkowe regularne badanie członków rodzin, w których doszło do zachorowań... Dziś wiemy już, że okres inkubacji choroby jest niezwykle długi, od zarażenia do pojawienia się pierwszych symptomów mija nawet siedem lat.

– Czy chory w tym okresie zaraża? – zapytała Laura.

– Prawdopodobnie jest to możliwe. Niestety, testy pilokarpinowe zawodzą. Poszukiwania bakterii we krwi i tkankach, które nie uległy jeszcze zmianom, wymagałyby przygotowania dziesiątek preparatów. To jak szukanie igły w stogu siana. Nie mamy testów pozwalających precyzyjnie wykryć zarażonych. To jedna z przyczyn, dla których przegrywamy.

– Gdyby tak opracować metodę wykrywania choroby na wczesnym etapie i przebadać całą ludność Norwegii – zapalił się Skórzewski. – Albo przynajmniej regionów, gdzie choroba atakuje najczęściej.

– To właśnie jest zadanie, nad którym od lat łamię sobie głowę. Kongres będzie okazją do wymiany doświadczeń. Chętnie posłucham, jakie pomysły mają moi uczeni koledzy. Moja inwencja po blisko czterdziestu latach nieustannej walki z zarazą wyczerpuje się. Z drugiej strony, medycyna idzie do przodu. Pojawiają się nowe środki chemiczne i techniczne. Wierzę, że pokonanie trądu i innych chorób to już tylko kwestia czasu. Wiek dwudziesty będzie czasem wielkiego triumfu farmaceutów. Co najwyżej nie my spijemy śmietankę przynależną odkrywcom. No, chyba że nasze starcze umysły wykrzeszą nagle ostatnią iskrę geniuszu. – Uśmiechnął się, jakby miał jakiś pomysł.

– Coś panu chodzi po głowie? – zdziwiła się lekarka.

Uśmiechnął się skromnie i skinął głową.

– Niech zgadnę. Najnowsza moda, czyli naświetlania promieniami X? – zapytał Skórzewski.

– Myślałem o tym, ale uważam, że bardziej perspektywiczna jest brachyterapia – wyjaśnił Hansen.

– Co proszę? – zdziwił się Polak.

– To nowy termin, zaproponowany przez doktora Hermanna Strebela – odezwała się Laura. – Chce używać radu do niszczenia guzów raka. Kompletna bzdura.

– Przecież to już z powodzeniem stosują Exner, Holzknecht i Scholtz – zdziwił się Skórzewski. – Uzyskali zmniejszenie się guzów, komórki patologiczne, zmienione, umierają pod wpływem promieniowania. A w każdym razie umierają szybciej niż zdrowe. Aczkolwiek choć wyniki są ciekawe, występują też skutki uboczne, napromieniowanie stosowane przez kilkanaście dni z rzędu powoduje paskudne owrzodzenia skóry.

– Doktor Strebel wymyślił na to sposób. Postuluje, by nie stosować napromieniowywania przez skórę, ale wprowadzać kapsułki z solami radu bezpośrednio do wnętrza organizmu, poprzez umieszczanie ich w jamach ciała w okolicach guzów, lub by wbijać igły pokryte radem bezpośrednio w zmiany – wyjaśniła Niemka. – Moim zdaniem, to żałosne kurfuszerstwo.

– Ja bym jednak spróbował... – westchnął Hansen. – Gdyby tak zdobyć fundusze na dwie lub trzy igły z metalicznego radu... Albo chociaż powleczone galwanicznie warstwą tego metalu. Lecz to wydatek rzędu kilkudziesięciu tysięcy koron. Cena radu wprawdzie spada, jeszcze niedawno kosztował blisko milion dolarów amerykańskich za gram, ale nadal jest to suma nie na naszą kieszeń.

– Rad, jak powszechnie wiadomo, dotkliwie parzy skórę, najczęściej prowadząc do martwicy tkanek. – Kobieta mówiła spokojnie, twardym tonem. – Owrzodzenia często goją się miesiącami. A pan by chciał użyć go przeciw chorobie toczącej właśnie skórę? To jak te średniowieczne pomysły, że „podobne leczy podobne" i że rosół z kanarków pomoże na żółtaczkę. – Skrzywiła się demonstracyjnie.

– Na kongresie dermatologów, który odbył się w Breslau w tysiąc dziewięćset pierwszym, wspominano o zastosowaniu promieni ultrafioletowych, może one byłyby bezpieczniejsze niż rad? -- zaproponował Skórzewski. – A już z całą pewnością jest to metoda o niebo tańsza.

– Też parzą. – Kobieta arogancko wzruszyła ramionami. – W dodatku trąd uderza w głąb ciała, niszcząc tkankę nerwową. Ultrafiolet nie wniknie wystarczająco głęboko. No i jeszcze bakterie obecne we krwi. Ultrafiolet nie przeniknie też do krwiobiegu.

– Jeśli będziemy odrzucali wszystkie nowe pomysły, medycyna nigdy nie zrobi kroku naprzód – zaprotestował Hansen. – Trzeba szukać... Cały czas uparcie szukać. Do skutku.

– Ale należy szukać na drogach, które dają chociaż cień szansy dotarcia do celu – odparowała.

Skórzewski zacisnął zęby. Strasznie denerwowało go to babsko... Nigdy nie lubił Niemców, ale to już przekraczało wszelkie granice. Przecież Hansen był tu gospodarzem i zasłużonym badaczem. Z racji samego wieku powinna okazywać mu więcej szacunku.

To pewnie przez ten syfilis, pomyślał ze smutkiem. Ona przecież wie, na co cierpi Armauer, i pewnie oceniła go jako starego, niemoralnego satyra... Zastosowała tę fikuśną kurację, ale zdanie o pacjencie ma tak fatalne, że nie jest w stanie uznać jego autorytetu. Jeden głupi błąd z przeszłości może wlec się przez całe życie...

Spojrzał na Hansena. Zawsze w obliczu nieuleczalnych chorób czuł to samo – mieszaninę złości i bezsilności, żalu i rozdrażnienia. I nagle błysnął mu pomysł.

– A gdyby tak użyć salwarsanu? – rzucił. – Jeśli zabija bakcyle syfilisu...

– Kluczowe jest tu słowo „jeśli". – Doktor Laura wzruszyła ramionami. – Poza tym lepra i syfilis należą do dalece odmiennych rodzin bakcyli.

– Interesująca koncepcja – bąknął Armauer.

– Pokaże mi pan dokumentację statystyczną epidemii trądu w Norwegii? – kobieta zwróciła się do starego lekarza.

– Jeśli to panią ciekawi, zapraszam do archiwum. Mam zestawienia z ostatnich stu trzydziestu lat. Mapy, wykresy, nawet genealogie rodzin dotkniętych chorobą, sporządzone jeszcze przez doktora Danielsena. Będziesz nam towarzyszył? – zwrócił się do Pawła Hansen.

– Wybaczcie, jeśli nie jestem potrzebny, chciałbym wyjść do miasta. – Skórzewski czuł dziwną potrzebę zaczerpnięcia oddechu, jakby atmosfera szpitala zaczęła go dusić.

Gdy zamknęły się za nim pomalowane na zielono drzwi, poczuł, jakby ktoś przeciął zaciskający się na jego klatce piersiowej węzeł. Pomaszerował szybko przed siebie, nie zwracając nawet uwagi na to, dokąd idzie. Zatrzymał się dopiero na wzgórzu przed niedawno wzniesionym teatrem. Zasapał się trochę.

Starość nie radość, westchnął. Z drugiej strony, nie jestem jeszcze w takim wieku, by przerażało mnie jedno strome podejście. Trzeba się wziąć za siebie, skapcaniałem przez te trzy lata, siedząc za biurkiem.

Na szczęście, jakby specjalnie dla niego, magistrat poustawiał na skwerze eleganckie żeliwne ławeczki. Przysiadł ciężko pod obsypaną pachnącym kwieciem lipą. Dookoła brzęczały pszczoły, nad trawnikiem fruwały motyle. Z pobliskiego zaułka dobiegały pokrzykiwania dzieci. W dole wpływał właśnie do fiordu elegancki jacht parowo-żaglowy. Kto wie, może to sam król przypłynął z wizytą? Nie, wtedy z pewnością wywieszono by znacznie więcej flag. Doktor odchylił się i popatrzył w korony drzew.

Gnałem tutaj jak na złamanie karku, pomyślał. Dlaczego? Zupełnie jakbym uciekał. Nie mogłem już wytrzymać, bałem się, że za chwilę zacznę wyć. A przecież sam chętnie rzuciłbym okiem na te dane. Starzeję się chyba... Widok ciał okaleczonych chorobą wpędza mnie w depresję. I jeszcze ta nieznośna baba! Nie daj Boże, by mój zawód się sfeminizował! No, ewentualnie pediatria, tam trzeba czasem kobiecej ręki...

Spojrzał w stronę gmachu. Na frontonie budynku wywieszono afisze. Wystawiano jakąś mniej znaną sztukę wielkiego Ibsena. Uświadomił sobie, że od wielu miesięcy nie był w teatrze. Przez chwilę rozważał, czy nie wybrać się na wieczorne przedstawienie, ale po chwili uznał, że nie ma to sensu. Norweski rozumiał przecież piąte przez dziesiąte.

Wstał z ławki i powędrował dalej grzbietem wzgórza. Ulica była elegancko brukowana, trotuary równiutkie. Zasadzono drzewka, na razie były jeszcze cienkie, ale za kilka, kilkanaście lat... Otaczały go niewysokie domy o elewacjach obitych malowaną na biało drewnianą klepką. Podobał mu się ten styl budowy.

U nas też są setki wsi i miasteczek, zabudowanych drewnianymi domami. Gdyby zachować to, co dobre, na przykład podcienia obiegające rynki, ale wprowadzić trochę elementów tego stylu? Ludzie powinni mieszkać w przestronnych, jasnych domach. To zdrowe i wygodne. Wiele moglibyśmy się od Norwegów nauczyć...

To po prawej, to po lewej stronie co chwila otwierał się widok na leżące w dole zatoki. Szedł, rozkoszując się ciszą i spokojem, gdy nieoczekiwanie jego uszy poraził łoskot werbli. Zza domów pojawiła się kolumna kilkunastu chłopców. Na ich czele kroczył dobosz, wybijający całkiem wprawnie rytm na niewielkim bębnie. Chłopcy maszerowali trójkami, starając się dziarsko przytupywać, jak prawdziwi żołnierze. Na ramionach nieśli broń. Pierwsi taszczyli porządne myśliwskie dubeltówki, ci w dalszych szeregach pordzewiałe archaiczne flinty, ostatni mieli tylko karabiny wystrugane z drewna.

Zasalutował im żartobliwie, podnieśli dłonie do daszków czapek. Zniknęli w uliczce prowadzącej w dół. Chwilę później dostrzegł jeszcze z dala, jak ćwiczą musztrę na trawniku za wytwórnią konserw. Słyszał o tym już w czasie poprzedniego pobytu. Tak spędzali wolny czas norwescy chłopcy...

Zabawa w wojsko... – pomyślał. Teraz, gdy Norwegia stała się niepodległym państwem, nabiera to dodatkowego znaczenia. A u nas... W Polsce to samo robią ludzie dorośli, i to bardziej na poważnie.

Przypomniał sobie, jak asystował w zawodach towarzystwa gimnastycznego „Sokół". Ćwiczenia strzeleckie, marsze, biegi na orientację... To się przyda. Prędzej czy później Polska będzie potrzebowała ludzi wyćwiczonych i zdolnych do noszenia broni.

*

Wrócił z przechadzki późno, zmęczony, ale odprężony. Oderwał myśli od ponurych spraw. Piękny dzień, słońce i świeże powietrze podziałały na niego uzdrawiająco. Jednak dobry nastrój prysł już w chwili, gdy przechodził przez bramę leprozorium. Słońce właśnie ukryło się za chmurami. Deski elewacji, pomalowane na paskudny sinozielonkawy kolor, wydały się przez to jeszcze brzydsze. Widział miejsca, gdzie farba łuszczyła się, widział wypaczone parapety, mech na dachach i trawy kiełkujące w nieoczyszczonych rynnach.

Mój przyjaciel się zestarzał, jego uczeń baluje po świecie, nie ma komu zadbać o szpital, pomyślał. Z drugiej strony, główny budynek jest przecież obecnie gdzie indziej, to teraz jedynie jednostka doświadczalna, nie tu idą największe nakłady. Armauer jest szefem już tylko tego zespołu...

Wszedł do budynku. Przez chwilę chciał zapukać do drzwi mieszkania Hansena, ale słysząc pogwizdywanie, skręcił w prawo, do laboratorium. Na ciężkich dębowych stołach położono marmurowe blaty. Lśniły niklowane statywy, połyskiwały mosiężne tubusy najnowocześniejszych niemieckich mikroskopów i binokularów. W szafach bielały porcelanowe słoje z odczynnikami. Lekarz mieszał jakieś substancje, powitał przyjaciela tylko zdawkowym skinięciem głowy. Skórzewski, nie chcąc przeszkadzać, minął go i stanął na końcu przed dwoma gąsiorami pełnym wody. Wyglądały jak miniaturowe akwaria. Wsypano do środka trochę piasku, zasadzono wodorosty. Napuszczono też rozwielitek i temu podobnych żyjątek, Paweł widział unoszące się larwy komarów.

– To do kolejnej infekcji – wyjaśnił Hansen, kończąc swoją pracę. – Malaria...

– Czy to aby zgodne z prawem? – zaniepokoił się gość. – W końcu masz tu rezerwuar groźnej zarazy... Gdyby się wydostały, możesz wywołać epidemię w całym mieście.

– Dlatego trzymamy je w gąsiorach z grubego szkła, a nie w akwariach. W szyjkach są tampony, których nie sforsują... Nie ma ryzyka. No, może jakieś jest, ale minimalne. Poza tym tu jest za zimno. Komary utrzymają się do jesieni i będzie po malarii.

– Hmm... – Polak pozostał sceptyczny. – A jeśli miejscowe komary też zaczną to przenosić? Niby jest to choroba tropików i tam zbiera najbardziej śmiertelne żniwo, ale szaleje też na Krymie, a i w moim kraju się przytrafia! Trzeba z tym bardzo uważać. Może ci jakoś pomogę? – zaofiarował się.

– Nie trzeba, dziękuję. Potrzebuję dosłownie jeszcze chwilę, żeby to skończyć... Pani Laura złamała się i zje z nami dziś kolację – zmienił nagle temat, umieszczając jedną z kolb w specjalnym uchwycie.

– Właśnie miałem o nią zapytać. Gdzie mieszka? Tutaj czy gdzieś w mieście?

– Zatrzymała się w jakimś hotelu, nie wypadało mi wypytywać. – Hansen podgrzewał coś nad palnikiem.

– O której... – zaczął Polak.

– O dziewiętnastej u mnie – wyjaśnił zwięźle Hansen, wstawiając menzurkę w uchwyt stojaka. – A właśnie, jeszcze jedno... Zapodział mi się gdzieś list z Oslo, szara koperta, brązowy znaczek. Ze szpitala miejskiego, od mego starego znajomego doktora Ottona Johansena. Nie zdążyłem nawet otworzyć i gdzieś zniknął... Starzeje się człowiek. Gdybyś go gdzieś przyuważył...

– Będę się rozglądał.

Skórzewski wyszedł na dziedziniec, chciał usiąść na ławce przed szpitalem, ale przypomniał sobie, że siadują na niej pacjenci, i zrezygnował. Lepiej nie kusić losu. Nieopodal zobaczył pięć zdechłych ptaków. To przypomniało mu, że miał rano poprosić o uprzątnięcie martwego szczura. Podszedł do budki dozorcy.

Wąsaty, starszy mężczyzna gotował sobie właśnie kawę na małym piecyku. W pomieszczeniu panował nieznośny upał, spotęgowany jeszcze przez ogień płonący pod blachą. Dozorca zdjął z pieca mały, poobijany garnuszek i wlał jego zawartość do prostej, białej filiżanki.

– Słucham pana, doktorze – odezwał się po niemiecku.

– Chciałem prosić o coś – lekarz powoli, starannie dobierał norweskie słowa. – Tam pod ścianą leży zdechłe zwierzę, szczur. A pod drzewem...

– Znowu ptaki? – Dozorca machnął nabijaną właśnie fajką. – Ciągle nowych przybywa, co wyrzucę, to robota od początku – mówił po niemiecku trochę nieskładnie, ale zrozumiale.

– Od kiedy tak jest?

– Ano jakoś ze dwa miesiące będzie. – Mężczyzna pociągnął łyk kawy. – A i sprzątać nie ma komu, bo tu tylko ja do roboty zostałem. No i Nils w szpitalu. Reszta uciekła.

Skórzewski przypomniał sobie, że już słyszał o odejściu personelu. Wiadomość ta nie zdziwiła go – w końcu niewielu ludzi zgadza się dobrowolnie na kontakt z trędowatymi. Jednak w świetle niepokojących doktora Hansena wydarzeń każda informacja mogła być przydatna.

– Uciekli? – podchwycił.

– Ano, jak mój Klaus, znaczy pies, zdechł, a potem koty, co tu przychodziły, to ludzie zaczęli mówić, że zaraza taka zjadliwa, że i na zwierzęta się przenosi. To i dla ludzi zjadliwsza, powiadali. No i poszli precz. A Helga, służąca doktora, to miała kanarka w klatce. I mówiła, że kiedyś w nocy obudził ją straszny skrzek, jakby wielkiego ptaszyska. I oczy jakieś dziwne zobaczyła, całkiem nieludzkie. I koloru dziwnego. Schowała się pod kołdrę ze strachu. A rano, jak wstała, to kanarek... – Stróż przeciągnął dłonią po gardle.

– Pewnie zwierzę też się przestraszyło – zauważył lekarz.

– Tylko czego? Okna zamknięte były, wejścia pozamykane, bo sam pilnuję, żeby zawsze na noc wszystko było zawarte. Helga powiedziała, że ani chybi to demon, a następnego dnia spakowała walizkę i wymówiła panu doktorowi. A potem inni odeszli. – Stróż westchnął i zaciągnął się dymem z fajki. – Niech pan się nie martwi, posprzątam – zmienił nagle temat i dalej pykał już w milczeniu, dając do zrozumienia, że nie chce kontynuować rozmowy.

Doktor pożegnał się i poszedł przebrać się do kolacji.

*

Szarlotka popijana mocną aromatyczną kawą smakowała wyśmienicie. W kieliszkach czerwieniały resztki wina. Doktor Laura jadła niewiele, za to spoglądała co i rusz na doktora Hansena i Skórzewski nagle uświadomił sobie, że ma dokładnie taki sam wyraz twarzy, jak przed południem w gabinecie, gdy oglądała trędowatych. Patrzyła na Armauera jak na ciekawy przypadek... medyczny? No tak, leczyła go przecież.

– Pamięta pani nasze ostatnie spotkanie? – zagadnął Polak.

Kobieta uniosła i przechyliła głowę. Ciemne szkła nie pozwalały dojrzeć jej oczu, ale zmarszczyła czoło.

– Wydaje mi się, doktorze... Hmm... Chyba nigdy nie zostaliśmy sobie przedstawieni, choć twarz pańska wydaje mi się znajoma. Wydaje mi się, że kilka lat temu na kongresie medycznym słuchałam pańskiego referatu.

– Berlin, Uniwersytet Friedricha Wilhelma von Schellinga, byłem tam na kongresie chorób wewnętrznych w tysiąc osiemset dziewięćdziesiątym dziewiątym roku.

– Przyjechał pan jako członek delegacji z Petersburga. – Kiwnęła głową. – A wystąpienie dotyczyło chyba leczenia urazów odniesionych przy pracy... Na podstawie pańskiej praktyki lekarza kolejowego na Syberii. Widzę, że dobrze pamiętam. Czemu pan pyta?

– Po prostu usiłowałem sobie przypomnieć, o czym było pani wystąpienie...

– Zostało wygłoszone na samym końcu. Być może nie był pan na nim obecny. – Uśmiechnęła się. – Referowałam te same nudne zagadnienia, co zwykle. Przewlekłe infekcje ran szarpanych, wywoływane wydzielinami bakterii gnilnych, żerujących na obumarłej tkance... A co ciekawego przygotował pan na nadchodzący kongres? – zainteresowała się.

Wyjaśnił pokrótce, czym się obecnie zajmuje. Potem Hansen zaczął opowiadać o tym, kogo zaprosił i jakie to medyczne sławy za miesiąc zjadą do Bergen. Mówił z trudem i dość nieskładnie, widać było, że jest zmęczony. Rozmowa nie kleiła się i z niejaką ulgą wstali wreszcie od stołu.

Laura oznajmiła, że wraca do hotelu. Skórzewski kurtuazyjnie zaproponował, że ją odprowadzi, ale odmówiła.

– To nie wypada, mój panie! – Pokręciła głową jakby z naganą. – Zresztą miasto jest bezpieczne i nikogo tu nie dziwi widok samotnie spacerujących cudzoziemek.

– Skoro tak sobie pani życzy...

– Dziękuję za dobre chęci. – Ukłoniła się sztywno i wyszła.

Patrzył przez okno, jak przeszła przez dziedziniec i znikła w bramie. Pielęgniarz sprzątnął ze stołu i lekarze zostali sami.

– Niemcy z tą ich nowoczesnością i emancypacją kobiet – skrzywił się Paweł. – Tego właśnie w nich nie lubię. Choć rozwój higieny i dbałość o kulturę fizyczną młodzieży wypada pochwalić, to jednak nieustanna dyscyplina oraz ten militarny dryl, tak u chłopców, jak i u dziewcząt, budzą moją odrazę.

– Jakby szykowali się do wojny. Trzydzieści lat minęło, ledwo co przebrzmiały echa ich zbrodni w Alzacji Francuskiej, a wygląda na to, że ten ich kajzer marzy o kolejnej awanturze. Ano cóż, pora spać – westchnął Hansen.

– Wiem, że jesteś zmęczony, ale czy moglibyśmy zamienić jeszcze parę słów? Wolałbym nie czekać z tym do rana.

Stary lekarz potarł skronie i ciężko usiadł w fotelu.

– O czym chcesz rozmawiać? – zapytał.

– Wydaje mi się, że to nie jest Laura von Lindenbrock – oznajmił doktor Skórzewski.

– Cóż to za żarty? – zdziwił się Hansen. – Przybyła zgodnie z zapowiedzią... Zresztą poznałem ją z dziesięć lat temu w Kopenhadze.

– Ja też ją znam, choć nie jest to bliska znajomość. Spotkaliśmy się w Berlinie na kongresie. Niewiele kobiet praktykuje medycynę, więc nietrudno zapamiętać. W czasie rozmowy dwukrotnie zastawiłem na nią pułapki. Po pierwsze, nazwa uczelni. Powiedziałem, że patronuje jej Friedrich Wilhelm Joseph von Schelling.

– Ale to się chyba zgadza? – Hansen poskrobał się po łysinie. – W Berlinie jest Uniwersytet Friedricha Wilhelma...

– Prawie, ale nie do końca. Patronem jest Friedrich Wilhelm król Prus, a Friedrich Wilhelm von Schelling był niemieckim filozofem, związanym z tą uczelnią. Każdy pracownik naukowy sprostowałby natychmiast taki błąd!

– Może jest przesadnie taktowna i nie chciała korygować twojej pomyłki?

– Nie wygląda na tak delikatną. Po drugie, kongres, na którym ją poznałem, miał miejsce nie w tysiąc osiemset dziewięćdziesiątym dziewiątym, ale cztery lata wcześniej.

– Teraz to już chyba przesadzasz. Pamiętasz daty wszystkich zjazdów, w których brałeś udział?

– W dodatku wtedy nosiła mocne okulary, nie używała przyciemnianych szkieł. Te wyglądają niemal jak okopcone od wewnątrz. Poza tym rozumiem nadwrażliwość na światło na zewnątrz, ale w środku szpitala i przy zasuniętych roletach? Przy blasku lampy naftowej?

– Do czego zmierzasz?

– Może nosi je, żeby ułatwić sobie udawanie doktor von Lindenbrock? W ten sposób można zamaskować pewne różnice wyglądu twarzy – zasugerował Paweł. – Rozmawiałem z dozorcą – zmienił temat. – Opowiedział mi o kanarku służącej.

– Aaaa, tak – mruknął Hansen z niechęcią. – Staram się nie oceniać ludzi, ale Helga to była straszna histeryczka. Trzymałem ją, bo służąca, która zgadza się zamieszkać w takim miejscu, to prawdziwy skarb. Jednak muszę przyznać, że charakter miała dość uciążliwy. W nocy bała się wyjść z pokoju, a jeśli po nią dzwoniłem, często przychodziła cała roztrzęsiona i plotła banialuki o tym, że w komórce przy schodach ktoś się zamknął i stuka, że na strychu straszą duchy zmarłych pacjentów, a w lustrze w holu na dole widziała straszliwe oczy, które jej się przyglądają. Niewątpliwie przypadek lekkiej paranoi – podsumował.

– Jednak to, co ją skłoniło do odejścia...

– No cóż, nieszczęśliwy zbieg okoliczności. Usłyszała coś, czy też przyśnił jej się krzyk, ze strachu wyimaginowała sobie znów świecące w ciemnościach oczy... Tylko śmierci kanarka nie umiem wytłumaczyć. Mógł niby zdechnąć sam z siebie, ale to było już w czasie, kiedy inne zwierzęta zaczęły padać. Może więc jest rzeczywiście jakaś wspólna przyczyna? – Potarł czoło. – Woda?

My pijemy gotowaną i w postaci herbaty. Zwierzętom lejemy prosto z kranu. Jest też poidło dla ptactwa... Że też wcześniej na to nie wpadłem! Może hydraulicy użyli do lutowania rur jakiegoś stopu zawierającego rtęć?

– Wierzysz w to wyjaśnienie?

– Nie do końca... Nie, wcale nie wierzę. A ty masz lepsze?

– Poukładam sobie wszystko w głowie i powiem, co wymyśliłem – obiecał Skórzewski. – A teraz rzeczywiście chodźmy spać.

*

Rano przybiegł goniec z listem z komory celnej. Bagaż był już skontrolowany, cła nie nałożono, prosili o odebranie skrzyni. Doktor Paweł, klnąc pod nosem, pojechał do portu.

– Najmocniej przepraszamy, że tyle to trwało – sumitował się urzędnik. – Ale mieliśmy problem z cyrylicą. Mało kto w naszym mieście zna rosyjski alfabet, no i spisać te sto czterdzieści tytułów...

– A po co w ogóle je spisywać? – burknął rozeźlony lekarz. – Przecież to nie dynamit, tytoń ani jedwab. Ani nawet alkohol! Tylko książki i czasopisma naukowe z dziedziny etnografii! To w ogóle nie podlega ocleniu!

– Ale jak każdy towar transportowany morzem, musiało trafić do nas. Mamy obowiązek sprawdzać, co jest w każdej paczce. Wszak pod książkami mogły być butelki z rosyjską wódką, karakuły, tkaniny, cygara czy inne rzeczy. A jak już to do nas trafiło, to musieliśmy przecież sporządzić protokół ujawnionej zawartości. Nas zwierzchnicy też kontrolują i rozliczają, nie wyłączając prowokacji, którymi regularnie badają naszą sumienność.

– Idiotyzm! – burknął Skórzewski. – Dopiero co odzyskaliście wolność, jesteście we własnym kraju i zamiast budować go w duchu swobody i wzajemnej życzliwości, sami zakuwacie się w kajdany zbędnych i szkodliwych przepisów.

Na twarzy urzędnika nie drgnął żaden mięsień.

– Poprosimy o pokwitowanie.

Skórzewski przejrzał pobieżnie plik kartek i zły jak osa ozdobił je autografem. Podpisał się cyrylicą, niech się jeszcze trochę pomęczą.

Drewniana skrzynia, wypchana książkami, była ciężka jak sto nieszczęść. Doktor musiał nająć wózek zaprzężony w konika. Sprowadzono mu po chwili popularną w tych stronach dwukołową kariolę. Woźnica był stary, na głowie nosił wyświechtaną zydwestkę, jego kurtka była chyba w lepszych czasach szwedzkim mundurem marynarki...

– Pan sobie życzy dokąd? – zapytał, odsłaniając w uśmiechu poczerniałe pieńki zębów.

– Do muzeum.

– Tego z gnatami wielorybów?

– Ee... Tego z tyłu, tam gdzie są różne zabytki, obrazy...

– A, to już wiem.

Zaciął batem i pojechali. Kariola trzeszczała i skrzypiała, ładny, jasno umaszczony konik wspinał się stromą uliczką bez większego wysiłku.

Fiording, pomyślał Skórzewski, patrząc na ciemną pręgę znaczącą jasny grzbiet zwierzęcia. Takim niestraszne nawet strome ścieżki norweskich gór.

Słyszał, że do odciętych od świata wiosek miejscowi kupcy dostarczają niezbędne zaopatrzenie, wioząc je w jukach na grzbietach takich właśnie poczciwych koni. Woźnica w milczeniu ssał cybuch wygasłej fajeczki. Doktor rozglądał się wokoło. Eleganckie drewniane domy, malowane na biało elewacje, kwiaty w donicach, róże pnące się po ścianach... Nowa zabudowa wypierała wcześniejszą, tu i ówdzie widział jeszcze parterowe chałupki przekrzywione od wichrów wiejących od morza, poczerniałe ze starości... Nowe domy były wyższe, przestronniejsze i miały znacznie większe okna.

Do miasta dotarła kolej, łatwiej było więc dowozić towary z głębi kraju, a nawet z zagranicy. Do tego na Spitsbergenie ruszyło wydobycie węgla kamiennego.

Zapewne ceny opału spadły, ogrzewanie jest tańsze, dywagował. Ludzie chcą lepiej mieszkać, nawet w tak biednym kraju.

Zatrzymali się przed budynkiem muzeum. Woźnica, choć nie wyglądał na szczególnie silnego, zarzucił sobie skrzynię na ramię. Weszli do holu. Na ich spotkanie pospieszył młody człowiek.

– Doktor Paweł Skórzewski, z Petersbuga – przedstawił się gość. – Przywiozłem trochę książek dla biblioteki muzeum, mam je przekazać panu Torgersenowi.

– Olsen – przedstawił się młodzieniec. – Dziękujemy bardzo. Gdybym mógł prosić od razu do biblioteki. – Wskazał kierunek. – Pan kustosz jest na najwyższym piętrze, z pewnością chętnie zamieni kilka słów. Zaraz doniosę panom herbatę...

– Muszę zapłacić... – Skórzewski skinął w kierunku woźnicy.

– Ależ broń Boże! Wszystkie koszta muzeum bierze na siebie!

Doktor podreptał po schodach na górę.

W sali na piętrze panował miły rozgardiasz, towarzyszący zazwyczaj przygotowaniu nowych ekspozycji. Na podłodze rozstawiano skrzynie i tekturowe pudła, strzępy gazet i paski rogoży walały się dookoła. Skórzewski spostrzegł wesołego staruszka z bokobrodami, układającego jakieś metalowe przedmioty w gablocie. W głębi pomieszczenia widział jeszcze jakąś dziewczynę grzebiącą w pudłach. Przedstawił się i wyjaśnił, z czym przybył.

– Dziękuję serdecznie – ucieszył się muzealnik. – Zaraz napiszę do Petersburga z podziękowaniami. Wie pan, nasza biblioteczka jest skromna na razie, dopiero dwanaście tysięcy woluminów. Każda kolejna pozycja to jak dar z nieba...

– Dowiedzieli się, że jadę do Bergen, i poprosili, bym to przywiózł. Dla mnie to żaden kłopot – zapewnił Skórzewski. – No cóż, nie będę przeszkadzał, widzę, że pan bardzo zapracowany. – Ogarnął gestem salę.

– Ależ co też pan, herbaty się chociaż napijmy! Ja od rana w tym kurzu grzebię. Miałem właśnie zrobić sobie przerwę... Jeśli tylko ma pan chwilę dla starego dziwaka... Nieczęsto nas ktoś odwiedza.

– Jeśli nie będę przeszkadzał...

– Ależ co też pan...

– Ja za chwilę dołączę – zawołała dziewczyna. – Tylko odnajdę tamto siodło!

Zasiedli przy małym stoliku. Młody człowiek, poznany na parterze, przyniósł paterę ciastek, trzy spodki, filiżanki i wrócił na dół parzyć herbatę. Doktor powiódł wzrokiem po zgromadzonych sprzętach i skrzyniach.

– Widzi pan, uczony kolego, mamy tu skromne zbiory etnograficzne, dopiero zalążek kolekcji.

– No, niech pan nie przesadza – uśmiechnął się doktor. – Nie taki znów zalążek. Z tego, co wiem, to muzeum funkcjonuje od tysiąc osiemset dwudziestego piątego roku. Z pewnością zebraliście do tej pory wiele tysięcy ciekawych obiektów.

– Teoretycznie tak, ale dawnym zbieraczom brakowało systematyczności, gromadzili to, co wydawało im się osobiście ciekawe. Stąd wartość naukowa zbioru trochę kuleje. Obecnie pragniemy gromadzić stare przedmioty, używane przez norweskich chłopów. Na północy, nad fiordami, często od wieków używa się podobnych narzędzi. Podobnych metod obróbki drewna, rogu, skóry. W głębi kraju żyją też Lapończycy. Temat rzeka, bo bardzo ciekawy to lud, dzielący się na wiele odrębnych plemion, zróżnicowanych, jeśli chodzi o tryb życia. Ci żyjący w głębi lądu to koczownicy hodujący renifery, ale na brzegach oceanu mieszkają ich pobratymcy, którzy gospodarkę oparli na połowie ryb i fok... Zanudzam pana?

– Bynajmniej, to bardzo ciekawe – zaprzeczył Skórzewski.

– W siedemnastym i osiemnastym wieku dotarli do nich misjonarze. To było pierwsze zderzenie kultur, można powiedzieć. Autochtoni zaczęli się zmieniać. Dziś dochodzi do zderzenia drugiego. Wyroby przemysłowe stały się tanie. Lapończycy kupują barwniki. Ich stroje wcześniej zdobione były nitkami farbowanymi sokami roślinnymi. Dziś to feeria barw. Do tego już dawniej ozdabiali odświętne stroje, wplatając w materiał cynowe druciki, dziś nabywają w sklepach druciki miedziane w szpulach i wykonują z nich zachwycająco misterne hafty.

– Rozumiem, że chcą panowie uchwycić tę zmianę, zebrać przedmioty i wyroby dawniejsze, zanim zostaną zniszczone, a techniki ich wytwarzania odejdą w zapomnienie?

– Nie inaczej. Co więcej, mam świetną konsultantkę, która pomaga nam to wszystko opisać. – Wskazał dziewczynę grzebiącą w pudłach na końcu pomieszczenia. – To panna Agot, córka lekarza pracującego w okolicach Bodo. Można powiedzieć, że prawie wychowywała się wśród Lapończyków, często obozowali opodal domu jej ojca, nieraz bywała też u nich w gościnie. Wie pan, jak to dzieci, szybko uczą się języków, łatwo podpatrują to i owo.

– Przepraszam, jeszcze chwilę! – powiedziała. – Już prawie znalazłam!

– Proszę spojrzeć choćby na to. – Muzealnik wskazał ozdobione nacięciami drewniane rurki leżące w pobliskiej gablocie. – Mieliśmy tego w magazynie cały karton. Moja pierwsza myśl – fujarki. Dmuchałem tak i siak, nie uzyskałem żadnego dźwięku.

– Do czego zatem służą? – Skórzewski przeniósł wzrok na dziewczynę, która właśnie nadeszła.

Ta zarumieniła się lekko.

– Widzi pan, panie doktorze, lapońskie matki zakładają je małym chłopcom na przyrodzenie. Gdy idą na wędrówkę z dzieckiem na plecach, rurka sterczy sobie w bok poza chustę. I jak chłopiec siusia, mocz nie zanieczyszcza odzienia matki i dziecka, tylko swobodnie tryska w bok.

– Coś podobnego – zdumiał się lekarz.

Panna Agot siadła na wolnym krześle.

– A tu mamy coś bardziej z pańskiego kręgu zainteresowań. – Etnograf przyciągnął do stolika i otworzył kolejną skrzynię. – Trochę przedmiotów związanych z medycyną i magią medyczną...

Wyjmował po kolei miedziane kociołki, tygielki i dzbanuszki. Norweg wyjaśniał, jakie rodzaje nastawów, naparów i wywarów ziołowych stosował ten lud. Padały nazwy chorób, łacińskie nazwy roślin. Wprawdzie wiedza ta zainteresowałaby raczej farmaceutę, ale Skórzewski, popijając herbatę, słuchał wykładu z zaciekawieniem.

– Co ciekawe, w większości plemion pierwotnych funkcje szamańskie powierzano raczej mężczyznom. U Lapończyków trafiają się natomiast kobiety parające się magią i ziołolecznictwem – mówił etnograf. – Przeważnie mają u swoich pobratymców fatalną opinię, funkcjonują poza marginesem społeczności, zupełnie jak wiedźmy czy czarownice w dawnej Europie. Bez powodu nikt do nich nie chodzi.

– Jednocześnie Saamowie wierzą, że choroby mogą zsyłać istoty, które niepostrzeżenie wnikają między ludzi, przyjmując postać wędrowców i żebraków – dodała dziewczyna. – Przypuszczam, że to może być jakaś reminiscencja dawnych zaraz. Niewielkie społeczności, żyjące w mocno izolowanych dolinach i sporadycznie kontaktujące się z innymi ludźmi, nie posiadają odporności na wiele chorób... Zresztą, po co to tłumaczę, jest pan lekarzem.

– W tych warunkach jeden obcy przybysz może wywołać całą epidemię. – Polak pokiwał głową.

– Stąd strach przed obcymi i rozmaite przesądy na nim wyrosłe – dodała dziewczyna. – W moich stronach wszystkim nieznajomym kazano pić wodę ze srebrnej czarki. To miało spowodować, że demon choroby udający człowieka ulegnie poparzeniu.

– Interesujące, nieprawdaż? – rzucił stary etnograf. – I w naszej kulturze, i u nich srebro jest metalem świętym, chroniącym od złego.

– Wedle innych opowieści istoty takie posiadają oczy z tęczówkami pięknymi jak kwiat, za to pozbawione źrenic, z tym że tylko nieliczni mogą ten brak zauważyć – dodała Agot.

– Saamowie mają przeważnie brązowe oczy? – zapytał Skórzewski. – Nie przywykli do innych kolorów, stąd nieufność wobec jasnookich ludzi?

– Ciemnobrązowe, czasem czarne, ale po tylu latach osadnictwa i związanego z nim mieszania się krwi u wielu wybijają cechy szwedzkich i norweskich przodków. Na wybrzeżu osiedlali się też wikingowie. Trudno ocenić, jak wielu Saamów jest czystej krwi. Ale ma pan rację, jasnoocy są dla nich jakby na dzień dobry trochę podejrzani. Choć tak na logikę, raczej powinni zwracać uwagę na tych z ciemnymi tęczówkami, bo gdy oko jest ciemne, brak źrenicy byłby mniej widoczny...

– Skoro jesteśmy przy wzroku – etnograf włączył się do rozmowy – mamy kilka sztuk okularów ze szparą naciętą w płytkach kości.

– Widziałem podobne na Syberii – rzekł Skórzewski. – Tamtejsi mieszkańcy używają ich wiosną, by słońce odbijające się w lodzie lub zmrożonej pokrywie śnieżnej nie spowodowało tak zwanej „śnieżnej ślepoty".

Spędzili miło jeszcze dwie godziny. Doktor opowiadał o zwyczajach ludów, które zamieszkiwały tajgę, etnograf i dziewczyna doszukiwali się analogii w obyczajach Lapończyków. Poprosili go, by narysował, jak wyglądają namioty syberyjskich koczowników. Z magazynu wyciągnęli chlubę muzeum – pięć oryginalnych szamańskich bębnów.

– Lapończycy używali ich do wróżenia – wyjaśnił kustosz. – Rzucali na bęben kółko z miedzi i bili w skórę widełkami z rogu renifera. Jak pan widzi, są tu wymalowane rozmaite symbole.

– Ten barwnik uzyskiwali bardzo długo, żując korę drzew – dopowiedziała dziewczyna.

– Wibracje sprawiały, że kółko przesuwało się po skórze, dotykając losowo niektórych symboli, z czego ich szamani usiłowali odczytywać przyszłe losy plemienia – ciągnął etnograf. – Podobnie czynią to dzisiaj spirytyści, którzy za pomocą wirujących stolików pragną zmusić duchy do mówienia... Choć ja nie lekceważyłbym tak do końca magii ludów pierwotnych. Czytałem wiele bardzo dziwnych relacji. Gdy dłużej obcujemy z wyrobami ich rąk, zaczynamy dostrzegać więcej niż tylko obrobiony róg i kość. Ich życie duchowe... Ja byłbym ostrożny.

– Sam także widywałem rzeczy, których nie umiem tak do końca wyjaśnić – odparł Skórzewski. – I też zalecam ostrożność... To nie są zabawki.

*

Dochodziła północ. Doktor przewracał się w pościeli.

– Oczy... Oczy są kluczem... – mruczał pod nosem. – Zwierciadłem duszy...

Przypomniał sobie, jak mając siedemnaście lat, po raz pierwszy przyjechał do krewnych w Polsce. Wychowany za Uralem, zdumiewał się, widząc ziemię tak żyzną, urodzajną i obdarzoną tak wspaniałym klimatem. Poznał rodzinę wcześniej znaną tylko z listów i kilku przesłanych pocztą fotografii. Z rozległego klucza majątków po rekwizycjach pozostał tylko jeden niewielki folwark i drewniany dworek, zagracony sprzętami wyniesionymi cichcem po nocach z konfiskowanych pałacyków. Ale nawet te skromne resztki rodowej fortuny zrobiły na nim ogromne wrażenie. Oglądał stare księgi, w których siedem kolejnych pokoleń spisało dzieje rodziny. Patrzył w twarze malowanym na miedzianej blasze konterfektom przodków. Wyciągał z pochew jatagany, zdobyte przez pradziadów pod Wiedniem.

Kuzyni trzymali kilka koni pod wierzch, objeździli więc z nim okolicę, oglądając ruiny dawnych fortalicji, kurhany i wioski drzemiące leniwie w lipcowym upale. Kilka dni przed jego powrotem do Petersburga jechali przez pola, gdy nieoczekiwanie na rozstajnych drogach w kępie bzów spostrzegł małą murowaną kapliczkę. Podjechał bliżej, zeskoczył z klaczy i zajrzał przez okienko do wnętrza. Ceglana posadzka była zamieciona, na stoliku w glinianym dzbanie ustawiono bukiet polnych kwiatów. W niszy wisiał stary, spłowiały trochę obraz przedstawiający Archanioła Michała z mieczem w dłoni, depczącego powalonego szatana.

Zaskoczyło go to przedstawienie. Obraz stworzył ludowy artysta. Postaci gubiły nieco proporcje, czas litościwie stłumił jarmarczne barwy, wprowadzając nieobecne wcześniej cieniowanie. Jednocześnie widać było, że twórca posiadał pewien talent. Oczy diabła namalowano jako jednolite, smoliście czarne plamy. Wieczorem przy kolacji zapytał o to prababkę.

– Nasz malarz, stary Maciej, w młodości dużo pił – wyjaśniła. – I raz w pijackim szale spotkał diabła. Tak nim to wstrząsnęło, że później przez pół wieku nie wziął wódki do ust. I od tamtej pory zawsze tak maluje. Powiadają, że złe takie ma ślepie jak czarna otchłań... Jakby dziura w samej rzeczywistości. Nie daj Boże spojrzeć w takie ślepia. Gadają też, że opętani mają czasem oczy pozbawione źrenic. Ujrzysz takiego, to trzymaj się z daleka... Różne ludy tu po wsiach żyją, Polacy, Rusini, Żydzi i Cyganie. Ale co do tego wszyscy są zgodni. Oczy to zwierciadło duszy. I nigdy nie ufaj tym, którzy je zasłaniają.

Minęło wiele lat, zapomniał ogromną masę wszelakich rzeczy, ale ciągle pamiętał tę przestrogę. W swojej praktyce lekarskiej kilka razy zetknął się z ludźmi o oczach bez źrenic, zawsze byli to jednak zwykli niewidomi.

Hansen obawia się ataku z zewnątrz, pomyślał. A jeśli wróg jest już w środku?

Obrócił się na drugi bok. Doktor Laura. Pamiętał jej twarz, okulary, ona też go poznała, a nawet wiedziała, co referował. Faktycznie, mogła pomylić datę kongresu. Rzeczywiście, przez grzeczność mogła nie skorygować nazwiska patrona uczelni. Metoda, którą zastosowała, lecząc Hansena, była radykalna, niebezpieczna, ale mieściła się w ogólnie pojmowanych ramach dopuszczalnych praktyk oficjalnej medycyny...

Może jestem po prostu przewrażliwiony, westchnął, patrząc w jaśniejszy nieco prostokąt okna. Może tak działa na mnie to miasto, ten szpital, wspomnienia sprzed lat. Może powinienem stąd wyjechać? Wsiąść na okręt do Stavanger. Wystawić twarz na morskie wiatry, pozwolić, by falująca woda i odblaski słońca tańczące na fali przyniosły spokój duszy...

*

Wstał rano. Bolała go głowa, jak zwykle po źle przespanej nocy. Otworzył okno, napełnił płuca chłodnym górskim powietrzem. Ale po chwili jego nos złowił nutę słodko-mdławej woni. Wychylił się i po krótkiej obserwacji spostrzegł kłębek futra w rynnie obiegającej dach.

A zatem wiewiórka też zdechła... – pomyślał z melancholią.

Spojrzał na zegarek. Było kilka minut po szóstej rano. Pora w sam raz na poranną przechadzkę.

Wspiął się na wzgórze koło teatru, długą chwilę podziwiał poranne mgły, wstające nad fiordami. Nie miał ochoty wracać, ale wreszcie jakoś się przemógł.

Minęła już ósma. Doktor szedł nieśpiesznie w stronę szpitala. Postukiwał laseczką w bruk i układał sobie w głowie to, o czym dowiedział się w muzeum. Dość nieoczekiwanie spostrzegł biegnące nad ulicą druty. Powiódł za nimi wzrokiem. Znikały w otworze kwadratowej wieżyczki, zdobiącej dach jednego z domów. Nad wejściem umieszczono szyld po norwesku. Jednak nazwisko Bell wystarczyło.

Wszedł do wnętrza urzędu pocztowego. Po lewej ciągnął się rząd kabin, podobnych do konfesjonałów. Rozmównice telefoniczne. Podszedł do lady.

– Czy można u państwa uzyskać połączenie z Oslo? – zapytał po niemiecku.

Ładna panienka w białej bluzeczce uśmiechnęła się.

– Oczywiście, proszę pana. Czy zna pan numer?

– Niestety nie. Chodzi mi o główny szpital miejski.

– Mam tu spis wszystkich telefonów w Norwegii, zaraz panu odszukam.

Wydobyła książkę abonentów. Kartkowała ją tylko chwilę.

– Kabina numer cztery. Proszę siąść i czekać na połączenie.

Nie minął kwadrans, gdy rozległ się brzęczyk. Podniósł słuchawkę.

– Szpital miejski w Oslo, słucham – dobiegło z głośnika.

– Dzień dobry, mówi doktor Paweł Skórzewski – powiedział. – Czy mogę poprosić do aparatu profesora Ottona Johansena?

– Przy słuchawce, witam, panie kolego. – Głos trochę tonął w szumach. – Czym mogę służyć?

– Jestem współpracownikiem doktora Armauera Hansena z Bergen. Wysłał pan do nas list, niestety, jeden z naszych pacjentów, trochę niezrównoważony, zniszczył go, nim zdążyliśmy przeczytać...

– Coś podobnego... Napisałem do panów, bo nie macie telefonu, a chciałem przekazać pewne informacje. Pani doktor Laura von Lindenbrock dochodzi już do siebie po wypadku. Słyszał pan o tym zapewne, pociąg wypadł z torów na trasie do Bergen. W każdym razie trafiła do nas z połamanymi nogami i wstrząsem mózgu. W dodatku po katastrofie jakaś świnia ukradła jej walizkę z ubraniami i kufer, w którym miała preparaty, w tym zdaje się żywe komary... Zaopiekowaliśmy się nią troskliwie, myślę, że wszystko zrasta się prawidłowo i za jakieś trzy tygodnie będzie można zdjąć gips. Prosiła o przekazanie informacji, że prób klinicznych wprawdzie nie będzie w stanie teraz zrobić, ale z Berlina prześlą jej kajety z notatkami, więc referat na sierpniowym kongresie wygłosi.

– Dziękuję serdecznie za informacje. Jeśli możemy się jakoś zrewanżować...

– Nie ma takiej potrzeby. Proszę pozdrowić doktora Hansena. I załóżcie sobie telefon, w dwudziestym wieku przecież żyjemy!

Doktor pożegnał się i odwiesił słuchawkę. Siedział dłuższą chwilę, kompletnie wstrząśnięty. Rozmowa dołożyła ostatni, brakujący element układanki. A może nawet nie dołożyła, tylko w ostateczny sposób potwierdziła to, czego zdążył się już domyślić.

– Strasznie pan blady – zaniepokoiła się telefonistka. – Chyba nie jest pan przyzwyczajony do wynalazku pana Bella. Wielu ludzi mówiło mi, że dla człowieka po raz pierwszy usłyszeć głos biegnący po kablu setki kilometrów to wstrząs. Zwłaszcza jeśli korzystało się dotychczas tylko z telegrafu, trudno to ogarnąć rozumem. Może napije się pan wody? A może zaparzę panu kawy...

– Nie, dziękuję, już mi lepiej. – Paweł uśmiechnął się. – Telefon to naprawdę wspaniały, epokowy wynalazek. Ile się należy za rozmowę?

*

Skórzewski spotkał doktora Hansena na dziedzińcu. Dyrektor szedł właśnie do głównej części szpitala.

– O! – ucieszył się. – Już się martwiłem, że nie zdążysz na śniadanie. Chciałeś ze mną pomówić, gdy coś sobie ułożysz w głowie.

– Pogadałem wczoraj trochę z waszymi etnografami i obejrzałem kolekcję muzealną, a dziś, wracając ze spaceru, jeszcze skorzystałem z telefonu – wyjaśnił Polak. – Czy pani doktor Laura jest może na terenie leprozorium?

– W laboratorium. Ocenia, jak rozwijają się larwy komarów. A czemu pytasz?

– Muszę się z nią rozmówić. Dodzwoniłem się do Oslo i dowiedziałem paru rzeczy...

Na twarzy Armauera odbiło się zaniepokojenie.

– Coś ważnego?

– Owszem...

– A to chodźmy.

Weszli do pomieszczenia. Doktor Laura stała pośrodku, kartkując opasły kajet. Wydawała się całkowicie pochłonięta tą czynnością.

– Za tydzień będę gotowa do ponownego przeprowadzenia kuracji – odezwała się na widok wchodzących. – Wyselekcjonujemy z hodowli dwadzieścia pięć komarów. Myślę, że pozostałości chininy tak nierozważnie podanej naszemu przyjacielowi do tego czasu zostaną całkowicie wyeliminowane z organizmu. Zarodźce malarii...

– Nie będzie żadnej dalszej kuracji – powiedział Skórzewski całkowicie spokojnie.

– Podchodzi pan nazbyt emocjonalnie i konserwatywnie zarazem. Ta metoda to wielki przełom w medycynie. Zarażenie malarią, choć przykre, tu, w warunkach świetnie wyposażonej kliniki, jest całkowicie bezpieczne. Sposób ten przetestowano już wielokrotnie...

– Obawiam się, pani koleżanko, że z uwagi na postępującą wadę wzroku nie jest pani w stanie należycie wypełniać funkcji lekarza.

Hansen popatrzył na niego zdumiony.

– Ależ, Pawle... – zaczął.

Gość uciszył go gestem.

– Z naukowego punktu widzenia pani oczy nie są w stanie widzieć.

– Co proszę? – kobieta fuknęła ze złości. – Wypraszam sobie podobne insynuacje. Mam sokoli wzrok, a jedynie drobna nadwrażliwość na światło wymusza na mnie nieustanne noszenie ciemnych okularów.

– Na studiach miałem zajęcia z okulistyki, jeśli pani pozwoli, chciałbym zbadać pani oczy.

– Proszę bardzo, niech pan weźmie dowolną gazetę, a tytuły artykułów odczytam z końca tej sali.

– Nie chcę badać pani wzroku, a oczy – sprecyzował.

– Nie wyrażam zgody – fuknęła.

– Dobrze, zostawmy problem oczu – odparł, cofając się w stronę drzwi. Tu miał więcej miejsca. – Bardziej interesuje mnie problem pani nóg.

– Słucham?

– Nóg połamanych w wypadku kolejowym, w którym brała pani udział. Wprawdzie doktor Johansen z Oslo twierdzi, że gips zdejmie już za trzy tygodnie, ale...

Skoczyła na niego, szybka jak błyskawica. Ale był gotów. Poderwał laskę. Szczęknął mechanizm sprężynowy. Czworograniaste ostrze było długie na ponad pół arszyna i naprawdę grubo posrebrzone... Po wydarzeniach, które zaszły wiele lat temu w Bergen, starał się zawsze nosić coś srebrnego jako broń. Uderzył, celując w serce. Już tnąc, wiedział, że się nie pomylił. Klinga nie napotkała praktycznie na żaden opór. Jednym sztychem przeszył ją na wylot i zaraz cofnął laskę, gotów do kolejnego ciosu. Fałszywa lekarka stała chwilę nieruchomo. Z rany nie ciekła krew, ale unosiła się cienka smużka dymu. A potem kobieta padła na wznak.

– Coś ty najlepszego zrobił!? – wykrztusił Hansen.

– To nie człowiek – wydyszał Skórzewski – to demon, duch zarazy albo coś podobnego. Może siostra Dziadka Trąda, o ile te istoty w ogóle posiadają płeć.

– Ale jak...?

– Przez telefon dowiedziałem się, że prawdziwa doktor Laura von Lindenbrock, ciężko ranna w wypadku kolejowym, przebywa nadal na leczeniu w Oslo. Ta istota się pod nią podszyła.

Skórzewski podszedł i trącił zwłoki butem. Hansen skrzywił się, widząc tak niestosowne zachowanie przyjaciela, jednak już po chwili wytrzeszczył oczy. Stopa weszła w ciało jak w masło, a gdy Polak cofnął nogę, w skórze pozostał wgłębiony ślad.

– Ale... o co chodziło z oczami?

Doktor Paweł końcem klingi zahaczył i ściągnął ciemne okulary. Oczy, wyłupiaste, pozbawione powiek, nie miały także źrenic. Zielonobrązowe tęczówki rzeczywiście przypomniały rysunkiem kwiat. Dziwne oczy. Nieludzkie...

Skórzewski odłożył broń na stół i odruchowo wytarł dłonie o poły surduta. Hansen podszedł i po chwili wahania rozchylił brzegi rany. Ujął skalpel i pogłębił cięcie. Wewnątrz ciała nie było kości ani najmniejszego śladu narządów wewnętrznych.

– Wygląda jak zmielone mięso – powiedział zdumiony.

W powietrzu coraz wyraźniej czuć było woń rozkładu.

– Daruj sobie dalszą sekcję. Musimy się pozbyć... zwłok – zadecydował Skórzewski. – Masz tu piec, w którym paliłeś zakażone opatrunki i amputowane części ciała, prawda? Trzeba ją... to coś.... natychmiast spopielić... No i jeszcze balony z hodowlą komarów. Może to tylko malaria, ale wolę nie ryzykować.

– Zmieści się jedno i drugie. Pomóż mi tylko.

Zwłoki z minuty na minutę cuchnęły coraz bardziej. Znalazło się prześcieradło, na nim przenieśli makabryczny ciężar do jednego z pomieszczeń gospodarczych. Wsunęli ciało do pieca. Do balonów z wodą najpierw dolali kwasu solnego. Dopiero gdy wszystkie larwy przestały się poruszać, odlali wodę przez filtr z gazy i puste naczynia wstawili do wnętrza paleniska. Hansen zamknął drzwiczki.

– To bardzo nowoczesna konstrukcja, identyczną miał Nansen na „Fram" – pochwalił się. – System rurek wstrzykuje do środka naftę, wymieszaną ze sprężonym powietrzem. Odpala się elektrycznie...

– Uruchamiaj! – polecił doktor.

Z wnętrza pieca dobiegł dziwny odgłos, jakby coś się poruszyło. Demon odradzał się? A może to tylko któryś z balonów się przesunął... Hansen pociągnął za rączkę. Rozległ się syk, a po chwili głuchy huk ognia.

Skórzewski wydobył z kieszeni różaniec i modlił się bezgłośnie. Z wnętrza dobiegło kilka łomotów, brzęk tłuczonego szkła i dziwny, przeciągły jęk. Potem wszystko ucichło. Norweg pociągnął dźwignię, dodając jeszcze nafty. Drzwiczki powoli rozgrzały się do czerwoności.

– Znowu przyjechałeś i znów mi pomogłeś... – powiedział Norweg w zadumie. – Jesteś tu drugi raz i znowu dzieją się takie rzeczy. Czy to jej obecność jakoś cię przyciągnęła?

– Nie sądzę, planowałem tę podróż jeszcze jesienią... Może więc to moja obecność przyciągnęła ją? A może chciała zdążyć coś przeprowadzić, zanim przyjadę?

– Wygląda zatem, że powinienem podziękować opatrzności za zesłanie ciebie... Powiedz mi, trzydzieści lat temu, gdy dopadliśmy Dziadka Trąda...

– Nie wiem. Nie patrzyłem na jego oczy, a w zaułkach Gamle Bryggen było ciemno.

– Ale zetknąłeś się kiedyś z podobnym zjawiskiem...

– Słyszałem o tym w moim kraju – powiedział Skórzewski, wpatrując się w żeliwne drzwiczki. – O istotach, które kryją twarz w cieniu, bo ich oczy pozbawione są źrenic... Tylko że prababka twierdziła, iż większość ludzi ich nie rozpoznaje. Jedynie nieliczni widzą, jak wyglądają naprawdę. Wczoraj dowiedziałem się, że podobne wierzenia rozpowszechnione są wśród Lapończyków. Obcy o tęczówkach jak kwiat... Widocznie jesteś blisko rozwiązania zagadki trądu. Albo kongres, który zwołałeś, położy tamę zarazie. Zaszkodziłeś siłom żywiącym się cierpieniem, strachem, świadomością nieuchronnego końca... Widocznie te istoty nie mogą działać wprost, nie mogły ci zaszkodzić bezpośrednio, dlatego wymyśliły zemstę iście piekielną.

– Wierzyłem w naukę i zabić miała mnie kuracja zachowująca pozory naukowości... – zadumał się Hansen.

– Nie. Zastanów się, co im po twojej śmierci? Ta kuracja zapewne by pomogła. Raczej nie wyleczyła, ale nastąpiłaby znacząca poprawa stanu zdrowia.

– Co chcesz powiedzieć?

– Pomyśl sam. Co byś zrobił, widząc skuteczność nowej metody?

Armauer łypnął podejrzliwie.

– Więc wiesz?

– Domyśliłem się. Każdy z nas chowa w głębi duszy te same potrzeby. Obok chęci pokonania choroby tkwi w nas jak czerw pragnienie, aby być pionierem. By stanąć jako *primus inter pares* wśród uczonych kolegów z całego świata. Zaprosiłeś ją nie na kongres, ale grubo wcześniej. Zaprosiłeś, gdy tylko przeczytałeś o tej metodzie. Potrzebowałeś czasu na doświadczenia. Zaproponowałeś jej współpracę, ale miałeś jeszcze resztki rozsądku i najpierw chciałeś poddać doświadczeniu samego siebie.

– Masz rację. Sprawdziwszy na sobie bezpieczeństwo i skuteczność tej kuracji, zastosowałbym ją do leczenia moich podopiecznych. Na początek tej czterdziestki w szpitalu doświadczalnym. W tych dwóch butlach mam... to znaczy miałem hodowlę komarów, która spokojnie wystarczyłaby, aby zarazić wszystkich. Czterdzieści przypadków wyleczonego trądu, które przybyli mogliby poddać zbiorowemu konsylium. – Oczy Hansena zabłysły. – A więc moja pycha stała się pułapką?

– Demony zawsze szukają ludzkich słabości. Pytanie teraz, czy w tej drugiej butli były komary przenoszące jedynie zarodźce malarii, czy też jakieś gorsze paskudztwo. Dwadzieścia, może czterdzieści trupów trędowatych, i to przed samym kongresem poświęconym zwalczaniu tej choroby... Dwudziestu, może czterdziestu pacjentów zmarłych w wyniku kuracji zaaplikowanej przez lekarza, będącego gospodarzem konferencji i niekwestionowanym autorytetem w dziedzinie zwalczania tego paskudztwa.

– Pogrzebana reputacja. Pogrzebane plany wytoczenia trądowi wojny totalnej na wszystkich kontynentach... A do tego kto wie czy nie rozwleczenie jakiejś zarazy po mieście. Uratowałeś mnie.

Skórzewski wzruszył tylko ramionami.

– Jak mogę się zrewanżować? – bąknął Hansen.

– Z tego, co kojarzę, znasz osobiście Nansena?

– Owszem, gdy pracował tu w Bergen w muzeum zoologicznym, nauczyłem go barwienia preparatów atramentem, co wykorzystał do badań nad pasożytami fok.

– Potrzebuję jego zdjęcia z dedykacją dla pewnej mojej małej pacjentki. Mieszka w Petersburgu i jest zafascynowana jego odkryciami.

– Ech, Nansen... Pamiętam go jeszcze jako młodego studenciaka. Jaki byłby z niego świetny zoolog! Zapowiadał się na uczonego najwyższej klasy. Ja wiem, że jego podróże rozsławiają mój kraj, ale mimo wszystko żal przerwanej kariery...

*

Sierpień 1909 roku był w Bergen wyjątkowo pogodny. Uczestnicy kongresu ustawili się na schodach. Miasto nigdy wcześniej nie doświadczyło takiego najazdu wszelakich sław medycznych. Doktor Skórzewski stanął przy aparacie, spojrzał przez wizjer. Odrobinę przesunął statyw. Hansen skinął mu głową i ruszył zająć miejsce wśród delegatów. Polak podsypał w rowek odrobinę magnezji.

– Panowie, proszę spojrzeć w obiektyw! – zawołał po niemiecku.

Błysnął płonący proszek, strzeliła migawka. Kłąb dymu uleciał ku niebu i po chwili znikł rozwiany przez wiatr. Hansen przymknął powieki. Wiedział, że odbitki będą za kilka dni, ale miał przeczucie graniczące z pewnością, że zdjęcie wyjdzie idealnie. Zebrani rozproszyli się na małe grupki. Tylko wokół gospodarza konferencji pozostała pusta przestrzeń, jakby otaczająca go aura szacunku onieśmielała zaproszonych gości.

– Mam, czego chciałem, *primus inter pares*... – mruknął Hansen, zadowolony, poirytowany i rozbawiony zarazem.

Spojrzał na zegarek, do pierwszych referatów został jeszcze kwadrans. Od stoków góry Fløyen powiał chłodny wiatr. Stary lekarz i jego polski kolega po fachu jak na komendę odwrócili głowy. Patrzyli na szare, skaliste zbocza. Nie musieli nic mówić, myśleli to samo. Nie pierwszy raz wydało im się, że granitowe ściany skalnę wiszą nad nimi, napierają na miasto. Że gdzieś stamtąd obserwują ich z nienawiścią oczy istot starych jak sama ludzkość.

Szachownica

Byłem już po wykładach. Odebrałem z biblioteki zamówione książki i lawirując w tłumie studentów, szedłem korytarzem instytutu. Archeologom służył za siedzibę stary barak, niegdyś należący do studium wojskowego. Budynek składał się głównie z płyty gipsowo-kartonowej, co było od razu widać. Nie lubiłem go, wydawał mi się kompletnym nieporozumieniem. Czcigodna nauka, której arkana zgłębiałem, domagała się szlachetniejszej oprawy. Nieoczekiwanie prawie wpadłem na mojego promotora.

– Panie Robercie, po wykładzie proszę do gabinetu na słowo – odezwał się profesor.

– Już jestem po zajęciach.

– Zatem zapraszam od razu. – Spojrzał na zegarek i najwyraźniej uznał, że ma dość czasu, by zmyć mi głowę.

Powlokłem się jak na ścięcie. Niewielki gabinet był ciemny i jak zwykle zagracony. Podczas proseminariów z trudem mieścili się tu wszyscy przyszli magistranci. Tym razem byliśmy sami. Usiedliśmy przy stole kreślarskim, zawalonym skryptami, kartami dokumentacyjnymi i pudełkami ze skorupami. Spojrzałem na regały pełne książek.

– Czy ma pan już wstępną koncepcję swojej pracy magisterskiej, a może gotowy konspekt? – przeszedł od razu do rzeczy promotor.

– Myślę, że ciekawym, a przy tym całkowicie dziewiczym tematem byłyby poszukiwania materialnych śladów kolonizacji semigalo-kurlandzkiej na wyspie Tobago, ze szczególnym uwzględnieniem towarów pochodzących z Polski – wypaliłem. – Konspektu jeszcze nie mam, ale zacząłem gromadzić bibliografię...

Popatrzył na mnie zaskoczony.

– Proszę rozwinąć swój pomysł – polecił.

– Floty dalekomorskie księcia Jakuba Kettlera wyruszały z Rygi. W materiałach łotewskich z szesnastego i siedemnastego wieku mamy multum importów z centralnej Polski, na przykład liczne fragmenty białej ceramiki iłżeckiej i sandomierskiej. Trzy pierwsze próby osadnictwa na Tobago były nieudane, ale w tysiąc sześćset pięćdziesiątym czwartym, gdy przybył na tamte wody kurlandzki okręt wojenny „Das Wappen der Herzogin von Kurland", wzniesiono osadę istniejącą do dziś.

– Innymi słowy, chce pan szukać fragmentów sandomierskich garnków na wschodnich Karaibach?

– Na wschodnich Antylach – sprecyzowałem. – Konkretnie w miejscu zwanym ówcześnie Jacobstadt, czyli obecnym miasteczku Plymouth. Oczywiście szukać chcę nie tylko garnków, ale inne towary mogą być trudne do wychwycenia w materiale archeologicznym. Garnki i monety najłatwiej przypisać konkretnym wytwórcom.

Zapadła cisza. Promotor, zadumany, obracał w palcach długopis. Minę miał dziwnie nieobecną. Czułem, że chce mnie jakoś grzecznie, ale stanowczo posłać na bambus.

– Skąd pan weźmie materiały? – zagadnął wreszcie.

– Pojadę na miejsce, przejdę się do muzeum. Zakładam, że skoro mają tam miasta, to znajdzie się też muzeum. Zobaczę, co ciekawego mają w zbiorach. Przestudiuję dokumentację. Zakupię miejscowe publikacje lub wykonam kserokopie najciekawszych pozycji o wyczerpanych nakładach. Jeśli nie prowadzili prac archeologicznych, zrobię badania powierzchniowe wokół osady, pozyskując fragmenty ceramiki znajdujące się na powierzchni ziemi ornej. W razie braku zgody na wwóz próbek do Polski odfotografuję, wykonam dokumentację rysunkową i opracuję katalog...

– Tobago to drugi koniec świata. Skąd pan weźmie fundusze?

– Liczę na dofinansowanie podróży przez instytut.

Zdjął okulary i przetarł szkła rękawem koszuli.

– Na taką, za przeproszeniem, fantastykę nie dostanie pan ani grosza – powiedział wreszcie.

Miałem na końcu języka kilka malowniczych przykładów wywalania znacznie większych sum na o wiele głupsze projekty. Wiedziałem o kilku pupilkach dyrekcji, którzy jeździli do Berlina, Oslo i Londynu oglądać zabytki świetnie znane z publikacji stojących w bibliotece za ścianą. Jednak dyplomatycznie zmilczałem.

– Podziwiam śmiałość pańskiej myśli i nietuzinkowość zainteresowań badawczych. Ale to nie ta rzeczywistość ekonomiczna. Za miesiąc czekam na pana i proszę tym razem przynieść propozycję bardziej normalnego tematu. – Wstał na znak, że audiencja zakończona.

Czyli nie zdołam śmiałym pomysłem popchnąć nauki o krok do przodu... – pomyślałem ze smutkiem, zamykając za sobą drzwi. Ale na Antyle kiedyś i tak pojadę.

*

Szedłem przez „dziki" bazarek przed Halą Mirowską. Rozglądałem się uważnie. Jeśli tylko zajęcia na uczelni kończyły się przed szesnastą, nadkładałem nieco drogi, by tu wpaść. Czasem zaglądałem też rankami, w drodze na wykłady. Okoliczni emeryci, przyduszeni kryzysem, przegrzebywali szafy i szuflady, a potem usiłowali sprzedać wydobyte z nich przedmioty. Przynosili tu wszystko, co w ich mniemaniu posiadało wartość. Kłopot w tym, że moda na kryształowe wazony i karafki minęła trzy dekady temu. Wszędzie, gdzie spojrzałem, widziałem tylko śmieci. Oni też chyba zdawali sobie sprawę z nikłej wartości tych fantów, mimo to twardo próbowali je spieniężyć. Była w tym rozpacz i desperacja. Znałem podobne obrazki z literatury – tak samo było w czasach wielkiego kryzysu lat trzydziestych i podczas okupacji, a także zaraz po wygonieniu szkopów.

Zupełnie jakbyśmy znów przegrali jakąś wojnę, pomyślałem. Cóż, może i przegraliśmy?

Wędrowałem po bazarze. Miałem nadzieję, że w stosach starzyzny błyśnie mi coś cennego, choć niepozornego. Uwagę moją przykuły buty marki „Syrena" z lat pięćdziesiątych, chyba nigdy nienoszone. Fajna rzecz, praktycznie nie do zdarcia, niestety, na oko widziałem, że nie mój rozmiar.

Na mój widok sprzedawcy ożywili się, niektórzy przekładali swoje drobiazgi, by lepiej wyeksponować przedmioty mogące wzbudzić zainteresowanie. Tylko że nadal nic sensownego nie widziałem... Dziadka do orzechów z lat siedemdziesiątych nie potrzebowałem, zresztą cena była ciut wyśrubowana. Szedłem coraz bardziej przygnębiony. Zderzenie dwu światów – nowoczesnych biurowców i dojmującej biedy – było wyjątkowo przykre... Na to wszystko patrzyły czerwone, ceglane mury hali targowej, pamiętającej jeszcze czasy carskie. Jedna ze ścian nadal nosiła ślady kul – pamiątka zbiorowej egzekucji z lat niemieckiej okupacji.

Mijałem stoiska z pękami przywiędłego koperku i przetworami domowej roboty. Oferowano też jabłka i gruszki, małe, o zdecydowanie „niehandlowym" wyglądzie, zebrane w ogródkach działkowych. Dwudziesty pierwszy wiek za pasem, myślałem gorzko, a podstawowych problemów nie umiemy rozwiązać. Nędza, rośnie bezrobocie, a jednocześnie pieniądze garściami wywala się na wszelakie głupoty...

Stary menel stał oparty o słup ogłoszeniowy. Ubrany był w spraną flanelową koszulę, brudne i powyciągane spodnie. Na nogach miał sterane wojskowe trepy. Buciory były jednak solidne, wypastowane. Najwyraźniej dużo chodził. W każdym razie do obuwia przywiązywał największą wagę. Na ramiona narzucił długi, czarny płaszcz, brudny i obszarpany. Zapuchniętą gębę pokrywała szczecina niestarannie podgolonego zarostu. Wokół niego rozciągała się pusta przestrzeń. Woń, jaką roztaczał, skutecznie odstraszała każdego rozsądnego człowieka. Żul chwiał się lekko, zdążył widać chlapnąć już coś rano i teraz toczył ciężką walkę z podstępną grawitacją. Na razie jeszcze wygrywał. U jego stóp leżał kawałek gazety, powiedzmy, trzeciej świeżości, na nim garść „skarbów" wygrzebanych chyba prosto z dna śmietnika. Zepsuty toster, radiomagnetofon sprzed ćwierćwiecza, nadtłuczona porcelanowa miska i wyświnione drewniane pudełko rozmiarów pojedynczego tomu encyklopedii. Przyjrzałem się uważnie. Powierzchnia układała się w ciemniejsze i jaśniejsze kwadraty. Szachownica? W dodatku na polach spostrzegłem jakby jakieś litery. Poczułem znajomy dreszczyk. Wreszcie coś ciekawego!

Podszedłem bliżej. Menel wyraźnie się ożywił. Przestał żuć zapałkę, zmarszczył brwi i skupił na mnie rozbiegane oczka. Błysnął w nich cień myśli.

– Pan Sztorm – zniekształcone nazwisko spłynęło spomiędzy owrzodzonych warg.

Cholera, rozpoznał mnie. Czyli będzie trzy razy drożej...

– Yhm – potwierdziłem identyfikację. – Ile za to pudełko?

– Stówę – rzucił bez sekundy namysłu.

– Dam dychę. Na cztery piwa wystarczy – zaproponowałem.

– Dasz, facet, stówę i ani grosza mniej. – Wzruszył ramionami. – Znamy cię. Skoro w ogóle zaczepiłeś wzrok, to musi być coś cholernie wartościowego. Może i kilka tysięcy czy coś... Po fachowej konserwacji oczywiście. I po znalezieniu kupca. Zarobisz na tym, i to ładnie. Nie obrażam się o to nawet. Mi wystarczy stówa. Ty będziesz zadowolony i ja zadowolony...

– Tyle nikt nie da – zaoponowałem.

– Dlatego to ty dasz. Wrócisz do domu bez fantu, całą noc będziesz się przewracał z boku na bok, przeklinał, a raniutko przylecisz tu ze stówką w zębach, modląc się, żeby mnie znowu zastać. – Zarechotał ochryple. – A ja nie wiem, czy jutro przyjdę. Może się zapiję i będę spał do południa. Może pojutrze przyjdę albo po niedzieli dopiero. Co gorsza, jak się narąbię, mogę to gdzieś zgubić. Wolałbym nie, bo to warte twoją stówkę, ale kto wie na jakiej melinie się rano obudzę. Policz, kalkuluje ci się jeździć tu na darmo cztery czy pięć razy, by wreszcie mnie spotkać i znowu usłyszeć tę samą cenę?

Ciekawe. Bełkotał, ale w sumie gadał inteligentnie, a podchodził mnie psychologicznie jak zawodowiec. Ciekawe, kim był, zanim się stoczył? Coś nieśmiało zaczynało mi świtać. Jakaś zasłyszana opowieść o kimś takim jak on...

– Stówa to sporo dla studenta – zaoponowałem.

– Trza się było uczyć na murarza, a nie studiować – odparował. – Dziś wszyscy studiują, a szewców i ślusarzy niedługo będziemy importować z Białorusi.

– Murarką już się w życiu zajmowałem. – Pokazałem mu dłonie poznaczone odciskami. – Wolę pracować głową. Czy w środku są szachy? – zapytałem.

– Dasz stówę, to se sprawdzisz – zarechotał ponownie.

Popatrzyłem w przekrwione, zaropiałe ślepia. Wzrok był maślany, ale mnie się wydawał twardy jak granit.

– Niech będzie – skapitulowałem i wysupłałem setkę.

Chuchnął na papierek, spojrzał, jakby chciał go ucałować, i schował w zanadrze. Podał mi fant. Potrząsnąłem pudełkiem. Było puste.

– Venture capital. No to dałem ciała... – mruknąłem, chowając pudełko do reklamówki.

– Niekoniecznie. – Menel pokręcił głową. – Powiedzmy, że jakby dobrze pogrzebać w kontenerze, z którego to wydobyłem, to może i figurki by znalazł...

– Dam dwie dychy za adres tego kontenera – warknąłem.

– I co, taki goguś jak pan w śmieciach będzie grzebał? – Wykrzywił wargi. – A po co łapy, pardon, dłonie brudzić? Twoje ręce, facet, są potrzebne, by przywrócić temu dawny blask. Od grzebania w śmietnikach tacy jak ty mają takich jak ja... Oczywiście jest to robota brudna, ciężka i przykra, zatem powinna zostać godziwie opłacona.

– Pan Profesor! – zidentyfikowałem wreszcie kolesia, znanego mi tylko z opowieści.

Kilku znajomych łowców wspominało mi o starym nauczycielu, który z powodu alkoholizmu wyleciał z roboty w prestiżowym warszawskim liceum i zorganizował wśród dziadów na podmiejskim wysypisku coś w rodzaju skupu staroci.

– Mów mi po prostu Profesor, bez tego zbędnego „pan". – Wyszczerzył resztki uzębienia. – Zaś co do szachów... Powiedzmy, że coś dało się zrobić.

Z przepastnej kieszeni płaszcza wyciągnął siatkę. Nawet z tej odległości przez półprzejrzysty plastik zobaczyłem, że jest pełna figur szachowych.

– Ile? – zapytałem.

– Stówę! – powiedział, kręcąc głową, jakby ubolewał nad moją niedomyślnością.

– Są wszystkie?

Menel zmarkotniał.

– Jakbym znalazł komplet, tobym powiedział minimum cztery stówy – westchnął. – Brakuje siedmiu.

– Nie ma szans na znalezienie brakujących?

– Pół dnia przetrząsałem wszystkie okoliczne kubły. – Rozłożył ręce. – Jakby były, tobym znalazł. W końcu jestem profesjonalistą. – Wypiął dumnie zapadniętą pierś.

Wręczyłem mu kolejny banknot i dorzuciłem siatkę z szachami do reklamówki z pudełkiem. Chciałem jeszcze dać menelowi wizytówkę, ale nie zdążyłem.

– Gestapo! – rzucił półgłosem mijający nas staruszek.

W emerytów jakby piorun strzelił. Momentalnie zaczęli zwijać swoje bieda-kramiki. Ci, którzy nie mieli szans dość szybko zebrać swojego „towaru", po prostu czmychnęli. Zza węgła hali faktycznie wyszło trzech byczków w czarnych uniformach warszawskiej straży miejskiej. Ruszyli prosto w moją stronę.

– Dokumenty – warknął ten idący na przedzie.

Rozejrzałem się na boki, ale byłem sam. Czyżby mówił do mnie!? Na to wyglądało.

– A niby w jakim celu? – zaciekawiłem się.

– Będzie mandat za nielegalny handel. Masz zgłoszoną działalność gospodarczą? – bezceremonialnie przeszedł na ty.

Spojrzałem na leszcza starszego ode mnie może o trzy lata. Wyglądało na to, że nie żartuje. Na głupiej gębie malowała mu się szczeniacka pewność siebie.

– Że niby co?! – Potrząsnąłem głową. – Jaki znowu handel?

– Ten. – Wycelował palcem pod moje nogi.

No tak, menel zwany Profesorem oczywiście wyparował jak kamfora, pozostawiając swój kramik. I te łachudry najwyraźniej doszły do wniosku, że to mój towar. Nie wiedziałem, czy śmiać się, czy płakać.

– To nie moje.

– Wisi mi to, ujęliśmy cię na gorącym uczynku i jest jeszcze dwu świadków. – Wskazał towarzyszących mu buców.

– Odmawiam wylegitymowania się. – Wzruszyłem ramionami. – Żądam sprowadzenia policyjnego technika, fachowego zabezpieczenia wszystkich tych przedmiotów, wyodrębnienia z nich odcisków palców oraz śladów zapachowych. Po zakończeniu czynności spotkamy się przed sądem, gdzie odpowiecie panowie za nieuzasadnione zatrzymanie i publiczne zniesławienie.

Kątem oka widziałem, że emeryci, którzy umknęli, korzystają ze sprzeczki i wracają, by chyłkiem pozbierać swój dobytek. Zatem trzeba dać im trochę więcej czasu...

– Poza tym – spojrzałem z powątpiewaniem – takie uniformy, naszywki i blachy to można kupić w dowolnym sklepie z militariami. Możecie panowie wezwać patrol policji, z nimi ewentualnie jestem gotów porozmawiać – zaproponowałem.

– Facet, nie rób z nas idiotów – zaczął piskliwym głosikiem ten po lewej.

– Ależ nie mam zamiaru i chyba wcale nie muszę... – Uśmiechnąłem się promiennie. – I szczerze odradzam próby legitymowania mnie siłą, bo będzie jeszcze sprawa sądowa o nieuzasadnione użycie przemocy. Dodam, że adwokat Zygfryd Storm to mój stryj.

Nazwisko musieli rozpoznać, ale chyba nie uwierzyli.

– Mamy prawo...

– Nic mi na ten temat nie wiadomo. Proszę przedstawić wydruk z odpowiedniego dziennika ustaw...

– Jakiś problem? – dobiegło z boku.

Obejrzałem się. Obok nas wyrósł patrol policji. Kolesie musieli być z prewencji, bo górowali nad strażnikami o dobre pół głowy.

– Ten tu odmawia wylegitymowania się... – zaczął dowódca patrolu.

– Zwracać się wedle rangi! – huknął gliniarz. – Dokumenty, obywatelu – zwrócił się do mnie.

Bez słowa podałem dowód i legitymację studencką.

– O co chodzi z tym legitymowaniem?

– Zostałem bezpodstawnie zatrzymany, publicznie znieważony i oskarżony o nielegalny handel, panie nadkomisarzu – wyjaśniłem, wskazując śmietnik u swoich stóp.

W ostatniej chwili stłumił śmiech, udając kaszel. Oddał mi papiery, nawet nie zaglądając do środka. A potem przeniósł ciężkie spojrzenie na strażników.

– Słucham – warknął.

– Panie nadkomisarzu... kontrolujemy targowisko... – zaczął domniemany dowódca patrolu.

– Postawa! – ryknął. – Zwracasz się do policjanta, i to znacznie wyższego rangą. Niczego na szkółce nie nauczyli? Pagonów nie rozpoznajesz?

– Posłusznie melduję, obywatelu, eee... nadkomisarzu... – wybąkał strażnik, stając na baczność. – Ten człowiek wydawał się handlować... Zapewne zaszła pomyłka...

– Po powrocie na komendę zgłosisz się do waszego lekarza, niech skieruje cię na dodatkowe badania okulistyczne. Sądzisz, że ten studenciak w ogóle pasuje do tego bazaru? – Wskazał mnie gestem.

– Eee...

– Nie łapcie się za robotę, do której brak wam kwalifikacji intelektualnych – warknął glina. – Tam macie piętnaście aut parkujących na trawniku, tym się zajmijcie. – Kiwnął w kierunku pobliskiego biurowca. – Odmeldować się i wynocha.

– Tak jest!

Odeszli.

– Dziękuję – bąknąłem.

– Nie ma za co, ja też ich nie lubię... To znaczy... – zreflektował się. – Rozejść się, obywatelu...

Z ulgą ruszyłem w stronę przystanku. Emeryci, widząc, że prześladowcy zniknęli na dobre, zakrzątnęli się rozkładać swoje stoiska. Rozglądałem się za Profesorem, ale oczywiście wyparował bez śladu. Wątpiłem też, by wrócił po resztę gratów. Nic tu po mnie.

– Dziękujemy, panie Sztern! – Jakaś babina wcisnęła mi bukiecik kwiatków.

– Nie ma za co – mruknąłem.

Wracałem do domu zmęczony i rozdrażniony. Interwencja straży kompletnie zwarzyła mi humor. Ganiać emerytów i czatować na ludzi odwożących dzieci do szkoły, tyle umieją. A grupę dresików omijają łukiem. Jeszcze przez wiele godzin nie mogłem się pozbierać.

*

Za oknem zapadł wczesny październikowy wieczór. Gałęzie drzew ponuro klekotały za oknem. Do egzaminu został miesiąc. Spojrzałem na półmetrowej wysokości stos książek. Powinienem siąść i się pouczyć. Zamiast tego zabrałem się do pracy nad szachownicą kupioną rano od menela.

– Dwie stówy poszło się bujać – oceniłem, wyciągając ją z siatki.

Była brudna i zniszczona. Faktycznie wyglądała na wyciągniętą ze śmietnika. Trup. Ale gdy obejrzałem ją dokładniej, zmieniłem zdanie. Ostatnie lata musiała spędzić na strychu lub w jakiejś graciarni. Pudełko z bukowego drewna zachowało się jednak nieźle, musiałem je tylko głęboko oszlifować, by usunąć brud. Biało-czarne pola, wykonane w technice intarsji, były teraz szarobure. Nie wszystkie ocalały, płatki drewna wymagały podklejeń i uzupełnień. Na szczęście miałem jeszcze w magazynku fornirów zhebanizowany dąb, brzozowy fornir i czeczotkę... Przetarłem środek jednego z pól najdrobniejszym papierem ściernym. Litery też wykonano w technice intarsji. Były minimalnie jaśniejsze niż tło. Gdy szachownica była nowa, musiały być widoczne wyraźnie, ale nie na tyle, żeby rozpraszać uwagę graczy.

– Ciekawe – mruknąłem.

Wiatr zawył jakby mocniej. U pana Maćka grał telewizor. Stary zegarmistrz lubił ze mną pogadać, ale wieczory spędzał sam albo gdzieś wychodził. Oczyściłem kolejne pole. Następna litera... Coś mi się nieśmiało kołatało w głowie. Gdzieś już kiedyś zetknąłem się z czymś podobnym. Przedwojenna gazetka dla dzieci, zadania logiczne... Używając figur szachowych, trzeba było odczytać hasło? Nie byłem w stanie zmusić umysłu do pracy.

Teraz dla odmiany wysypałem z siatki figury. Gwizdnąłem cicho przez zęby i w jednej sekundzie przestałem żałować rozstania z moimi stówkami. Białe były obecnie żółte. Gdy przemyłem powierzchnię jednego z pionków, spostrzegłem delikatne usłojenie. Kość słoniowa! Włączyłem binokular i przyjrzałem się figurze. Nie myliłem się... Coraz bardziej zdumiony przyjrzałem się czarnym. Po odczyszczeniu z syfu okazało się, że wykonano je z gagatu. Przeszedłem się po mieszkaniu. Popatrzyłem w ogień na kominku. Potem przyłożyłem czoło do szyby. Łuna nad miastem, na tle czerwonego nieba czarne cienie szarpanych wiatrem gałęzi. Straszny obraz, ponury... Spuściłem rolety.

– Za stary ze mnie lis na takie numery – mruknąłem.

Profesor może był alkoholikiem i wariatem, ale „robiąc w antykach", potrafiłby przecież oszacować wartość artefaktu. A ta z pewnością była znaczna. Same figury dowolny antykwariat przyjąłby, płacąc od ręki kilkaset dolarów. Jakby facet się obmył i ubrał w coś czystego, utargowałby z pewnością więcej niż na bazarku, nawet ze swoją zapijaczoną mordą. Ta szachownica trafiła zatem w moje ręce nie bez powodu. Ktoś chciał mi coś przekazać? Bez sensu... A może menel nie umiał sam złamać szyfru, więc zdecydował się posłużyć mną? Ta hipoteza miała jednak słaby punkt. Musiałby się ze mną dogadać albo śledzić non stop. Inaczej nie dowiedziałby się nigdy, że złamałem szyfr. Odszuka mnie i zaproponuje resztę figur? Nie, to bez sensu.

– Ale o co w tym chodzi? – bąknąłem.

Przypatrzyłem się polom. Litery, cyfry... Szyfr. Kto, kiedy i po co wykonał ten przedmiot? Dziewiętnastowieczny szpieg wysyłający raporty? Zakochani prowadzący flirt? Staruszek przekazujący informację potomnym, gdzie szukać skarbu? A może szef tajnej organizacji patriotycznej, testujący kandydatów na członków sprzysiężenia?

Trzeba odczytać informację, dumałem. Wtedy dowiem się wszystkiego.

Podłożyłem szachownicę pod binokular. Długo oglądałem powierzchnię, zarówno w miejscach, które oszlifowałem, jak i w nietkniętych. A potem zakląłem w duchu. Dałem się podejść jak początkujący. Fornir pól znaczyły dziesiątki drobnych rys i uszkodzeń. Część z nich wcinała się też w literki, ale ich powierzchnia była zbyt świeża.

Ktoś to przygotował. Wziął starą, zniszczoną szachownicę. Wykonał litery na polach. Delikatnie skancerował ich powierzchnię, by upodobnić je do tła. Potem siepnął gotowy wyrób na strych i poczekał rok, może dwa, by kleje odpowiednio się utleniły. By brud, wilgoć i kurz głęboko wżarły się w drewno...

Poczułem strach. Niepewność człowieka, który czuje, że nieopatrznie złapał rzuconą mu przynętę, i teraz nie wie, czy puścić ją, czy dalej ciągnąć. Przeszedłem do sypialni i spuściłem także tutaj żaluzje w oknach. Przesunąłem łóżko. Skrytka... Pancerna kaseta wpuszczona w ścianę została wykonana absolutnie perfekcyjnie. W razie wykrycia naprawdę długo mogłaby się opierać próbom sforsowania. Otworzyłem ją. Garść drobiazgów, kilka zegarków, najcenniejsze owoce trzech lat łażenia po targach, bazarach i rozmaitych zasyfionych dziurach.

Pudełko po kliszy fotograficznej nadal w dwóch trzecich wypełnione złotem napłukanym kilka lat temu na Śląsku, nad rzeką Szarą. Szachownica zmieściłaby się tutaj bez trudu.

– Nie wiem, jak ważna jesteś – powiedziałem. – Nie wiem, kto i po co zaaranżował całą sytuację tak, byś wpadła w moje ręce. Nic już nie wiem... Ale przeczucie mi mówi, że jesteś czymś istotnym. Że być może jesteś jednym z najważniejszych przedmiotów, jakie kiedykolwiek trafiły w moje ręce.

I naraz wydało mi się, że to jednak przesadna ostrożność. Zawahałem się. Do skrytki czy nie? Z drugiej strony, jutro muszę być na uczelni. Lepiej nie zostawiać ciekawego fantu na wierzchu.

– Siedź tutaj i ani piśnij – mruknąłem, umieszczając ją w sejfie. – Jutro rano zabiorę się do roboty na poważnie...

Zamknąłem stalowe drzwiczki. Założyłem maskowanie. Ale niepokój wcale mnie nie opuścił.

*

Następnego ranka na wykładach nie byłem w stanie się skupić. Po pierwsze dlatego, że byłem senny. Wstałem o piątej i przez dwie godziny pracowałem nad szachownicą. Teraz niewyspany, z umysłem zaprzątniętym zagadką tylko z największym trudem robiłem notatki. Byłem jak w gorączce. Tajemnica całkowicie mnie pochłonęła. W przerwie między wykładami wyciągnąłem rysunek i próbowałem odnaleźć jakiś sens w przepisanych z szachownicy literkach. Największy kłopot był z figurami.

D
A
T
I

Brakowało siedmiu. Trzeba dorobić na podstawie istniejących. Kość słoniowa stanowiła pierwszy problem. Zdobycie tego surowca z legalnych źródeł było niemożliwe. Zazwyczaj podczas prac konserwatorskich uzupełnienia takich detali robi się z zęba mamuta. Surowiec w zasadzie identyczny. Odrobinę różni się gęstością warstw, ale to można stwierdzić dopiero pod dużym powiększeniem. Da się go wysyłkowo sprowadzić i z Rosji, i z Niemiec. Potrzeba tylko – bagatela – kilkaset dolarów... Tyle nie miałem. To musiało poczekać. A gagat? Skąd jubilerzy biorą czarny bursztyn? Na szczęście brakowało tylko jednej czarnej figury.

Wreszcie wykłady skończyły się. Chciałem jechać do domu, ale po krótkim namyśle wybrałem odwrotny kierunek i przeprawiłem się na drugą stronę Wisły. W dawnych czasach wszelkie niedostępne dobra można było nabyć na legendarnym Bazarze Różyckiego. Teraz tę funkcję przejął częściowo Stadion.

Wysiadłem z tramwaju. Przeszedłem zaśmieconym i zaszczanym przejściem podziemnym. Zignorowałem propozycje nabycia szmuglowanych papierosów. Przede mną, niczym wzgórze oblepione ludźmi, wznosił się Jarmark Europa – niegdysiejszy Stadion Dziesięciolecia PRL.

Poszedłem „aleją". Minąłem dziesiątki stoisk oferujących tanie garnitury, suknie ślubne, buty, okulary... Dochodziło południe i tłum okupujący koronę znacząco się przerzedził. Minąłem handlarzy „naręczaków", oferujących rosyjskie złoto, ukraiński kukurydziany spirytus oraz temu podobne dobra, i wdrapałem się na sam szczyt. W prawo czy w lewo? Ruszyłem w prawo... Koronę obiegały dwie asfaltowe dróżki. Niższa była szersza, druga, wąska, biegła po samym szczycie. Po chwili wahania wybrałem górną. Nad niecką dawnego stadionu unosiła się ostra woń moczu. Handlujący i kupujący nie fatygowali się do toalety, sikali sobie po prostu pomiędzy spróchniałymi ławeczkami dawnej widowni...

Szedłem, lustrując wzrokiem towar wyłożony na stolikach. Gruzińska szabla... Na pierwszy rzut oka zidentyfikowałem ją jako pochodzącą z tamtejszej cepelii. Kilka zaśniedziałych samowarów, ale miałem już jeden, zresztą tutaj kupiony. Legitymacje byłego KGB sąsiadowały z sowieckimi orderami i medalami. Najciekawsze były aparaty fotograficzne i lornetki. Przyzwoita optyka, robiona podobno na maszynach Zeissa, wywiezionych po wojnie z podbitych Niemiec. Ale nie potrzebowałem ani jednego, ani drugiego. Ponadto oferowano tu pirackie płyty z muzyką i filmami. Były również CD przeznaczone dla klientów o raczej specyficznych „gustach". Najwyraźniej nikt tu nie bał się policji.

Trafiały się też oczywiście „antyki". Carskie banknoty w stanie jak psu z gardła, odlewane w mosiądzu ikony podróżne, monety. Sporą część towaru stanowiły współczesne podróbki, ale nie było to regułą. Mignął mi emaliowany kubek – pamiątka koronacji cara Mikołaja II, bagnet od mosina i kilka manierek z pierwszej wojny światowej.

– Hej, młody – usłyszałem.

Obejrzałem się odruchowo. Stary handlarz, skośnooki jak Chińczyk i śniady jak Indianin, uśmiechał się, prezentując klawiaturę złotych zębów. W tuszyńskiej czapeczce na głowie wyglądał bardzo dostojnie. Gestem wskazał stos saszetek, ułożonych na stoliku.

– Po to przyszedłeś. Mumio. Pomoże ci – zaproponował. – Ugasi tę gorączkę... Wyciszy rozbieganie, pozwoli uspokoić rozdygotane nerwy... – Jego rosyjski był twardy i charkotliwy, ale rozumiałem go całkiem nieźle.

Słyszałem już wcześniej o tym specyfiku, ale jakoś nie wzbudził on mojego przesadnego entuzjazmu. Nabyłem jednak jedną saszetkę i powędrowałem dalej. Jeden Rosjanin miał figurki z kamienia mydlanego, stylizowane na dzieła ludów rosyjskiej dalekiej północy, ale zapytany o kość mamuta rozłożył bezradnie ręce. Inny poukładał na stoliku kilka ładnych broszek z zębów morsa, ale na pytanie o większe kawałki, nadające się do obróbki, zafrasował się wyraźnie.

Z dłuższej tyrady zrozumiałem, że coś może dałoby się załatwić, ale on najpierw musi popytać, i że cena nawet nad Morzem Beringa jest bardzo wysoka.

– A powiadają, że na Stadionie można kupić wszystko – burczałem pod nosem, idąc w stronę Zielenieckiej. – A jak przyjdzie co do czego, okazuje się, że kicha. Pewnie łatwiej tu nabyć granat czy kałacha niż odpowiedni kawałek kości...

Zszedłem od północnej strony. Tu pomiędzy blaszanymi budami magazynów znajdowało się królestwo tekstyliów, opanowane głównie przez przybyszów z Wietnamu i podobnych krain. Drobni żylaści mężczyźni ciągnęli większe od siebie wózki z towarem. Wpadło mi w oko kilka bardzo ładnych dziewczyn, stojących za ladami zasłanymi wszelakimi możliwymi rodzajami odzieży. Dwaj starcy zabijali nudę oczekiwania na klienta, grając w madżonga. Wietrzyk niósł woń egzotycznych potraw. Nawet odpadki były inne niż nasze, z kubłów na śmieci sterczały zwinięte gazety drukowane jakimiś krzaczkami.

Teren zaanektowany przez rasę żółtą, pomyślałem w zadumie. Garstka rozbitków, którzy nie mogli już żyć w swoim kraju, czy też forpoczta armii zdobywająca przyczółek dla przyszłej kolonizacji?

Nie czułem do nich niechęci. Podziwiałem ich pracowitość. Ale jednak wolałbym, żeby wrócili do domu... To, co widziałem, stanowiło tylko powierzchnię, łan kwiatów lotosu, wyrastający z bagna. Z pewnością pod spokojną powierzchnią targowiska kryło się jego drugie dno. Narkotyki, meliny, przemyt ludzi, azjatyckie mafie, krwawe porachunki, handel żywym towarem... Wolałem nie zgadywać, co można tu kupić i jakie usługi zamówić...

Obok Dworca Wileńskiego musiałem się przesiąść. Z daleka spostrzegłem znajomą sylwetkę. Zresztą tego płaszcza nie sposób było zapomnieć. Menel zwany Profesorem stał na przystanku tramwajowym i patrzył w zadumie na mury pobliskiego liceum. Podszedłem ostrożnie, zresztą nie było chyba ryzyka, że ucieknie. Stanąłem po zawietrznej i obserwowałem go dłuższą chwilę.

– Tu pracowałem – wyjaśnił, nie odwracając głowy. – Kiedyś. Dawno, dawno temu, a zarazem tak niedawno. Za dużo szkła miałem wokół siebie i w końcu życie stłukło się jak szklanka. Tak bywa. Szukałeś mnie?

– Szachownica... Ktoś wynajął pana, żeby mi ją podrzucić – postanowiłem przywalić od razu z grubej rury.

– Yhm... – mruknął. – Przyjaciele... Niechciani, ale czasami potrzebni przyjaciele. Banda nudziarzy.

– Kto to jest? O co w tym wszystkim chodzi?

– A jakie to ma znaczenie? Kazali, to wykonałem. Oni zapłacili, ty zapłaciłeś. Dobry zysk. Kilka krat wódy by za to kupił.

– Może lepiej zainwestować w esperal? – zasugerowałem.

– Gadasz jak oni. Co wy wszyscy z tym esperalem? Niby mógłbym się zaszyć, tylko po co? – Wzruszył ramionami. – Tam i tak nie mam już powrotu. – Wskazał szkołę. – I ja jestem dziś już kimś innym...

– Ta szachownica zawiera jakiś szyfr – zacząłem.

– To niewykluczone – westchnął. – Przyjrzałem jej się, zanim ci ją spyliłem. Trzy dni nie raczyłeś się zjawić na naszym bazarku. Już traciłem cierpliwość – pokpiwał.

– Przeeepraaaszam – odgryzłem się. – Nie wiedziałem, że ktokolwiek na mnie czeka. Wracając zaś do szachownicy...

– Aleś ty namolny. Skoro sądzisz, że jest w tym jakiś szyfr, to go złam. Mój tramwaj. – Wskazał nadciągający pojazd. – I nie muszę płacić za bilet. Dla kanarów jestem niewidzialny. – Uśmiechnął się kpiąco. – Wolą łapać takich jak ty. W każdym razie wypłacalnych.

Po chwili wsiadł do wagonu i odjechał. Byłem zły na siebie. Ten człowiek mógł mnie doprowadzić do ludzi, którzy podsunęli mi te szachy. A ja nie potrafiłem go podejść. Nie umiałem nawet zadać dobrych pytań. Cholera.

*

Gdy dowlokłem się do domu, zegarmistrz, pan Maciek, przecierał kratę w oknie warsztatu flanelową szmatką. Przywitałem się.

– Cóż tam na studiach, panie Robercie? – zagadnął.

Z reguły zaczynał rozmowę, mówiąc mi na „pan", i szybko o tym zapominał... Dzieliła nas zbyt duża różnica wieku. Miał wnuki niewiele młodsze ode mnie.

– Po staremu... Nic nowego, nic szczególnie porywającego. Nudy... To znaczy ciekawe rzeczy, ale... – zaplątałem się w zeznaniach. – Posłuchać, poznać, zapamiętać, doczytać, nauczyć się na egzamin. Praca do wykonania, żmudna, nietrudna, ale bez wyzwań. Bez czegoś, co ożywia umysł...

– To czemu chodzi pan jak struty, mamrocząc pod nosem i gestykulując?

– Wpadła mi w ręce szachownica. Niestety, same szachy są zdekompletowane. Chciałbym dorobić brakujące figury, ale w tym celu muszę zdobyć deficytowy i niepoprawny politycznie surowiec, jakim jest kość słoniowa.

– Kość słoniowa na figurki szachowe? – zadumał się pan Maciek.

– Ano właśnie – westchnąłem. – Słoniowa, mamucia, ewentualnie może być róg narwala albo ząb morsa. Ząb hipopotama też się kwalifikuje. Kupić surowiec z legalnego źródła nietrudno, ale pierońsko drogo.

– Czyli jeszcze najlepiej, żeby była za darmo? – Pokiwał ze zrozumieniem głową.

– Jestem realistą. Wystarczy mi, że kupię w miarę tanio. Muszę czymś zająć ręce i umysł, bo czuję, że tracę czas.

– Hmmm... No cóż, tyramy jak Chińczycy, zarabiamy jak Murzyni, ale mimo wszystko Polska to nie Afryka. Słonie żyją w zoo – zadumał się.

– Mam się włamać i odpiłować im ciosy, gdy będą spały? – zażartowałem. – Była kiedyś taka kreskówka... Ale ich złapali.

– Słonie w zoo nie tylko żyją, ale też czasem umierają – powiedział z namysłem. – Ojciec mi mówił, że przed wojną była słonica Kasia i jej córeczka Tuzinka. Obie zabił nalot bombowy we wrześniu. Kilka lat temu mieli trzy słonie indyjskie: Sonię, Nerę i samca Rajaha. Niby indyjskie mają mniejsze zęby, ale może wystarczy? Wszystkie trzy padły ze starości. Myślę, że pogrzebano je na wybiegu lub w pobliżu, bo niby jak przenieść kilka ton padliny gdzieś dalej? Może warto przeprowadzić jakieś wykopaliska...? W końcu studiujesz archeologię.

– Szukanie martwych słoni to archeozoologia raczej. – Uśmiechnąłem się mimowolnie. – Tylko czy zoo zgodzi się na wykopywanie martwych zwierząt na ich terenie? No i musiałbym namówić kogoś z wykładowców na tak szalony projekt o zerowym znaczeniu naukowym. A najgorsze jest to, że wykopane zabytki i tak należą do państwa.

– Uuuu. To faktycznie kicha. Zaraz, że niby zdechły słoń też jest zabytkiem? – Spojrzał na mnie zaskoczony.

– Obawiam się, że wykopany przez archeologa tak właśnie zostanie potraktowany. – Rozłożyłem bezradnie dłonie.

– A nie może pan tego czymś podrobić? Mączka marmurowa zmieszana z żywicami czy coś...

– Wolałbym naturalne surowce – odparłem. – Jeśli nie identyczne z oryginalnymi, to choć zbliżone. Myślałem, że może kupię od Ruskich kawałek zęba morsa, ale nie miewają chyba tego towaru. Albo że trafi mi się jakaś brzydka jak noc chińska figurka z kła mamuta, której nie będzie żal przerobić... Ale skoro się nie da, pozostaje mi...

– Galalit! – domyślił się, widząc w mojej siatce butelki z mlekiem. – Fiuu... Gdy byłem młody, sprzedawali jeszcze laski i tabliczki z tego... Stosowano go już raczej nieczęsto, ale jeszcze się trafiał. Ze trzydzieści lat już go nie widziałem w handlu.

– Nie da się kupić, trzeba zrobić samemu. Zawsze pasjonowała mnie chemia – wyjaśniłem.

– Nie tak łatwo uzyskać go w domu. Wyższa szkoła jazdy. Ale cóż, życzę powodzenia. To znaczy samo uzyskanie to jeszcze pół biedy. Ale utwardzenie wymaga czasu oraz cierpliwości.

Pożegnaliśmy się i powędrowałem do siebie. Jak zrobić dobrą imitację kości słoniowej? Zegarmistrz miał rację. Najprościej zmieszać żywicę epoksydową i mączkę marmurową... Podobny połysk, podobny kolor... Ale fachowiec rozpozna na pierwszy rzut oka, a niefachowiec, gdy weźmie do ręki. Nie ten ciężar. Wlałem mleko do garnka i podgrzałem. Dodałem ocet. Wymieszałem. Wreszcie odlałem przez filtr. Na sicie pozostały grudki skrzepniętej kazeiny. Zhomogenizowałem je mikserem. Ponownie odcedziłem. Woń octu kręciła w nosie. Jednolitą masę podzieliłem na dwie porcje, dodałem do jednej tyci-tyci barwnika. Z istniejących figur już wcześniej przygotowałem formy. Teraz wlałem do nich kazeinę na przemian z obu pojemników i poczekałem, aż dobrze stężeje. Wreszcie wydobyte figurki zanurzyłem w formalinie. Teraz wystarczyło cierpliwie poczekać. Jakieś osiem do dziesięciu dni.

*

Kolejny tydzień spędzałem na przemian na wykładach i po drugiej stronie parku, w Bibliotece Narodowej. Grzebałem po monografiach, wspomnieniach, pamiętnikach szachistów i tego typu publikacjach. Te szachy ktoś zamówił. Ktoś inny wykonał. Ktoś je sprowadził do Polski. Wiele osób musiało je widzieć, wizytując salon właściciela... Niestety. Nie natrafiłem na żaden trop. Wieczory spędzałem, czyszcząc i rekonstruując szachownicę. Raz jeszcze z lupą w dłoni zbadałem każdy milimetr powierzchni. Patrzyłem na zdjęcia dokumentacyjne, wykonane przed konserwacją. Czy aby nie zatarłem niechcący jakiegoś śladu? Plamy atramentu pozostały jednak tylko plamami. Figurki nie były nigdzie sygnowane. Grzebanie po katalogach aukcyjnych też nic nie dało. Brakowało analogii. Podjechałem do kilku znajomych speców od rzeźb. Ocenili, że figurki prawdopodobnie wykonano w Niemczech i pochodzą z połowy dziewiętnastego wieku.

Galalit stężał, stwardniał. Wreszcie mogłem wydobyć figury z kąpieli hartującej. Po wysuszeniu i wypolerowaniu powierzchni podobieństwo do oryginałów było niemal łudzące, tyle tylko, że nie miały na sobie żadnych rys i wyszczerbień, jakich przez dekady dorobiły się stare. Zszedłem na parter do zegarmistrza. Wyciągnąłem szachownicę i położyłem na ladzie. Połówka była już odszykowana na wysoki połysk, druga połówka na razie odczyszczona.

– Fiu, fiu – gwizdnął. – No to się pan napracował, panie Robercie...

– Piętnaście, może dwadzieścia godzin – zbagatelizowałem.

Popatrzył uważnie na literki i cyferki umieszczone na polach. Poskrobał się po nosie.

– Gdy byłem mały, zamieszczano w gazetach kąciki szachowe, a czasem także podobne rebusy – powiedział wreszcie. – Ale nie widziałem niczego takiego... no, będzie z pięćdziesiąt lat. W dodatku tam zawsze podawali, z którego pola konik ma zacząć skakać. Ciekawe, czego może dotyczyć ten szyfr.

– Mam głupie przeświadczenie, że to wiadomość dla mnie... – bąknąłem. – Tylko kto, u licha, chciałby nawiązywać kontakt w taki sposób!? Przecież nie szpiedzy. Masoni? Spiskowcy?

– Przez ostatnie pół roku dwa razy pytano mnie o ciebie. Dalecy znajomi, mimochodem... Wiesz, jak działa ruch kolekcjonerski? – zapytał.

– Coś w rodzaju piramidy. Są tacy jak ja. To znaczy ludzie, którzy trochę się na tym znają, umieją wyłowić rzeczy cenne, ciekawe, lecz niepozorne. Na kolejnym piętrze są pasjonaci, którzy to kupują. Ale tam wyżej są bogaci nuworysze, kupujący nie drobiazgi wygrzebane po strychach i śmietnikach, ale obrazy mistrzów, które zubożała inteligencja zdejmuje z własnych ścian... Do tego służby pomocnicze, zegarmistrze, mechanicy precyzyjni, konserwatorzy, rzeczoznawcy, spece od grzebania w archiwach...

– Coś tak jakby – uśmiechnął się lekko. – Ale są też zamknięte grupki, coś jakby kluby zbieraczy. Nie są szczególnie bogaci, ale tworzą cenne kolekcje drogą wymiany. Jeden ruszył kiedyś głową, zdobył arkusz pierwszych znaczków wyemitowanych przez Izrael. Teraz każdy jest wart kilkaset euro. Ale on ich nie sprzedaje, tylko wymienia, dając kumplowi trzy takie za jeden bawarski, którego brak do skompletowania serii. A całą serię bawarskich wymienia za polską jedynkę z nietypowym kasownikiem, której mu brak do jego kolekcji... To oczywiście przykład.

– Załapałem. Czyli gdzieś na najwyższych szczeblach zapewne są też tacy, którzy za trzy obrazy Kossaka dostają jeden Gierymskiego?

– Albo którzy kupują obraz Kossaka, by dołożyć coś jeszcze ze swoich zbiorów i kupić za to obraz Matejki. W każdym razie od dawna krążą pogłoski, że jest w Warszawie kilka podobnych grup. Niejawnych, przestrzegających zasad nieomal konspiracji, używających tajemnych rytuałów. Może to któraś z nich.

– Zegarmistrze też mają swój cech – zauważyłem.

– Tak, ale cech działa jawnie. Oczywiście starszyzna nie każdego zaprasza na swoje konwentykle, ale tu mówimy o grupach naprawdę tajnych. Może szukają nowych członków, może tylko kogoś zaufanego, kto będzie szukał dla nich różnych rzeczy, grzebał po archiwach, słowem odwalał najcięższą robotę. Dyskretnie i za godziwe wynagrodzenie.

– Obie perspektywy jednakowo mnie interesują... Myślałem, że odszykuję szachownicę, dorobię brakujące figury i spylę to komuś. A za zarobione pieniądze kupię bilet na wyspę Tobago.

– Wspominałeś o tej swojej teorii archeologicznej. – Uśmiechnął się. – Szalona, ale błyskotliwa.

Siadł przed szachownicą, zapalił dodatkowe halogenki. Olejowana powierzchnia drewna lekko lśniła. Odpolerowane zawiasiki, oczyszczone z grynszpanu, odzyskały ciemnomiodową barwę starego brązu. Byłem naprawdę zadowolony z efektu. Uzupełnień prawie nie było widać. Wnętrze, wyłożone starym pluszem, też zyskało.

Postawiłem białego konika na właściwym miejscu.

– Z tego pola może skoczyć w cztery inne. Jeśli jednak znajdzie się dalej od krawędzi, liczba wariantów rośnie do ośmiu. No, powiedzmy do siedmiu, żeby nie wracać na pole, z którego się przyszło – powiedziałem.

– Żeby odczytać wyraz czteroliterowy, musiałbyś zbadać sto dziewięćdziesiąt sześć kombinacji. Do pięcioliterowego już tysiąc trzysta siedemdziesiąt dwie – policzył w pamięci.

– W dodatku nie wiem, którym koniem mam zacząć. Cztery do wyboru... Bez sensu... – myślałem na głos. – Choć, z drugiej strony, gdyby napisać odpowiedni program komputerowy? I niech sam mi sprawdza tysiące wariantów?

Na komputerach znała się moja kumpela z liceum – Marta. Ale jakoś nie miałem śmiałości do niej zadzwonić. Bez przekonania skakałem konikiem z pola na pole. Ciągi liter nie układały się w żadną sensowną treść.

– Wiesz co, Robercie, ten komputer jest tu bez sensu. W czasach, gdy powstawała ta szachownica, mieli co najwyżej mechaniczne kalkulatory. Sądzę, że zagadka odwołuje się do rozwiązań z epoki.

– To musi być coś prostego – rozważałem. – Powtarzalny schemat skoków. Sam tego nie ugryzę. Tu trzeba fachowca. Starego szachisty, najlepiej pamiętającego czasy przedwojenne...

Pan Maciek spojrzał na zegarek.

– Jaki dziś dzień tygodnia? Czwartek?

– Czwartek.

– W bibliotece osiedlowej ma cotygodniowe zebrania klub szachistów. Najmłodsi dobiegają sześćdziesiątki. Jeśli weźmiesz rower i dobrze dociśniesz pedały, powinieneś zdążyć, zanim się rozejdą!

*

Klub szachowy zbierał się w czytelni naukowej. Skupiał przeważnie emerytów i rencistów. Zaczynali swoje konwentykle w czwartkowe popołudnia, kończyli o dwudziestej, gdy bibliotekarka wyrzucała ich, by zamknąć swoje królestwo. Wpadłem kwadrans przed końcem. Stanąłem w progu sali. Woń kawy z ekspresu i domowego ciasta przyjemnie połaskotała mnie w nos. Przy dwu szachownicach trwały jeszcze pojedynki, reszta już składała „sprzęt".

– Prezes to ten siwy w drucianych okularach – podpowiedziała mi bibliotekarka, wskazując dyskretnie nobliwie wyglądającego starszego pana.

– Pan doktor Kamiński jest tu prezesem!? – zdumiałem się.

– O, to widzę, że się znacie...

Byłem kiedyś jego pacjentem. Ładnych parę lat temu. Z pewnością już mnie nie pamiętał. Życzliwy, sympatyczny, konkretny. No to bierzemy byka za rogi. Ruszyłem przez salę prosto jak po sznurku. Stary lekarz podniósł głowę, gdy byłem już bardzo blisko.

– Robert Storm – przedstawiłem się. – Panie doktorze, czy mogę zająć trzy minuty? Potrzebuję porady... Pewnie mnie pan nie pamięta...

– Hmm... To było złamanie zastawne lewego przedramienia z uszkodzeniem nadgarstka i obojczyka, wiosna dziewięćdziesiątego pierwszego – zidentyfikował mnie bez problemu. – Wolałbym jednak zaprosić pana do gabinetu – westchnął. – Chyba że to coś wyjątkowo pilnego.

– Ale mi chodzi o poradę szachową...

Uniósł brwi.

– Czym zatem mogę służyć?

– Natrafiłem na problem związany z szachami... Sam go nie ugryzę, zatem postanowiłem zasięgnąć porady prawdziwych ekspertów. – Gestem omiotłem salę i ukłoniłem się.

– Pan jest szachistą? – Obrzucił mnie zaciekawionym spojrzeniem.

– Raczej kimś w rodzaju detektywa amatora – wyjaśniłem. – Grzebię w tajemnicach przeszłości. Szukam ukrytych skarbów i innych takich.

Uśmiechnął się kpiąco.

– Czym zatem mogę służyć, panie Robercie? – zapytał ponownie.

– Zdobyłem szachownicę, na której polach zapisano litery. To chyba jakiś szyfr. Doszedłem, że odczytuje się to, skacząc konikiem, ale ilość wariantów po każdym skoku rośnie...

Uniósł dłoń, przerywając moją wypowiedź.

– Tego typu zagadki szachowe były popularne w zamierzchłej przeszłości – powiedział. – Gdy byłem młody, to już była niemal zapomniana zabawa... Ma pan zatem szachownicę, której wszystkie pola są pokryte literami?

– Tak.

Wyciągnąłem pudełko z torby i położyłem na blacie. Obejrzał mój łup, wyraźnie zaciekawiony. Potem kolejno brał w dłoń figury. W oczach zapaliły mu się iskierki.

– Piękna, stara robota – powiedział z szacunkiem. – Naprawdę wspaniały zestaw... Nie widziałem podobnego od lat... No dobra. Czy próbował pan tak zwanej drogi konika?

– Nie. Czym jest droga konika?

Złożył wargi w pobłażliwy uśmiech, jaki stary wyga prezentuje młodemu dyletantowi. Nie potrafię zliczyć, ile razy w życiu widziałem już ten grymas. Teraz wystarczy cierpliwie czekać. Fachowcy z reguły lubią spotkać kogoś zielonego, by go oświecić...

– To stara zagadka z pogranicza szachów i matematyki – wyjaśnił. – Zadanie takie... Nieprzesadnie trudne. Chodzi o to, by skacząc konikiem, obiegnąć wszystkie pola szachownicy. Z zastrzeżeniem, że na każdym wolno przystanąć tylko jeden raz. Najczęściej szyfrowano informacje, umieszczając je na „drodze konika".

– Z tego by wynikało, że istnieje tylko jeden schemat ruchu, pozwalający tego dokonać – zaryzykowałem teorię.

– O, bystrzacha z ciebie – pochwalił. – Otóż nie. Są dwa. Ścieżka otwarta i ścieżka zamknięta. Ścieżka otwarta to założenie, że skaczemy, obiegając wszystkie pola, i kończymy ruch pośrodku szachownicy. Ścieżka zamknięta nakazuje powrócić na pole, z którego się wystartowało.

– Rozumiem.

– Ścieżkę otwartą zacząć można w ośmiu punktach na obwodzie szachownicy. Osiem możliwych dróg kończy się w zaledwie czterech punktach pośrodku. Ścieżka zamknięta ma podobnie osiem wariantów, ale zacząć można aż w dwudziestu ośmiu...

– Rozumiem.

– Jeśli szyfr, który pan łamie, prowadzi do skarbu, jestem zainteresowany otrzymaniem dziesięciu procent – powiedział to całkowicie spokojnie.

– Myślę, że możemy się tak umówić. – Skinąłem poważnie głową.

– Ma pan notes i długopis?

Zdjął resztę figur z szachownicy i ujął w palce konika.

– Z tego punktu w prawo albo z tego w lewo – wskazał. – Gotów? Jedziemy...

Na pierwszy rzut oka wyglądało to pierońsko skomplikowanie, ale szybko dostrzegłem powtarzalność schematu skoków.

– Nadąża pan?

– Tak! – Zapisywałem kolejne litery i cyfry.

Dojechał do ostatniego pola. W tym czasie reszta szachistów wyszła, a bibliotekarka, stojąc w drzwiach, znacząco potrząsała kluczami. Musieliśmy się zwijać.

– Poradzi pan sobie z resztą wariantów sam?

– Tak. Dziękuję.

– No cóż, życzę udanych poszukiwań. Gdyby jakimś cudem natrafił pan na ten skarb, jestem tu w każdy czwartek.

– Będę pamiętał i daję słowo honoru, że w razie znalezienia tam czegokolwiek cennego otrzyma pan swój udział – zapewniłem.

Pożegnaliśmy się i wyszedłem. Odetchnąłem chłodnym wieczornym powietrzem. Rozejrzałem się odruchowo, ale chyba nikt mnie nie śledził. Mijając latarnię, przyjrzałem się ciągowi sześćdziesięciu czterech literek i cyfr. Nie składały się w żadną sensowną całość, ale czułem, że jestem na tropie.

Dotarłem do domu. Zaryglowałem drzwi, spuściłem żaluzje i zabrałem się do badania szachownicy. Wypisałem sobie wszystkie ciągi znaków, uzyskane przez skoki konikiem. Faktycznie, stary doktor nie mylił się. Wiadomość ukryto w ten właśnie sposób. W dodatku dla zamaskowania kilkanaście pierwszych znaków było zupełnie przypadkowych.

Banalne, skwitowałem, tylko trzeba wiedzieć, jak ugryźć.

„Czekam Siedlecka pięć sobota godzina dwunasta" – głosiło ukryte zaproszenie.

Zagryzłem wargi. Powstrzymałem pierwszy odruch, by wyciągnąć rower z szopy i od razu gnać na drugą stronę Wisły, na Siedlecką, w samo serce Szmulek. Czułem, że trzeba się do tej rozmowy poważnie przygotować.

*

Sobotni listopadowy poranek był chłodny, ale pogodny i świetlisty. Wysiadłem z tramwaju naprzeciw szkoły muzycznej przy Ząbkowskiej. Po lewej rachityczny płotek otaczał jakąś ruderę. Dalej widziałem rząd przedwojennych czynszówek. Po prawej za szkołą znajdowały się podobne domy. Ich linia wyznaczała przebieg ulicy Wołomińskiej. Wystawały zza nich szare dziesięciopiętrowe bloki – pamiątka boomu budowlanego epoki Edwarda Szczodrego. Przede mną zaś leżała pusta przestrzeń.

Przeszedłem na drugą stronę i ruszyłem na przełaj przez nieużytki. Poprzedni dzień spędziłem w bibliotece, potem jeszcze zajrzałem do archiwum hipoteki poczytać przedwojenne księgi wieczyste. Niewiele udało mi się ustalić, ale poznałem nazwisko przedwojennego właściciela kamieniczki, której adres odczytałem. Nie było to nazwisko tak zupełnie mi obce, ale jakoś nie mogłem skojarzyć, skąd je znam.

Pierwszy przy ulicy Siedleckiej był dom numer dwanaście. Po stronie nieparzystej ocalała dopiero kamienica numer siedemnaście. Wcześniejszych domów po prostu nie było. Niemcy – i co poradzisz... Komuchy jakoś nigdy nie skorygowali numeracji.

Na parceli, gdzie kiedyś postawiono dom numer pięć, obecnie plenił się łan chwastów. Ktoś kilka dni temu przeleciał je kosiarką. Pośrodku rosła jarzębina, a obok sterczała smutno ku niebu ruina betonowych schodów. Zachowało się może z dziesięć stopni. Trwały, jakby kpiąc z grawitacji, i urywały się nagle, w powietrzu. W trawie czerwieniał gruz. Najwidoczniej po wojnie uprzątnięto rozwaliska i zniwelowano teren, ale działki już nigdy nie zdecydowano się zabudować. I tak zostało, miejsce po zniszczonych domach, niepokojąca pustka po dwu stronach brukowanej kocimi łbami uliczki. Tylko zachowany przedwojenny krawężnik i pas kostki brukowej, przecinający chodnik, pozwalały odnaleźć miejsce, gdzie kiedyś była brama. Zostały też przedwojenne latarnie gazowe – aż trzy. Oczywiście od dawna niedziałające...

Żyli tu sobie ludzie, mieszkali, kochali, chodzili do pracy w pobliskich fabrykach, a w niedzielę z dziewczynami do parku. A potem spadły niemieckie bomby, pomyślałem z melancholią. Kto wie ilu z nich nadal tu leży, ułamki kości wymieszane z gruzem zalegającym zawalone piwnice...

Próbowałem sobie wyobrazić, jak mogło wyglądać to miejsce przed wojną. Domy raczej niewysokie, trzy, może cztery kondygnacje. Cieniste bramy z wąsatymi cieciami. Żeliwne odbojniki w kształcie brodatych krasnali. Wypisz wymaluj domy jak ten, w którym mieszkałem. Jesienią turkotały po tym bruku wozy z węglem, ciągnięte przez koniki. Gdzieś na parterze był zapewne sklepik, w którym kupowało się piwo z browaru Haberbusch i Schiele. W to miejsce doprowadził mnie szyfr z szachownicy. I co dalej? Rozejrzałem się, a potem przekroczyłem nieistniejącą bramę.

W cieniu za schodami, pod drzewkami jarzębiny, ustawiono drewniany stolik i dwa krzesła. Za stolikiem siedział starszy mężczyzna w garniturze. Lekki wiaterek łopotał szarym lnianym obrusem, ozdobionym mereżkami. Scena wydała mi się kompletnie surrealistyczna. Ale od razu zrozumiałem, że znalazł się tu nie bez powodu. Że czeka właśnie na mnie. Podszedłem jak zaczarowany.

Mężczyzna wskazał mi gestem krzesło. Usiadłem. Przede mną na obrusie stała dwustuletnia filiżanka z miśnieńskiej porcelany. Była pełna kawy.

– Proszę się częstować – odezwał się i upił łyk ze swojej.

Kojarzyłem skądś tę twarz. Spotkałem go już. Na aukcjach starodruków? Obrazów? Przyłożyłem wargi do brzegu naczynka. Kawa była wyśmienita, a do tego tak mocna, że niedźwiedzia by z nóg zwaliło. I naraz skojarzyłem, kim jest mój rozmówca. No tak... Nazwisko, które znalazłem w księgach wieczystych. Już wiedziałem, skąd je znam. A zatem wyglądało na to, że teoria starego zegarmistrza jest prawdziwa.

– Nie proponuję mleka ani cukru, bo z tego, co wiem, preferuje pan kawę o smaku i gęstości towotu – słowa gładko spływały z jego warg.

– Tak, dziękuję – wykrztusiłem.

– Widzę, że przyniósł pan moje, a właściwie teraz już pańskie szachy. Zagrajmy zatem. – Przesunął filiżankę, robiąc miejsce na blacie.

Rozłożyłem szachownicę i rozstawiłem figury. Jemu, jako wyzywającemu, przeznaczyłem białe, ale uśmiechnął się tylko i obrócił czarnymi w swoją stronę. Ujął w dłoń jedną z dorobionych figur i oglądał ją dłuższą chwilę.

– Galalit – ocenił. – Lany warstwami. Świetny pomysł! Byłem ciekaw, z czego pan dorobi brakujące. Bardzo udana kopia.

– Nie miałem pieniędzy na kość mamuta ani ząb morsa... Domyśliłem się, że szachownica została mi w pewien sposób podłożona... – zacząłem rozmowę, ale on tylko przyłożył palec do ust, nakazując ciszę.

W milczeniu przesuwał piony i figury. Grał bardzo dobrze. Broniłem się desperacko, ale w kilku ruchach dał mi paskudnego mata. Przez chwilę bałem się, że to oznacza koniec spotkania, ale on tylko lekko się uśmiechnął.

– Obserwujemy cię, młodzieńcze, od jakiegoś czasu – powiedział. – Dwa albo i trzy lata. Wydaje się, że jesteś odpowiednim człowiekiem. Postępowanie aplikacyjne jest czteroetapowe. Etap pierwszy, czyli wypatrzenie szachownicy w powodzi wszelakiego barachła, etap drugi, czyli jej fachowa renowacja, i etap trzeci, którym było złamanie szyfru, już za tobą. Szczerze powiedziawszy, sądziłem, że sprawi ci więcej kłopotu. Pora na etap czwarty i ostatni. To będzie test. Egzamin ostateczny i możesz podejść do niego tylko raz. Zadam zaledwie jedno pytanie.

Czułem, wiedziałem, że jest w tym wszystkim jakiś haczyk... Że szachownica nie przypadkiem trafiła w moje ręce. I proszę. Okazało się, że sam o tym nie wiedząc, zdawałem egzaminy... Planowałem sprzedać ją i za uzyskane pieniądze polecieć na Tobago. W tym momencie zmieniłem zdanie. Wiedziałem, że to najważniejsza rozmowa w moim życiu. I że od tej chwili bardzo wiele się zmieni. Zatem w najbliższy czwartek zaniosę szachy do klubu w prezencie dla doktora Kamińskiego. Bez niego nie złamałbym szyfru. A bez złamania szyfru nie trafiłbym tutaj. Znalazłem swego rodzaju skarb. Lekarzowi należy się obiecany udział.

– Jestem gotów.

– A zatem pytanie. Kim jestem i dlaczego tu wyznaczyłem miejsce spotkania?

– Zakładam, że zaprosił mnie pan w miejsce, gdzie stał kiedyś pański dom. Zatem nazywa się pan Wojciech Waserwager.

Wstał i mocno uścisnął mi dłoń.

– Witamy w Gronie Jarzębiny.

Hitler w szklanej kuli

Nie mogę sobie przypomnieć, kiedy usłyszałem o tym po raz pierwszy. Coś musiało wisieć w powietrzu już wiele miesięcy wcześniej. Odbywając swego rodzaju nowicjat w Gronie Jarzębiny, oglądałem rzecz jasna rozmaite kurioza. Trzymałem w ręce jeden z nielicznych prototypów „Ludwikówki" i eksperymentalny przedwojenny granat gazowy. Oglądałem barwny szkic do nienamalowanego nigdy obrazu Jana Matejki „Bitwa pod Koronowem". Podziwiałem pierwszy znaleziony w Polsce diament, okruch wielkości łebka zapałki – efekt dwudziestu lat płukania glin na zboczach zerodowanych kominów wulkanicznych na Śląsku. Tropiłem potomków człowieka, który prawdopodobnie posiadał zaginiony unikatowy dukat Aleksandra Jagiellończyka. Byłem świadkiem próby uruchomienia przedwojennego silnika polskiego samochodu Iradam. Gdzieś tam w nawale różnych opowieści, plotek, rozmów i tropów musiałem usłyszeć o „Hitlerze w szklanej kuli".

Pan Hieronim był starym antykwariuszem i łowcą kuriozów o niekoniecznie dużej wartości materialnej. Na zebrania przychodził zazwyczaj ze swoim kuzynem Piotrem, milczącym, równie wiekowym byłym mechanikiem, znanym z tego, że umie ożywić niemal każdą maszynę. Pan Hieronim z różnych wypraw na targi wszelakiego badziewia przywoził rzeczy naprawdę zaskakujące. W Norwegii kupił oryginalną filiżankę ze „Steubena", wyłowioną przypadkiem z wód fiordu przez wędkarza. Z jakiejś angielskiej makulatury wydobył poplamiony i naddarty prospekt reklamujący tanie bilety dla emigrantów, sprzedawane na dziewiczy rejs „Titanikiem". Namawiał mnie też na zorganizowanie wyprawy w poprzek Grenlandii, szlakiem młodzieńczej podróży Nansena. Liczył po cichu, że zdołamy znaleźć pozostałości któregoś z obozowisk podróżnika i wzbogacimy kolekcje o pamiątki z nim związane. Gdy jednak pewnego dnia wziął mnie na stronę i w zaufaniu zdradził, co kryje jego piwnica, z wrażenia długo nie mogłem wykrztusić ani słowa.

Willa na Mokotowie nie wyglądała szczególnie okazale. Paskudny klocek, złożony z kilku brył geometrycznych, typowy przykry przykład międzywojennego modernizmu. Efekt cielęcego zachwytu betonem i luksferami, na który cierpieli liczni architekci tamtej epoki. Tynki osypywały się tu i ówdzie. Od dachu ciągnęły się liszaje zacieków. Przywykłem do tego. Z reguły im ciekawsze miejsce, tym lepiej zamaskowane...

Pan Hieronim musiał na mnie czekać, bo drzwi otworzyły się, zanim nacisnąłem guzik dzwonka. Przywitałem się z nim i jego kuzynem. Przeszliśmy do zagraconego saloniku. Kolekcja nie tworzyła żadnej sensownej całości. Osiemnastowieczny rożek angielski roboty Weigla z Wrocławia sąsiadował z kopią rzeźby Szukalskiego. Obok obrazu któregoś z Kossaków powieszono oprawiony dziewiętnastowieczny afisz teatralny. Na ścianie stare szable tworzyły jedną dekorację z kolekcją indiańskich dzid i eskimoskich wioseł.

Całkiem jak u mnie, pomyślałem.

– Więc podjął pan decyzję? – dopytywał się gospodarz.

– Tak. Chcę to zobaczyć, a potem porozmawiamy o związanym z kulą zleceniu. – Byłem pewien, że to, co robię, to szaleństwo, ale z drugiej strony czułem już dziwną gorączkę w żyłach.

W chwili, gdy wyszedłem rano z mieszkania, wiedziałem, że nie ma odwrotu.

– Zasady są proste. Żadnego dotykania przedmiotu rękami. Minimalna bezpieczna odległość wynosi pół metra. Na podłodze są namalowane dwie linie. Biała w odległości metra od postumentu. Czerwona to pół metra. Proszę nie przekraczać białej. Nie nachylać się. Nie wyciągać ponad nimi dłoni.

– Rozumiem.

– Dodatkowo postument otacza drewniana listwa na słupkach. Nie jest mocna... To tylko ostrzeżenie, że jest się już zdecydowanie zbyt blisko. Tak na wypadek zagapienia.

– Rozumiem.

– Dotknięcie artefaktu gołą ręką oznacza śmierć. Nadmierne zbliżenie do szkła ręki lub innej części ciała prawdopodobnie też. Nie znamy granicy oddziaływań. Dla materii organicznej nie jest nią powierzchnia kuli.

– Rozumiem.

– Pańska dyskrecja jest powszechnie znana i liczymy, że i tym razem nas pan nie zawiedzie. Zakładamy oczywiście, że będzie pan musiał szeroko ujawnić fakt swojej świadomości istnienia artefaktu, ale wolelibyśmy, aby raczej udawał pan człowieka, który go poszukuje, a nie kogoś, kto wie, gdzie to się znajduje.

– Rozumiem.

– Mamy tu do czynienia z fenomenem, którego natury nie rozumiemy. Z czymś, co prawdopodobnie całkowicie łamie prawa fizyki. Zjawisko wydaje się stabilne, ale jeśli coś pójdzie nie tak... Ciała prawdopodobnie nigdy nie uda się odzyskać. Nie będzie pan miał pogrzebu.

– Rozumiem.

– Aby nie było niejasności: robi pan to całkowicie dobrowolnie, zatem pełne ryzyko związane z oględzinami artefaktu ponosi wyłącznie pan. Zresztą, jeśli coś pójdzie nie tak, nie byłoby jak przekazać odszkodowań za uszczerbek...

– Rozumiem.

– Rodzaje zagrożeń nie są nam dokładnie znane. Efekty uboczne mogą wystąpić nawet po latach. U nas wprawdzie nic takiego się nie zdarzyło, ale...

– Rozumiem. Czy przed oględzinami kuli mam wypisać panom stosowny papierek, by rodzina nie próbowała mnie pomścić?

– Pańscy krewni są aż tak zajadli? – zdziwił się kuzyn pana Hieronima.

– My, Stormowie, nie zapominamy nikomu i nigdy. Czasem komuś odpuścimy, ale wyłącznie w przypadku, jeśli są konkretne okoliczności łagodzące. Ale tutaj pakuję się w to sam...

– Zatem proszę napisać. Zapytam po raz ostatni. Panie Robercie, czy naprawdę chce pan to zobaczyć?

– Chcę.

Pan Piotr wzruszył ramionami.

– Boję się, że problem jest nie do ugryzienia – mruknął. – Ale chodźmy.

Zeszliśmy do piwnicy. W ścianę wprawiono ciężkie stalowe drzwi, prawdopodobnie pochodzące ze skarbca któregoś z przedwojennych banków. Wywiercono w nich tylko jeden nowy otwór i wprawiono weń judasza. Mój przewodnik najpierw zapalił wewnątrz światło i zlustrował pomieszczenie. Potem sięgnął do pokręteł. Odwróciłem wzrok, gdy otwierał zamek kodowy. Spodziewałem się zgrzytu, ale zawiasy chodziły gładko. Weszliśmy do czegoś w rodzaju bunkra. Najwyraźniej kuzyni nie dowierzali ceglanym ścianom, bo wzmocnili je lanym żelbetem.

Piwnica była pusta, tylko pośrodku stała granitowa kolumienka wysokości około jednego metra. Na czubku znajdowała się „czapa" – kołpak z grubej nitowanej blachy. W jego szczyt wspawano metalowy pierścień. Zaczepiony do niego łańcuch biegł w górę do niewielkiego bloczka pod sufitem.

– Zasady są takie, że zamykam was w środku na maksymalnie piętnaście minut – powiedział pan Piotr. – Otworzę tylko w przypadku, gdy nic się nie wydarzy. Światło musi być zgaszone. Zapalicie je dopiero, gdy zakończycie oględziny. Jeśli cokolwiek pójdzie źle, musicie radzić sobie sami. Jak zakryjecie kulę i zapalicie światło, czekam jeszcze sześćdziesiąt sekund i otwieram.

Wyjął z kieszeni okazały sowiecki stoper. Przesunął kaburę, którą miał na pasku, i odpiął zatrzask, by bez problemu móc sięgnąć do rękojeści spluwy.

Stalowe wrota zatrzasnęły się za nami. Poczułem chłód na karku. Pan Hieronim podszedł do korbki.

– Uwaga – powiedział, kładąc dłoń na ebonitowym przełączniku.

Żarówki pod sufitem zgasły. Zapadła głęboka ciemność. Tylko linie na podłodze, namalowane farbą fluorescencyjną, oraz listwy płotka słabo lśniły w ciemności. Rozległ się zgrzyt zębatek i brzęk napinanego łańcucha. Donośny zgrzyt ze środka pomieszczenia wskazywał, że kołpak unosi się z kolumny.

Słabe, bladobłękitne światło zalało piwnicę. Zaciekawiony, przeszedłem kilka kroków. Przed sobą ujrzałem kulę. Przypominała wielkością dorodny arbuz. Miała około czterdzieści centymetrów średnicy. Jarzyła się wewnętrznym blaskiem.

– Sądząc po połysku, to szkło ołowiowe – powiedział pan Hieronim. – I to w zasadzie wszystko, co zdołaliśmy ustalić...

Milcząc, patrzyłem na artefakt. Wewnątrz szklanej bańki znajdowała się niewielka willa, otoczona miniaturowymi drzewkami, całość zasypana białym puchem. Gdy przyjrzałem się uważniej, spostrzegłem, że w środku cały czas pada śnieg. W oknach paliło się światło. Porę dnia określiłbym jako późne zimowe popołudnie.

– Widziałem wiele modeli i makiet budynków – szepnąłem. – Ale taka ilość detali wskazuje, że to...

– ...to nie jest makieta. To jest w jakiś sposób prawdziwe – dokończył za mnie antykwariusz. – Proszę, to panu pomoże. – Wcisnął mi w dłoń lornetkę.

Spojrzałem w jasno oświetlone okno budynku i z wrażenia omal jej nie upuściłem. W salonie na piętrze domu siedział rosły Niemiec w hitlerowskim mundurze. Czytał jakąś książkę. Faktycznie był podobny do Hitlera. Miał identyczny idiotyczny wąsik i podobną kretyńską grzywkę, zaczesaną na bok. Ale włosy miał ciemnobrązowe, a nie czarne, także twarz była inna. No i zbudowany był znacznie lepiej niż pokurczowaty „wódz".

Obejrzałem teraz otoczenie domu. W śniegu leżało kilka podłużnych kształtów. Były oszronione, ale rozpoznałem ludzkie ciała.

– To prawdopodobnie ci, którzy mieli pecha dotknąć kuli gołą ręką – powiedział cicho pan Hieronim. – Wessało ich do środka. Znaleźli się tam, gdzie on.

– Zabił ich?

– Nie wiemy, ale chyba tak. Być może nawet ich torturował. Trudno ocenić, zwłoki są zamarznięte i przyprószone śniegiem. Prawdopodobnie chciał wydrzeć sekret miejsca, w którym jest uwięziony.

– Szuka możliwości wydostania się – szepnąłem.

– Z całą pewnością. Oglądamy jeszcze?

– Poproszę chociaż minutę!

Obszedłem kulę wokoło, zaglądając przez lornetkę do poszczególnych pomieszczeń. Model? Hologram? Może rodzaj telewizora, który trafił z przyszłości albo rzeczywistości alternatywnej? Nie, niemożliwe...

– Wystarczy – bąknąłem.

Zachrobotał łańcuch. To antykwariusz zakręcił korbką i stalowy kołpak opadł na postument, ukrywając kulę. Blask zgasł. Tylko chwilę czekaliśmy w ciemnościach. Kuzyn musiał cały czas obserwować nas przez judasza. Światło zapaliło się, drzwi skarbca uchylono. Wyszedłem z piwnicy z ulgą i na miękkich nogach.

– Kielich koniaku? – zaproponował pan Piotr, widząc moją minę.

– Poproszę...

Wróciliśmy do salonu. Z ulgą zapadłem się w fotel. Po chwili trzymałem w dłoni pękaty kieliszek pełen bursztynowego płynu. Napięcie mijało.

– Ta kula... Skąd, u licha, wytrzasnęliście coś takiego!? – jęknąłem.

– No cóż, wiele lat temu, jako młody i głupi szczurek, kupiłem to od Cyganów – wyjaśnił antykwariusz. – Nawet tanio sprzedali.

– Jak to pan tu przyniósł, skoro dotknięcie może być zabójcze?

– Oni to dostarczyli i ustawili. Przynieśli razem z kolumienką i kołpakiem.

– Jakie jest pochodzenie tego przedmiotu?

– Cyganie wędrują po kraju. Kupują, sprzedają, wędrówka i handel to ich życie. Czasem pewne rzeczy przykleją się im do palców. Często sami już nie pamiętają, gdzie i jak dany przedmiot zdobyli, a czasem zwyczajnie nie chcą o tym mówić. Najpierw o tym usłyszałem. Potem za słoną opłatą mogłem to obejrzeć. Jakieś dwa lata później odnaleźli mnie i zaproponowali odkupienie. Sądzę, że pozbyli się kuli, bo nie mogli jej zniszczyć, a do tego prawdopodobnie doszło do wypadków śmiertelnych.

Popatrzyłem na obrazy, gabloty...

– Zatem nic nie wiadomo – podsumowałem. – A czego konkretnie panowie ode mnie oczekują? – zapytałem wreszcie.

– Szukamy od wielu lat bezpiecznej metody unicestwienia tego cholerstwa. Świadomość, że to coś jest w piwnicy, przypomina życie na uzbrojonej bombie atomowej – wyjaśnił gospodarz.

– Hmm... Cyganie tego nie zniszczyli ani nie zakopali w ziemi. Sprzedali i tak pozbyli się kłopotu. Panowie chcecie to zniszczyć... Dlaczego?

– Ten dom jest wart około pięciu milionów złotych. To wystarczy, by nasze wnuki mogły rozwinąć swoją firmę. A nie sprzedamy budynku z takim kukułczym jajem w piwnicy.

– Poczyniliśmy pewne obserwacje – westchnął pan Piotr. – Kula jest przenikliwa, ale tylko dla istot żywych i tylko w jedną stronę. Zrobiliśmy pewien eksperyment... Szczury i gołębie przelatują... Może raczej należy powiedzieć: zostają wessane, wchłonięte, i to nawet bez kontaktu fizycznego z powierzchnią artefaktu. Po prostu gdy znajdą się zbyt blisko, wpadają jak w czarną dziurę i przenoszą się do wnętrza. Narzędzia są w stanie dotknąć powierzchni.

– Próbowaliście ją zadrapać albo pobrać próbki?

– Sądząc po twardości, jest to szkło. Kropla kwasu azotowego spowodowała miejscowe zmatowienie, jak w przypadku zwykłego szkła okiennego. Nie zdołaliśmy pobrać żadnych próbek. Walić zbyt mocno nie próbowaliśmy.

– Nie wiemy, co może się stać, gdy to się stłucze – dodał antykwariusz. – Myślałem swego czasu o zalaniu piwnicy betonem, ale to nie rozwiązuje problemu. Nie wiemy, z czym mamy do czynienia. Magia? Technologia kosmitów? Zjawisko naturalne? To coś może kiedyś w końcu pęknąć, eksplodować, implodować, powiększyć się... Bez wiedzy, czym to jest i jak zostało zrobione, strach ruszyć.

– Jeśli jakaś siła upakowała cały budynek w tak małej objętości, to może być z tego eksplozja o mocy na przykład jednej kilotony, albo i megatony – dorzucił jego kuzyn.

– Normalna fizyka wyklucza takie zmniejszenie objętości – mruknąłem. – Nawet gdyby zredukować odległości między atomami... Zresztą masa zostałaby wtedy zachowana... Kula o tak małej powierzchni ważąca tysiące ton zapewne natychmiast zapadłaby się w ziemię. Nie ma praw fizyki pozwalających na takie zabawy. Albo są, ale ich nie znamy.

– Parę razy miałem ochotę wywieźć to za miasto, podłożyć laskę dynamitu i bum – wyznał pan Hieronim. – Ale, jak by to powiedzieć...

– Rozumiem – westchnąłem. – Będę potrzebował specjalistycznego sprzętu, przede wszystkim aparatu cyfrowego wysokiej klasy z bardzo silnym obiektywem do zdjęć makro. Jeden mój znajomy ma coś odpowiedniego, pożyczę i wtedy zejdziemy do piwnicy raz jeszcze.

– Co konkretnie chce pan zrobić? – zdziwił się pan Piotr.

– Zacznę od wykonania serii dokładnych fotografii budynku. Postaram się cyknąć tego Niemca, wnętrza, w których przebywa. Spróbuję zidentyfikować ten dom i tego kolesia. Jeśli to się uda, będę próbował ustalić, kto tam mieszkał wcześniej. Może dzięki temu dowiemy się, kto wykonał kulę i w jaki sposób. Może złapię sensowny trop. A może nie... Od których Cyganów panowie to kupili?

– Jest taki klan na Kawęczyńskiej.

*

Cygana o imieniu Tytus poznałem w podstawówce. Chodził z nami przez rok. Doszedł w szóstej klasie jako drugoroczny, ale nauka nie interesowała go jakoś szczególnie, więc gdy my poszliśmy do klasy siódmej, on został po raz trzeci powtarzać szóstą. Jego dwaj bracia, Cezar i Napoleon, też nie byli orłami intelektu, a może po prostu od nudnej nauki woleli beztroską włóczęgę pod gołym niebem, polowanie z procy na dzikie króliki i pieczenie kartofli pomiędzy wałami kolejowymi? Tytusa spotykałem później kilka razy. Podobnie jak ja „robił w antykach" – najpierw miał stoisko na Bazarze Różyckiego, potem, gdy targowisko ostatecznie podupadło, założył opodal malutki sklepik, który dumnie nazwał Galerią Starożytności. Nie wchodziliśmy sobie w drogę, choć obaj zajmowaliśmy się tym samym – z powodzi wszelakiego strychowego i piwnicznego szmelcu próbowaliśmy łowić rzeczy cenne, choć niepozorne.

Cyganów zasadniczo nie lubiłem, więc nie szukałem z nim bliższego kontaktu. Czasem tylko spotykaliśmy się na Targowej lub Ząbkowskiej i wymienialiśmy zdawkowe uprzejmości. Tym razem jednak miałem kilka pytań, a podejrzewałem, że on może znać odpowiedź lub zna kogoś, kogo warto zapytać. Sklepik, wciśnięty w boczną praską uliczkę, był obskurny i niepozorny. Stałem przez chwilę przed witryną. Wystawa nie zachęcała, by wejść do środka. Dekorowały ją klatka na kanarka, stara bańka na mleko, garść sowieckich medali i podniszczona cytra. Jedynym „cygańskim" śladem była stara miedziana patelnia, klepana ręcznie i pobielona od środka cyną.

Pchnąłem drzwi. Tytus na mój widok wstał zza lady. Zauważyłem, że postarzał się i utył. Był ode mnie rok, może dwa lata starszy, ale wyglądał na co najmniej półtorej dekady więcej.

– A niech mnie – mruknął. – To przecież Norbert. Nie, przepraszam, Robert! Robert Storm.

– Witaj... – Uścisnąłem ciemną dłoń, ozdobioną grubymi sygnetami lanymi ze złota.

Na szyi mój dawny kolega z klasy miał łańcuch, też złoty i gruby na palec. Pomyślałem, że każdy dresiarz na ten widok dostałby kompleksów. Ćwierć kilograma, albo i lepiej. W uchu mojego znajomka tkwił gruby złoty kolczyk. Na łapie nosił zegarek osadzony w grubej bransolecie. Jasny metal mocno kontrastował ze smagłą skórą.

– Cóż cię sprowadza? – Wskazał mi krzesło. – Bo chyba nie chcesz niczego kupić? Towar mój posiada swoich odbiorców, ale to raczej nie twój sort.

– Mam pytanie.

– Wal.

– Słyszałeś o tak zwanym Hitlerze w szklanej kuli? – zapytałem.

– Na sprzedaż nie mam. I nie jestem w stanie załatwić. – Rozłożył ręce.

– Ale coś o tym słyszałeś? – drążyłem.

– No ba. Każdy słyszał. – Skrzywił się, jakby zgryzł cytrynę. – To znaczy każdy warszawski Cygan. Ale to nie jest sprawa was, gandzich, choć skoro spytałeś, to pewnie już jest. Jeszcze jedno, to nie jest Hitler, tylko hitlerowiec. Tak opowiadali. Podobno jest to szklana bańka wielka jak arbuz, a w środku dom z uwięzionym w nim Niemcem. Pogłoski, plotki. Nie widziałem tego na oczy i nie żałuję. Jeśli chcesz rady, to będzie krótka: nie kupuj tego cholerstwa. Trzymaj się z daleka od tej sprawy. To prawdziwa magia. Nie żadne zabobony, tylko realna siła. Może oparzyć jak ogień. A może i spopielić...

– To wasza cygańska magia? – zapytałem pro forma.

Skrzywił się tylko.

– Nie. Nasi przodkowie byli wędrowcami, kowalami, kotlarzami, giserami. Ich domeną były zioła, kryształy wyłupane ze skał, metal i ogień, ale nie szkło. Nasza magia... – zawiesił głos. – Jest inna – powiedział po chwili. – Zresztą co z niej zostało? Odchodzi tak samo, jak nasze dawne rzemiosła. Mój ojciec jeszcze jako dzieciak z wujkami jeździł taborem. Wspominkowo, już tylko latem, na parę tygodni chociaż. Takim, wiesz, malowane wozy, konie, bocznymi drogami, od wsi do wsi... Lata osiemdziesiąte były, to już milicja tak bardzo nie ganiała. Coś tam się dawało podciągnąć pod etnografię, że niby folklor, zespół pieśni i tańca. Obozowali w lesie, chodził z zapalonym gałganem, by odegnać węże od obozowiska. Ja jeszcze znam zioła i wiem, co zrobić, jak się podkowę znajdzie na szlaku. I pieczonego jeża się jadło, i inne ciekawostki z kuchni pradziadów. Taka zabawa raczej, bo ostatnim w rodzinie prawdziwym wędrownym Cyganem to był mój dziadek, a i to za młodu. Dziś i tego u nas w zasadzie nie ma. A jak się ożenię w końcu, a moje dzieci podrosną, czy będzie jeszcze ktoś, kto je nauczy tego, co potrzeba wiedzieć w drodze? – powiedział z goryczą. – Co do magii, starzy ludzie jeszcze pamiętają to i owo, i miłosne ziele wskażą, i urok rzucić potrafią albo odczynić. Ale mało już takich. A do poważniejszych spraw fachowców brak, bywa, że za granicę trzeba jechać.

Z jego miny wydedukowałem, że nie należy drążyć tematu. Ale nie musiałem. Co nieco wiedziałem o magii jego narodu. O lepieniu z wosku „diabełków" i „trupków", o krzyżach okręconych włosami, o chustach do podwiązywania brody nieboszczykom i o szacunku, jakim darzyli wyschnięte nietoperze i sznur do mierzenia długości trumny. Faktycznie, to wszystko, czym się posługiwali, było zwyczajne, prząśne, siermiężne. Można powiedzieć – ludowe, wiejsko-leśne. Kula sprawiała wrażenie czegoś odmiennego, doskonalszego, jak samochód przy wiejskiej furmance.

– Mógłbyś trochę przewąchać, co i jak z tą kulą? – zapytałem. – Cholernie mi zależy na informacjach.

– Jasne.

Zostawiłem mu swoją wizytówkę z adresem mejlowym i numerem telefonu. Wyszedłem ze sklepiku z pewną ulgą. Zaraz za rogiem sprawdziłem odruchowo, czy nadal mam telefon. Był na miejscu. Portfel też. Dopiero na przystanku, gdy wyciągałem z niego bilety, spostrzegłem, że pomiędzy banknotami bieleje jakaś kartka. Wyciągnąłem ją i rozprostowałem.

„I czegoś siedział jak na szpilach? Swojaka, w dodatku pod moim dachem, bym przecież nie obrobił" – odczytałem ku swojemu zdumieniu.

Wzdrygnąłem się. Kiedy on to napisał!? I jak, do cholery, mi podłożył!? Siedziałem metr od niego! Pilnowałem się...

– Ech, Tytus, nie pomagasz mi pozbyć się rasistowskich uprzedzeń – mruknąłem w przestrzeń.

Telepiąc się rozklekotanym tramwajem na Wolę, pomyślałem sobie, że można przecież było go poprosić o namiar na cygańską zielarkę. Taką starą, doświadczoną, która umie zrobić wywar z lubczyku. Potem wystarczyłoby znaleźć sposób, by dyskretnie napoić tym Martę...

*

Aparat fotograficzny trochę marudził. Wyświetlał komunikaty, bym włączył lampę błyskową. Ale już pierwsza seria zdjęć wyszła całkiem zadowalająca. Siedziałem w piwnicy z panem Piotrem, tym razem drzwi pilnował stary antykwariusz. Te względy ostrożności jakoś wcale nie wydawały mi się przesadzone. Teleobiektyw pozwalał zajrzeć w każdy niemal zakamarek. Niemiec najwyraźniej nie przejmował się rachunkami za prąd, a może nie lubił ciemności? Pozapalał światła w większości pomieszczeń. Nie wiedział, że jest obserwowany, nie zasunął zasłonek.

Próbowałem wychwycić detale, datę na kalendarzu ściennym w kuchni. Tytuły książek na regale. Przez dwadzieścia minut, które spędziliśmy w piwnicy, Niemiec trochę sobie poczytał, połaził bez celu po domu. Zapalił papieroska... Widać było, że nudzi się jak mops. Wreszcie z ulgą opuściliśmy na kulę stalowy kołpak i wyszliśmy.

– Zawsze mi się wydaje, jakbym patrzył z samolotu i w każdej chwili mógł spaść prosto na to cholerstwo. Szarpie nerwy taka obserwacja – westchnął stary mechanik. – Koniaku?

– Tym razem podziękuję. – Pokręciłem głową. – Jeśli po każdym kontakcie z kulą będę się raczył alkoholem, to może się zdarzyć i tak, że padnę na marskość wątroby, zanim rozgryzę zagadkę...

W domu posiedziałem ładnych parę godzin nad fotografiami. Powiększałem, na ile się dało, próbowałem wyostrzyć. Z chmary pikseli dedukowałem litery na grzbietach książek. Szczegóły gubiły się. Szkło kuli, prószący śnieżek, szkło okien... Trzy filtry, każdy generujący trochę zakłóceń... Zmierzchało się, gdy przez komunikator wywołałem Arka.

– Szukam jednego człowieka – powiedziałem.

– Jak zwykle – uśmiechnął się. – Co wiemy o naszym nowym kliencie?

– Pułkownik SS, zaginiony bez śladu w Polsce, prawdopodobnie zimą tysiąc dziewięćset czterdziestego trzeciego roku. Być może w okolicach Warszawy, ale nie jest to pewne. Mógł należeć do Ahnenerbe lub podobnej organizacji, zajmującej się dziwnymi projektami, ezoteryką, magią i tak dalej.

– Jakikolwiek namiar?

– Tylko fotografia, wysłałem ci na mejla.

Znikł na chwilę, pewnie otwierał załącznik. Gdy znowu się pojawił na ekranie monitora, wyglądał na zaskoczonego.

– Nie obraź się, ale to zdjęcie... Ono jest współczesne! Sam je zrobiłeś? Ale ten kolo... Znaczy się to nie jest żaden rekonstruktor w mundurze, który mu uszyła mamusia, tylko żywy naziol, zapewne gadający językiem nazistowskim?

– Uhm – mruknąłem.

– Wehikuł czasu zbudowałeś? Dziura w czasie czy jak?

– Coś w tym rodzaju. Nie bardzo mogę o tym mówić – westchnąłem. – Muszę zidentyfikować tego faceta oraz najlepiej dom, w którym siedzi. I jego właścicieli. Dawnych, obecnych... Wszystko, co da się ustalić.

– Cyknąłeś fotkę, ale sam nie wiesz gdzie?! No dobra, nie możesz mówić, to znaczy, że nie możesz. Pytania nie było. Ale opowiesz mi kiedyś?

– Gdy już będzie po wszystkim, o ile dożyję... O ile dożyjemy – westchnąłem.

– Trefny temat?

– Nie potrafię tego orzec. – Rozłożyłem bezradnie ręce. – Widziałem w życiu różne dziwne rzeczy, ale to przebija chyba wszystko.

– I jak ci pomogę zidentyfikować tego szkopa, to my dwaj ocalimy ludzkość, jak jacyś Wędrowycze? – niby dowcipkował, ale słyszałem w jego głosie troskę.

– E, aż tak poważne to chyba nie jest – odparłem. – Ale sam wiesz, jak to bywa. Jeśli nie dopilnujesz małego problemu, to może zamienić się w duży problem.

Rozłączył się. Nie miałem ochoty przeglądać dłużej tych zdjęć. Dawniej marzyłem o takim oknie w czasie, o możliwości spojrzenia w twarze ludziom, którzy żyli siedemdziesiąt lat temu. Teraz, gdy marzenie się ziściło, czułem tylko smutek i lęk. Ale obiecałem, że spróbuję rozwikłać tę zagadkę. Wreszcie wpadłem na pewien pomysł. Naszykowałem sobie klucz sygnałów Morse'a, mocną latarkę, tekturę, nożyczki i parę innych drobiazgów.

*

Tego dnia lało jak z cebra. Deszcz ciekł po szybach, na ulicach potworzyły się wielkie kałuże. Fatalna pogoda na wychodzenie z domu, ale gdy wreszcie dotrze się na miejsce... W saloniku było ciepło i przytulnie. Przesunąłem rzeźbę z kła hipopotama i położyłem na blacie mojego laptopa.

– Mam pierwsze wyniki – powiedziałem. – Nie znam jeszcze personaliów Niemca ani adresu, ale wyizolowałem coś...

Odpaliłem komputer i zrobiłem powiększenie zdjęcia okna zagadkowej willi. Kominek, Niemiec w fotelu, obraz wiszący za jego plecami. Powiększyłem go ponownie, aż wypełnił cały ekran. Rozmazał się przy tym i lekko spikselizował.

– Ja to już gdzieś widziałem – mruknął pan Piotr. – Czy to przypadkiem nie jest dzieło Aleksandra Gierymskiego?

– Owszem. Ale nie Aleksandra, tylko jego brata Maksymiliana – wyjaśniłem. – Problem w tym, że namalował ten obraz w kilku wariantach. Trudno ocenić, czy jest to egzemplarz, który znają historycy sztuki, czy może jeden z zaginionych, albo zgoła kopia. Niestety, dwu pozostałych obrazów nie zdołałem zidentyfikować. Ten z hiszpańską tancerką mógł namalować Wacław Pawliszak, on lubił podobne klimaty. Niestety, meble nic nam nie powiedzą, wyglądają jak standardowe umeblowanie z lat trzydziestych. Zauważyłem jednak pewien ciekawy detal... – Wykonałem zbliżenie balustrady balkonu.

– Coś jakby monogram z giętych prętów, umieszczony w centralnej części? – zdziwił się pan Hieronim.

– Właśnie. To mogą być inicjały właściciela. Czasem tak robiono. Niestety, brak tabliczki z nazwą ulicy i numerem domu. Z kształtu dachu i szczegółów elewacji można się domyślać, że budynek również wzniesiono w latach trzydziestych, ale gdzie się znajduje lub znajdował, tego jeszcze nie wiem.

– A może... Ten Pawliszak, z tego, co pamiętam, był członkiem Towarzystwa Zachęty Sztuk Pięknych... – zmarszczył brwi pan Piotr. – Tam było chyba tak, że płaciło się składkę roczną, wspierani artyści przekazywali prace, losowano je, a potem członkowie dostawali w prezencie. Tylko że on...

– Został zastrzelony w kawiarni przez Xawerego Dunikowskiego w tysiąc dziewięćset piątym – uzupełnił antykwariusz. – Z drugiej strony, to raptem kilkadziesiąt lat. Ktoś, kto kupił, wylosował lub dostał jego obraz, mógł jeszcze żyć w czasie okupacji.

– Sprawdziłem artystów, członków stowarzyszenia i rozmaitych sponsorów – wyjaśniłem. – Nie znalazłem informacji, by któryś wyciągnął los z obrazami Gierymskich lub Pawliszaka. Natomiast monogram na barierce pasuje do czterech z nich. Jestem w trakcie ustalania adresów.

Stary antykwariusz tylko gwizdnął przez zęby z uznaniem.

– Widzę, panie Robercie, że to, co o panu mówili, nie było ani trochę przesadzone...

– Staram się być dokładny w tym, co robię. – Poczułem zażenowanie. – Zresztą to dopiero pierwszy, niewielki krok. Nie wiem jeszcze, do kogo należał ten dom. Ba, nie wiem nawet, czy idę właściwym tropem... To znaczy właściwymi tropami.

– Proszę iść dalej tym szlakiem i meldować nam o wynikach – powiedział pan Piotr. – Jeśli możemy jakoś pomóc...

– Gdy obracałem sobie ten problem w głowie, nasunęło mi się trochę nowych pytań – wyznałem.

– Jeśli tylko będziemy umieli odpowiedzieć...

– Dlaczego kulę ogląda się po ciemku? – zapytałem.

– Światło przenika – wyjaśnił. – Nie wiem, jak to wygląda od tamtej strony, ale ile razy zapalaliśmy żarówkę, esesman wyskakiwał z domu jak diablik z pudełka. Tam zawsze jest takie pochmurne popołudnie, wieczór w zasadzie... Może ta żarówka to jak rozbłysk słońca na nieboskłonie, a może on wie, że jest uwięziony w szklanej kuli i widzi wtedy gigantyczną lampę i nas? W każdym razie od lat nie zapalaliśmy światła.

– Jak rozumiem, czas wewnątrz biegnie, ale czy tak, jak w naszym świecie? Wprawdzie zawsze panuje tam zima i zawsze pada śnieg, ale zaspy nie przykryły domu, Niemiec się nie zestarzał... Widzieliście kiedyś, by coś jadł albo by musiał dokładać do pieca?

– Nie. To pułapka idealna. Kula w jakiś sposób utrzymuje go przy życiu i w niewoli... I w dodatku w stanie niezmienionym. Wnętrze jest identyczne. Jak coś nawet przesunie, to o północy każdy przedmiot wraca na swoje miejsce.

– O północy czasu letniego czy zimowego?

– Zimowego. Tę kretyńską zabawę w przestawianie zegarków wprowadzili u nas właśnie okupanci. W każdym razie wygląda to tak, że nagle zapalają się też światła w pokojach, a ułożenie przedmiotów wraca do punktu wyjścia. Tylko jego nie widać – prawdopodobnie to, co go spotkało, zaszło w niewidocznym z zewnątrz holu, i w to miejsce wraca. Nie znikają też trupy leżące przed domem. Więc nie wiemy, czy to ludzie, którzy wpadli do środka, czy może pozabijał mieszkańców, zanim został uwięziony.

– Na pewno jednak zdaje sobie sprawę z upływu czasu – dodał pan Hieronim. – Czyta książki, kilka dni tę samą. Zaczyna i kończy.

– Czy zgodzicie się panowie na eksperyment? – zapytałem.

Po twarzy starego mechanika przebiegł nerwowy tik.

– W zasadzie dawno temu obiecaliśmy sobie, że nie będziemy eksperymentowali...

– A co konkretnie chce pan zrobić? – zapytał antykwariusz.

– Skoro światło przenika, to może udałoby się nawiązać z nim kontakt – powiedziałem.

– Z takim łajdakiem? – skrzywił się. – Po co?

– Zakładam, że on wie, gdzie się znajduje. A dokładniej, jaki adres ma budynek, do którego wszedł. Gdyby go umiejętnie podpuścić, może nam to zdradzi.

Spojrzeli na mnie, zaskoczeni.

– W zasadzie niczym to chyba nie grozi – bąknął pan Piotr. – No bo co on może? Najwyżej będzie próbował strzelać w stronę źródła światła... Ale kula od wewnątrz jest chyba nie do przebicia...

– A jeśli? – poskrobał się po głowie stary antykwariusz. – Nie mamy kamizelek kuloodpornych.

– Jak sięgnie po spluwę, po prostu padniemy na podłogę i zgasimy światło – znalazłem rozwiązanie. – Może to prymitywne zagranie, ale chyba skutecznie ostudzi jego mordercze zapędy. No i przede wszystkim, gdyby kulę dało się od środka stłuc, strzelając z pistoletu, to już dawno byłaby roztrzaskana, a on wolny...

Kwadrans później słuchałem już szmeru łańcucha, wijącego się przez bloczek. Spojrzałem do wnętrza szklanej kuli. Nadal panował w niej półmrok nadciągającego wieczoru. Nadal padał śnieg. Wyjąłem latarkę i puściłem do wnętrza strumień światła. Promień, załamany przez szkło i odległość, utworzył przed drzwiami willi plamę. Musnąłem światłem po oknach. Niemiec faktycznie poderwał się z fotela i wybiegł przed budynek. Nałożyłem na reflektor wykonany z tektury filtr i przed Niemcem na śniegu zalśniła okazała swastyka. Przez chwilę gapił się na to oniemiały, a potem wyrzucił ramię w nazistowskim pozdrowieniu. „Hailował" dłuższą chwilę na różne strony świata.

– Ale go wytresowali – mruknął mój towarzysz ni to z naganą, ni to z rozbawieniem.

– Dobra nasza. Teraz zobaczymy, czy zna alfabet Morse'a – powiedziałem.

Ująłem w dłoń kartkę z rozpiską i zacząłem powoli przekazywać całe zdanie. Esesman cierpliwie czekał, aż skończę. Jego usta poruszały się lekko – subwokalizował informację?

– Pomoc w drodze. Napisz na śniegu imię, nazwisko, stopień wojskowy i adres tego domu – poleciłem.

Niemiec przez dłuższą chwilę pracowicie udeptywał śnieg. Potem cofnął się na schody i wszedł do wnętrza.

– Pieprzcie się ciepło, polskie świnie – odczytałem zdumiony.

– Fiuu... Zna nasz język – syknął zaskoczony pan Hieronim. – I to nieźle... Ciekawe skąd. W dodatku zorientował się, że nie jesteśmy Niemiaszkami...

Zamyśliłem się i nagle uderzyłem w czoło, aż zadudniło.

– Radio! On ma tam odbiornik radiowy. Skoro przechodzi światło, to widocznie fale radiowe też. Łapie nasze stacje, przynajmniej niektóre!

– Zatem wie, że wojnę przegrali.

– Dobrze, że nie ma Internetu – zakpił pan Piotr. – Słuchał naszego radia, aż się języka wyuczył?

– Może liznął go trochę wcześniej, gdy stacjonował w Polsce. Miał radio i książki, zakładam, że wszystkie po polsku. Przez siedemdziesiąt lat można się i chińskiego wyuczyć. Mnie bardziej dziwi, że obcując z naszą kulturą, nie uległ polonizacji. Tak długa odsiadka powinna go też choć trochę zresocjalizować – zadumałem się. – Siedemdziesiąt lat to sporo czasu, by przemyśleć całe swoje życie, zastanowić się nad popełnionymi zbrodniami...

– Na to bym nie liczył – westchnął pan Piotr – to byli ludzie zupełnie innego pokroju. Żeby iść do ss, zwłaszcza do bardziej elitarnych jednostek, trzeba było mieć, jak to mówią dziś małolaty, mózgi zryte i zabetonowane.

– Fanatyk, którego nie złamała izolacja przez siedem dekad? – zastanawiałem się. – Znajomy klawisz mówił mi, że większość krwawych bandziorów pęka pomiędzy piętnastym a osiemnastym rokiem odsiadki... No nic. Trzeba to ugryźć z innej strony.

*

Na biurku wielkim stosem piętrzyły się książki. W dwu kubkach zasychały resztki kawy. Leżałem na fotelu i walcząc z sennością, bazgrałem po notesie.

– Co wiemy o szklanych kulach? – mruknąłem sam do siebie. – Używają ich wróżki... Od kiedy szklana kula kojarzy się z magią? Jaki to kontekst kulturowy? Zjawiska optyczne badał Witelon, czyli co najmniej od średniowiecza takie przedmioty znajdują się w zakresie zainteresowań uczonych, alchemików, magów... A od kiedy znane są szklane kule, w których umieszczano makiety, figurki i pył, który przy potrząsaniu udaje śnieg? Od niedawna. Najstarsze pojawiają się bardzo późno, dopiero w drugiej połowie dziewiętnastego wieku... Zatem w epoce, gdy nie było już magów ani alchemików, choć sekciarze, okultyści, teozofowie, masoni wszelakich rytów i temu podobni wielbiciele nauk tajemnych mnożą się jak grzyby po deszczu.

Czyja to może być magia? Cyganów wykluczamy. Żydowska? W przedwojennej Warszawie żyło kilkaset tysięcy wyznawców religii mojżeszowej. Z pewnością w tak licznej populacji istniał pewien – nazwijmy to – ezoteryczny margines, mieli zatem swoich magów i okultystów, nie licząc przedstawicieli normalnego judaizmu, czyli uczonych kabalistów, cadyków obdarzonych mocami i tak dalej... Potem to wszystko zniszczyli Niemcy. Znam sześcioro ludzi żydowskiego pochodzenia... Co mogą wiedzieć o tych sprawach? Nic... Czy znam kogoś, kto może coś wiedzieć albo kto wie, gdzie zapytać? I z tym kuso.

*

Obudził mnie brzęczyk komórki. Spojrzałem na zegar. Ósma rano. Zazwyczaj o tej porze od dwu lub trzech godzin byłem już na nogach. Diabli nadali, to sobie zaspałem. Odebrałem. Tytus na linii.

– Witaj, przewąchałem co nieco wśród naszych – zaczął bez wstępów. – Wiesz, starzy ludzie ze Szmulek, jeśli się umie pociągnąć za język, wiele potrafią opowiedzieć. Wyobraź sobie, kilkoro słyszało o kuli. Był taki chiński mędrzec, osiadł w Warszawie jeszcze za cara. Pozostały po nim różne ślady. Amulety zamurowane w ścianach domów na Pradze. Buteleczki z eliksirami, których nikt nie otwiera, bo po tylu latach nie wiadomo, do czego służą. Ale on zginął w czasie wojny. Walczył z Niemcami po swojemu. Magią. Jedna kobieta mi trochę o nim opowiedziała. Była ze Szmulek, od swojej babki słyszała. On też gdzieś w tych stronach się obracał. Jak ktoś z nim dobrze żył albo coś mu pomógł, to i on umiał się odwdzięczyć. Leki robił, akupunkturą leczył, wódką ze żmiją w środku częstował. Ale jeśli kto mu podpadł, nie było zmiłuj. A Niemców wyjątkowo nie lubił. Zgwałcili mu wnuczkę czy jakoś tak. Podobno wykonał kilka pudełek. Otworzysz takie i wyrywa ci duszę na tamtą gorszą stronę... Albo na przykład nóż, który nie dość, że kaleczy nieustannie właściciela, to jeszcze rany się nie goją. On podobno stworzył tę kulę.

O pudełkach-pułapkach i Chińczyku słyszałem. Nie bardzo mi to pasowało, szklana kula wydawała mi się wynalazkiem na wskroś europejskim... Z drugiej strony, nauczyłem się nie lekceważyć żadnego tropu.

– Czy wiesz, jak się nazywał, a może gdzie mieszkał? – zapytałem.

– Babka kobiety może by coś wiedziała, ale ona od dawna nie żyje. Nie wiem, kogo zapytać, ale mogę spróbować coś jeszcze przewąchać.

– Interesuje mnie szczególnie dokładniejsza lokalizacja. Gdzie znaleziono tę kulę z hitlerowcem w środku – rzuciłem.

– Cholera! To jednak nie jest plotka? – Chyba dopiero teraz uwierzył.

– Ona istnieje realnie. – Wolałem nie chwalić się, że ją widziałem. – No i jest z nią problem.

– Jakbym jeszcze się czegoś dowiedział, dam znać – obiecał.

*

Zapadał wieczór. Byłem zmęczony po całym dniu zdzierania zelówek, do tego przemarzłem i marzyłem o miękkim fotelu naprzeciw kominka. Ponieważ i tak musiałem wpaść jeszcze do Biblioteki Narodowej, nadłożyłem odrobinę drogi, by zreferować zleceniodawcom postęp poszukiwań, a raczej jego brak.

– Chiński czarownik w Warszawie? W dodatku w czasie wojny tworzący kulę-pułapkę?! – Pan Piotr przespacerował się po saloniku. – Wybacz, ale to jakaś horrendalna bzdura. Skąd tu, u diabła, Chińczycy!?

– Była w Warszawie chińska diaspora – powiedziałem. – Trafiałem już na ich ślady. Mieszkali na Pradze, działała tam jeszcze przed wojną chińska pralnia. Ma pan rację, brzmi to co najmniej idiotycznie, ale moje źródło informacji, to znaczy Cygan ze Szmulek, jest godny zaufania.

– Cygan godny zaufania – mruknął mechanik. – Te trzy wyrazy nie tworzą nawet związku frazeologicznego.

– W tym konkretnym przypadku tworzą – uciąłem.

– O chińskim szylkretowym pudełku, które jest pułapką, słyszałem – powiedział stary antykwariusz. – Choć sądziłem, że to legenda. Opowiadał mi o tym jeden kolekcjoner jakieś piętnaście lat temu. Otworzył takie i całe życie mu się posypało jak domek z kart... Zdołał to jakoś odkręcić, ale nie mówił, jak tego dokonał.

– Ja też o tym słyszałem. – Skinąłem głową.

– Szklana kula i chiński mędrzec... – Pan Piotr nadal miał wątpliwości.

– Ja bym jeszcze trochę poszedł tym tropem, zwłaszcza że chwilowo nie znalazłem lepszego – oznajmiłem.

– Masz jakiś konkretny pomysł? – zainteresował się pan Hieronim.

– Wiecie, panowie, jak Chińczycy organizują się w obcym miejscu?

– Nie mam pojęcia.

– Chiński system zwany jest *guanxi,* czyli po ludzku mówiąc sitwa... Grupa ludzi powiązanych w klan rodzinno-towarzyski. Aranżowane są małżeństwa, stosują zasadę przysługa za przysługę. Załatwiają sobie wszystko, co mogą. Są różne *guanxi,* małe i duże. Stowarzyszenia silnych rodów do kręcenia wielkiej kasy i grupy biedaków, powoływane po to, by jakoś przeżyć. Podobnie działa cała ich emigracja. Solidarnie pomagają sobie nawzajem. No, chyba że ktoś nie należy do *guanxi* albo należy do konkurencyjnego, czy też z innych powodów nie może oddać przysługi za przysługę. Na czele takiej grupy zawsze stoi jeden człowiek. Jak pająk tkający sieć.

– Hmmm... I co nam daje ta wiedza?

– W końcu dziewiętnastego wieku powstała na warszawskiej Pradze chińska diaspora. Przetrwała do drugiej wojny światowej. Obecnie też jest, ale ta zorganizowała się od zera w latach dziewięćdziesiątych. Wedle moich informacji wtedy mieli swojego eksperta od, nazwijmy to, ochrony magicznej. Wydedukowałem, że i dziś też powinni mieć kogoś takiego – wyjaśniłem.

– Żyjemy w dwudziestym pierwszym wieku – bąknął antykwariusz.

– A przedmiot w piwnicy to tylko przywidzenie? – zakpiłem.

– Dedukował pan, panie Robercie i...? – zagadnął kuzyn pana Hieronima.

– Chińczycy, pomijając zainfekowanie marksizmem, z reguły nie zmieniają tego, co dobrze działa. Powielają schemat poprzedniej kolonizacji. Już raz próbowali rozgościć się w dalekich krajach białych, długonosych ludzi. To, co próbowali zbudować, zmieliły żarna historii, to znaczy dwie wojny światowe. Ale oni są cierpliwi. Odczekali sobie kilkadziesiąt lat i próbują po raz kolejny. Z drobnymi ulepszeniami oczywiście. Sądzę, że zadbali o zabranie ludzi wszystkich przydatnych profesji. Mają i buddyjskiego mnicha do pociechy religijnej, i ładną wesołą panienkę załatwiającą różne trudne lub zgoła niemożliwe sprawy starą metodą: przez łóżka naszych urzędasów. Sprowadzili speców od mokrej roboty i speców od pracy w białych rękawiczkach. Mają swój wywiad i kontrwywiad. Wszystko. Ci, którzy handlowali niegdyś na Stadionie Dziesięciolecia, mieli też mędrca od takich właśnie spraw nieoczywistych. Ustaliłem, że nazywał się pan Wu, ewentualnie mistrz Wu.

– Jeśli zdołasz go odnaleźć, czy będzie umiał rozbroić naszą kulę albo da wskazówki, jak to zrobić?

– Niewykluczone. O ile jeszcze żyje i o ile zdołam go odnaleźć. Nie wiem też, czy będę w stanie się z nim dogadać co do ceny. Zacznę od namierzenia go. Piętnaście lat temu na stadionie funkcjonował Jarmark Europa. Ten człowiek tam rezydował. Niestety, potem bazar zlikwidowano i nie mam pojęcia, gdzie go teraz szukać. Warszawa nie dorobiła się jeszcze chińskiej dzielnicy.

– Jest przecież multum chińskich knajp – zirytował się pan Piotr. – Może tam da się złapać jakiś trop?

– Problem w tym, że to „chińskie" żarcie serwują przeważnie Wietnamczycy. Też żółci i skośnoocy, ale to jednak nie ten sam naród. – Bezradnie rozłożyłem ręce.

– Czyli nie tędy droga?

– Przepytałem siedmiu ludzi. Czterech nawet coś tam słyszało i wiedziało, o kogo chodzi, ale nie uzyskałem żadnych namiarów. Muszę szukać dalej.

– A jeśli to nie wypali?

– Spróbuję pociągnąć za język Żydów. Do tego Tatarów, Ormian i Gruzinów. Ktoś przecież musiał zrobić to draństwo!

– Ha! Mówiłem od razu, wynajmijmy Storma. – Pan Hieronim zatarł dłonie. – Jeśli ty, chłopcze, tego nie rozwikłasz, to nikt temu nie podoła.

*

Zmęczony i zniechęcony dowlokłem się do domu. Po czterech godzinach spędzonych nad mikrofilmami nieludzko bolała mnie głowa. Zaszedłem jeszcze na chwilę do zegarmistrza. Pan Maciek mordował się właśnie nad jakimś antykiem. Chronometr był teoretycznie kieszonkowy, ale formatu nieomal budzika.

– Kolejarski, Anglicy takie robili – wyjaśnił, widząc moje zainteresowanie. – Żeby można było z daleka odczytać, która godzina...

Wymieniliśmy garść grzeczności i powlokłem się do siebie. Wszedłem do bramy, otworzyłem drzwi na klatkę. Z góry dobiegał cichy, wytłumiony przez drzwi dźwięk skrzypiec. Sąsiad lutnik najwidoczniej wykonał kolejny egzemplarz i teraz go sprawdzał. Już miałem iść do mieszkania, gdy nagle uświadomiłem sobie, że muszę przecież zajść na podwórze.

Coś ważnego... O czymś zapomniałem...? Szopa? Liście zgrabić? Nie bardzo mogłem sobie uświadomić, o co chodzi.

Wyszedłem na podwórko. Na tyłach kamieniczki pod drzewem stał stolik pana Maćka i dwa krzesła. W ciepłe dni po robocie siadali tu z lutnikiem pogadać, a czasem wypić po szklaneczce wina i pograć w szachy. Zatrzymałem się w pół kroku, oniemiały. Stół nakryto obrusem. Oświetlały go cztery chińskie lampiony, ustawione w rogach. Pośrodku stał parujący imbryk i dwie filiżanki. Za stołem siedział nieprawdopodobnie stary Chińczyk, ubrany w tradycyjną żółtą szatę. Czarna haftowana czapeczka ściśle przylegała do łysej głowy. Długie, zwisające wąsy i capia bródka były białe jak mleko. Na mój widok wstał.

– Mistrz Wu – przedstawił się. – Szukałeś mnie dziś przez pół dnia.

Mówił dobrze po polsku.

– Robert Storm. – Ukłoniłem się.

Gestem wskazał mi krzesło, a sam ciężko opadł na swoje.

– Nie mogłem pana znaleźć – bąknąłem.

– Nikt nie może, chyba że sam to pozwolę. – Rozłożył ręce. – Wielu było takich, którzy próbowali. Naprawdę wielu, a powody ich zainteresowania moją skromną osobą przeważnie okazywały się mało szlachetne. Wiedza przyciąga, lecz ci, którzy lecą do niej jak ćmy do płomienia świecy, przeważnie spłoną, nim doznają oświecenia...

Poczułem, że coś jest cholernie nie tak. Rozejrzałem się nerwowo i poczułem nagły chłód pełznący po kręgosłupie. Nie było już podwórza. Stolik stał na dziedzińcu niewielkiej górskiej świątyni. Drzewo nad nami zamieniło się w miłorząb.

– To iluzja – wyjaśnił mistrz. – Jest wieczór, to pomaga, wygładza kontury. Ale nie wpatruj się zbyt uważnie, bo przywidzenie pryśnie. Wybacz, wolę naszą architekturę, ciężko wytrzymać tyle lat daleko od domu. – Uśmiechnął się smutno. – Po prostu taka... służba.

Podał mi parującą czarkę z herbatą. Piłem spokojnie niewielkimi łykami, czekając, aż da znak, abym przedstawił swój problem. Napar był bardzo smaczny, choć na co dzień wolałem mocniej zaparzoną.

– Słyszałem o tobie. Jesteś cierpliwy i niecierpliwy zarazem. – Znów się uśmiechnął. – Potrafisz spędzić tygodnie na pozornie kompletnie jałowej pracy, uzbrojony tylko w nadzieję, że poszukiwania przyniosą rezultaty...

Masz w sobie więcej spokoju i refleksji niż mieszkańcy Zachodu, więcej niż lwia część mieszkańców tego kraju. Ale na finiszu, gdy czujesz, że jesteś o krok od rozwiązania, cierpliwość pryska. Gotujesz się wewnątrz. Zatem pytaj.

– Za rozwiązanie problemu obiecano mi wynagrodzenie... – zacząłem. – Jeśli mistrz umie mi pomóc, jak przekażę panu należną część?

– Ludzie, którzy cię wynajęli, zapłacą, jak przypuszczam, nie gotówką, a dziełami waszego rzemiosła lub pamiątkami waszej przeszłości. Nie pożądam ani jednego, ani drugiego. Nasze rzemiosło i nasze pamiątki cenię sobie po prostu bardziej. – Wyczułem niezwykle subtelną i wyrafinowaną kpinę.

– Jeśli potrzebuje pan pieniędzy...

– Mam do nich podobny stosunek jak ty – spoważniał. – Przydają się jako środek do celu. Z drugiej strony, nie wszystko da się kupić. Bywa i tak, że nawet cztery marne włoski mogą mieć wartość na swój sposób niewymierną... Pytaj.

– Istnieje szklana kula, w której kiedyś zamknięto dom i jednego żywego człowieka – zacząłem. – Chcę wiedzieć, jakie stanowi zagrożenie i jak się jej pozbyć. Być może wykonał ją mag towarzyszący grupie Chińczyków, którzy przybyli tu przed ponad stu laty.

– Wiem, o kogo chodzi, ale to nie jest nasza magia. – Pokręcił głową. – To nie on stworzył kulę. Słyszałeś o Domu Czterech Liści?

Nagły podmuch zimnego wiatru przedarł się na podwórze i rozkołysał jeden z lampionów. Wzdrygnąłem się.

– Słyszałem... Choć wolałbym nie słyszeć!

– Z oczywistych względów nie będę cię namawiał, by ich odszukać i zapytać wprost. Jadowitego węża lepiej omijać dużym łukiem, mocno ściskając w dłoni pałkę. Ale, jak by to powiedzieć... Magia to siła. Jest jak płomień, jak grawitacja, jak promieniotwórczy rozpad pierwiastków. Jej natura pozostaje identyczna, niezależnie od tego, z której strony na nią spojrzeć. Tylko różne ludy opracowały różne sposoby chwytania cząstek tej siły. I różnie usiłują walczyć ze skutkami takich nierozważnych zabaw, gdy coś pójdzie nie tak. Wasi egzorcyści próbują wygnać demona, indiańscy szamani go przekupują, jeszcze inaczej próbują go okiełznać i zmusić do uległości buddyjscy mnisi...

– Rozumiem. Czy mam się zwrócić do egzorcysty?

– Wydaje mi się, że nie będzie takiej potrzeby. Ten dom nie został zamknięty w kuli. To tylko kopia realnie istniejącego budynku. Można to zniszczyć, trzeba tylko odpowiednio mocno uderzyć stalowym młotem.

– Tak po prostu?

– Tak. Ale ja bym raczej nie brał w dłoń młota, bo to wymaga zbliżenia się do przedmiotu. Raczej trzeba użyć jakiegoś urządzenia.

– Co się wówczas stanie? Jakie niebezpieczeństwo nam grozi?

– Magia zawsze daje skutki uboczne. To jak płomień. Siła, która podtrzymuje swoje istnienie dzięki mocy destrukcji. Można się nią posłużyć, zachowując szczególną ostrożność, podobnie jak używamy ognia, ale to parzy i może wymknąć się spod kontroli. Zabawa magią zawsze przynosi koszta, zawsze coś niszczy. I zawsze coś brudzi, bo także płomieniowi towarzyszą popiół i sadza.

Rozejrzałem się nerwowo wokół.

– Tym, co tu widzisz, w ogóle się nie przejmuj, to nie jest magia – mruknął.

– Nie?

– Panowanie nad drugim umysłem to hipnoza albo psychologia...

Nie wiedziałem, czy mówi poważnie, czy też może znowu pokpiwa sobie ze mnie. Jego twarz pozostawała uprzejmie uśmiechnięta. Hipnoza? Iluzja? Otoczenie wydawało mi się doskonale realne. Jednak gdy skupiałem wzrok w jednym punkcie, zza parawanów i bambusowych kratownic zaczynały prześwitywać współczesne elewacje. Zamknąłem oczy.

– Czym zatem grozi strzaskanie kuli? – zapytałem. – Z jakimi efektami musimy się liczyć?

– Czas w środku jest zapętlony. A właściwie zwielokrotniony. Wewnątrz zawsze jest ta sama konkretna godzina i ta sama pora konkretnego dnia. Zamknięty nie czuje głodu i nie musi dokładać drew do ognia, który się pali, ale nie wypala. Cokolwiek zniszczy albo stworzy, wszystko wraca do stanu pierwotnego. Oczywiście tak wielkie napięcie rzeczywistości nie minie bez śladu. Czas bardzo nie lubi, by z nim igrać. I na swój sposób leczy zadane mu rany. Wyobraź sobie wychylone wahadło zegara. Albo naciągniętą gumę. Magia nagięła czas. To nie wróci dokładnie do punktu wyjścia, tylko bujnie się w drugą stronę. Entropia, uwalniając się, przyspieszy czas wewnątrz budynku, który został skopiowany. Musicie wcześniej ewakuować wszystkich mieszkańców. Inaczej zginą.

– Coś jeszcze? Czy kulę trzeba rozbić wewnątrz tego skopiowanego domu?

– Nie. Musicie jednak liczyć się z tym, że gdy ją rozbijecie, więzień zostanie uwolniony. Z wielu powodów nie jest to dobre rozwiązanie. A ponieważ to zły człowiek, będziecie musieli go zabić. Niestety, jak już mówiłem, magia zawsze brudzi lub okalecza. – Dopił herbatę. – W przyszłości unikaj takich spraw. Zaplamioną szatę można próbować oczyścić. Czasem uda się nawet kilka razy, ale tkanina w końcu ulega nieodwracalnemu zniszczeniu.

Ja też opróżniłem czarkę. Miłorząb gubił liście, wokół nas panowała już jesień. Szczyty górskie, które otaczały świątynię, pokryły się pierwszym śniegiem. Zrozumiałem, że to koniec rozmowy. Mistrz Wu wstał i ukłonił się. Też się ukłoniłem.

– Dziękuję za konsultacje – powiedziałem. – Jeśli mogę się jakoś zrewanżować...

– Nic nie przychodzi mi do głowy. – Rozłożył ręce. – Nie posiadasz absolutnie nic, co mogłoby mi się przydać.

Skinął głową raz jeszcze i zniknął w bramie. Zabrzęczała porcelana. Obejrzałem się odruchowo. Dwie ładne nastoletnie Chinki, ubrane po naszemu, sprzątały ze stolika, układając czarki w koszyku. Skąd się tu wzięły? Przecież podwórze jeszcze przed chwilą było puste. Nie ukrywały się chyba w szopie...

Im też się ukłoniłem, a potem poszedłem do mieszkania. Czułem się nieźle oszołomiony. Ale najważniejsze, że miałem rozwiązanie! Teraz wystarczy odnaleźć ten dom. Na schodach, na wysokości pierwszego piętra, spotkałem pana Lucjana. Szedł najwidoczniej po zakupy.

– Kiedy premiera, panie sąsiedzie? – zagadnął lutnik.

– Premiera? – zdziwiłem się.

– Przecież ćwiczył pan jakąś rolę dopiero co? – Spojrzał pytająco. – Widziałem przez okno, jak siedział pan przy stoliku na podwórzu i gestykulował. Wyglądało to, jakby przepowiadał pan sobie rolę i odgrywał scenę z przedstawienia...

– Sam siedziałem...?

– No właśnie.

Nadal czułem w ustach smak herbaty, którą mnie poczęstował mistrz Wu... Czy on tu był, czy go nie było? A może był, tylko nikt go nie widział, tak jak ja wcześniej nie widziałem tych dziewcząt? Poczułem zamęt w głowie. Psychologia? Hipnoza? Dobre sobie...

– Jeśli tylko to wystawimy, zaklepię panu bilet – bąknąłem i pożegnawszy się, zanurkowałem do mieszkania.

Wydobyłem notes i długopis, po czym spiesznie zanotowałem wszystko, co powiedział Chińczyk. Starałem się nie uronić ani słowa. Potem zadzwoniłem do pana Hieronima. Zreferowałem zdobyte informacje.

– Nasz kłopot polega na tym, jak mi się wydaje, że ta kula zareplikowała fragment rzeczywistości i uwięziła w nim nazistę – mówiłem. – Jeśli kulę uda się zniszczyć, zamknięty w niej świat ulegnie unicestwieniu albo zleje się z naszym. W tym przypadku nie da się wykluczyć, że wkurzony i uzbrojony hitlerowiec będzie ganiał po Warszawie. Weźmy też poprawkę na fakt, że siedemdziesiąt lat siedział jak pod kloszem, z wyjątkiem radia pozbawiony kontaktu ze światem zewnętrznym. Mógł totalnie ześwirować. Nie wiemy nawet, ile ma amunicji.

– Zginą ludzie – mruknął pan Piotr, słuchający naszej rozmowy przy drugim aparacie. – Być może wielu ludzi.

Jeśli strzaskanie kuli go nie unicestwi, wyjście w zasadzie jest jedno. Trzeba go zabić.

– Nie widzę innej możliwości – powiedział jego kuzyn. – Mus to mus. Pomijając wszystko inne, to jest jednak zbrodniarz.

– W tej kwestii jesteśmy chyba zgodni – powiedziałem. – Siedemdziesiąt lat odsiadki to trochę mało, jak na tyle trupów. Pytanie tylko, gdzie ten szkop wyskoczy. Jeśli w waszej piwnicy, to pół biedy. Wystarczy uchylić drzwi i wrzucić granat. Gorzej, jeśli pojawi się w realnej willi lub jej pobliżu. A jeśli wyrzuci go w jakimś innym miejscu, będzie już zupełnie źle.

– Najważniejsze, że jesteśmy w stanie sami rozbroić tę bombę. Musimy tylko ustalić, gdzie jest ten dom. O ile nadal istnieje.

– Najprościej by było zidentyfikować właściciela – mruknąłem.

– Tylko niewiele o nim wiemy... – rozważał pan Hieronim. – Przedwojenny koneser sztuki, prawdopodobnie mieszkający gdzieś pod Warszawą, być może powiązany z Towarzystwem Zachęty Sztuk Pięknych. A do tego adept czarnej magii i członek wyjątkowo parszywego stowarzyszenia o nazwie Dom Czterech Liści. Słyszałem o tych przyjemniaczkach.

– Prawdopodobnie Ahnenerbe jakoś go namierzyło i wysłało do niego swojego człowieka, aby z nim pogadał albo spróbował zmusić do współpracy. Niemiec wszedł do domu i gdzieś w holu trafił na kulę-pułapkę. Dotknął jej i teraz tkwi uwięziony jak owad w bursztynie... Potem kula przeszła przez wiele rąk, aż trafiła w wasze – uzupełniłem.

– Zdołasz ustalić jego personalia?

– Nie wiem, ale pracuję nad tym.

– Pracuj. Jeszcze takie pytanie na koniec. Zakładając, że uda się wszystko przeprowadzić wedle planu. Zabiłeś kiedyś człowieka? – zapytał antykwariusz.

– Nie. Zdarzyło mi się dwa razy strzelać do ludzi, ale jak do tej pory...

– Więc ja to zrobię.

Pożegnaliśmy się i odłożył słuchawkę. Przeglądałem albumy z widokami przedwojennej Warszawy i czułem, jak narasta we mnie złość. Domy, wille i kamieniczki, które stawiali sobie profesorowie, lekarze, nauczyciele... Świat, w którym inteligencja nie była spauperyzowaną masą zaharowanych wyrobników, ale gdzie mogła żyć, rozwijać się i spokojnie wychowywać dzieci. Świat, gdzie stowarzyszenia studenckie były w stanie same budować akademiki, a państwowe banki traktowały je jako wiarygodnego kredytobiorcę. Kraj, gdzie w czynie społecznym postawiono po wsiach setki szkół, remiz strażackich, domów ludowych, kin. Gdzie weterani powstania styczniowego dożywali swoich dni pod opieką państwa, otoczeni powszechnym szacunkiem.

– Taki fajny kraj nam rozpieprzyli – westchnąłem.

Wyciągnąłem rewolwer. Rozładowałem. Nabiłem starannie na nowo. To nie ja będę zabijał, ale kto wie co nas czeka? Każdy plan może się nie powieść. Mój dziadek mawiał, że w szkole najważniejsze są dwa przedmioty – przysposobienie obronne, by nauczyć się strzelać, i historia, żeby wiedzieć, do kogo. Strzelać mnie w szkole nie nauczono, a historyca była czerwoną idiotką. Na szczęście oba te braki zdołałem nadrobić ciężką pracą samokształceniową.

Kartkowałem książki. Gdy czar kuli pryśnie, trzeba będzie strzelać. Zastrzelić Niemca, parszywego nazistę, który wypełznie z otchłani przeszłości... Historia uczy, że trzeba to zrobić. Ale czy dam radę? Łatwo dywagować nad koniecznością likwidacji. Trudniej zrobić to samemu. W dodatku co innego wojna, walka, odpieranie ataku. Tu będzie de facto egzekucja...

Zabiją człowieka tylko dlatego, żeby móc sprzedać dom... – zamyśliłem się. Wprawdzie to świnia i kanalia, ale mimo wszystko... Magia zawsze kaleczy, parzy, albo przynajmniej brudzi. I znowu w czymś się umoczyłem.

Zapikał komunikator. Arek na linii.

– Jakie wieści? – zapytałem.

– Niestety, kicha i kaszana. Nie znalazłem żadnego pułkownika ss zaginionego w tym czasie w Polsce. Wiesz, jak to jest. Wiele takich „elitarnych" jednostek i agend działało bez rozgłosu. To, co ważne, było też tajne i chronione. W końcu Polacy i alianci także mieli swoje wywiady.

– Wojna się skończyła, ale wiele wojennych tajemnic pozostało na zawsze tajemnicami... – westchnąłem.

– Dokładnie tak.

Pożegnaliśmy się i wyłączyłem komputer. Leżałem na łóżku, rozmyślając. Zagadka... Hmmm... Czułem, że coś przegapiłem. Pominąłem istotny trop. Raz jeszcze przejrzałem zdjęcia wnętrza zagadkowego domu. Hol biegł na przestrzał. Nie był widoczny z zewnątrz. Na dole mieściła się kuchnia, jadalnia, gabinet dentystyczny i coś, co wyglądało jak poczekalnia. Na piętrze salon, dwie sypialnie i gabinet do pracy. Na strychu było ciemno. Zapewne dom posiadał też częściowe podpiwniczenie i ukrytą pod ziemią kotłownię. Wypatrzyłem dwa okienka do piwnic i klapę do zrzucania węgla.

Normalny dom, jakich wiele powstawało w tamtych czasach. Pomijając cenne obrazy na ścianie, nic szczególnego. Niestety, na murze obok wejścia nie było tabliczki z nazwą ulicy ani numeru budynku. Czasem podobne podmiejskie domy miały swoje nazwy, tworzone ad hoc od nazwisk właścicieli lub na przykład imion ich żon. Szkoda, że tu na froncie nie umieszczono żadnego podobnego napisu. I znowu poczułem, że rozwiązanie zagadki jest o krok, a ja znowu je przegapiłem. Jeszcze raz od początku. Po kolei. Mam na fotkach dom. Nie widzę holu. Coś mi się dobija do podświadomości. Kuchnia? Nie... Jadalnia? Nie... Poczekalnia...? Gabinet!? Tak! Tu mieszkał i pracował dentysta! Ilu dentystów mogło mieć własną praktykę w Warszawie lub okolicy u progu wojny? Kilkudziesięciu, może ponad setka...

Włączyłem komputer. Wywołałem Arka. Na szczęście jeszcze nie spał. Rzadko się kładł przed trzecią w nocy.

– Czy masz leksykon lekarzy i stomatologów pracujących w Warszawie tuż przed wojną? – zapytałem.

– Jasne! Poza tym są w książce telefonicznej. Wskakuj w auto i gibaj do mnie.

Kwadrans później zaparkowałem przed jego bramą. Tylko trzech stomatologów posiadało inicjały pasujące do monogramu na barierce balkonu. Z książki telefonicznej wynotowaliśmy adres. Pół godziny grzebania w necie pozwoliło odnaleźć dom.

*

Rankiem pojechałem na Mokotów. Wpadłem bez zapowiedzi, bałem się w pierwszej chwili, że wyrwę staruszków z łóżek, ale okazało się, że wstali wcześniej i nawet zdążyli zjeść śniadanie. Poczęstowali mnie mocną etiopską kawą z ekspresu. Oj, było mi tego trzeba...

– Oto nasz obiekt. – Położyłem wydruk na stole.

Stary antykwariusz i były mechanik wbili w kartkę sztylety spojrzeń.

– A więc budynek nadal istnieje! – ucieszył się pan Hieronim. – Gdzie się znajduje?

– Na Targówku. Przetrwał wojnę, budowę okolicznych blokowisk i lata dewastowania przez kolejnych lokatorów z kwaterunku. Sprawdziłem też online księgę wieczystą – powiedziałem. – Nie mam dobrych wieści. Miesiąc temu willę kupił były poseł, prominentny członek pewnej wyjątkowo cuchnącej czerwonej jaczejki... – Wymieniłem nazwisko.

– Czy to przypadkiem nie jest ten dupek, który pracując w ministerstwie, zgwałcił sekretarkę? – zdziwił się pan Piotr. – Brukowce pisały.

– Ten sam. Ale nie skazali go za to, bo postraszona przez jego kumpli wycofała zeznania – westchnąłem. – Swoją drogą, stać go było na tę willę. Brał czynny udział w co najmniej trzech aferach korupcyjnych. W czwartej nachapać się nie zdążył, bo udowodniono mu kłamstwo lustracyjne i pożegnał się z korytem. Ale mocno kanalia zakorzeniona w układach, sądy uniewinniły go z fafnastu różnych zarzutów...

– Bo to i takie sądy teraz – skrzywił się antykwariusz.

– To byłby ciekawy paradoks historii, gdyby parszywego komuszka siedemdziesiąt lat po wojnie odstrzelił hitlerowiec... – uśmiechnął się krzywo jego kuzyn. – Albo gdyby sobie wzajemnie poprzegryzali gardła. Ale wydaje mi się, że po zamieszaniu z kulą to jednak my będziemy musieli posprzątać. Jakie mamy możliwości wpakowania się z buciorami do czyjegoś domu? – zapytał konkretnie. – To znaczy za kogo mamy się przebrać?

– Moglibyśmy udać kominiarzy albo gazowników – rozważał pan Hieronim.

– Ludzie najbardziej boją się urzędników skarbówki i ZUS – podsunąłem. – Ale żeby bez nakazu wejść komuś do mieszkania, musimy podszyć się pod celników albo ABW.

– Celników? – zdumiał się antykwariusz. – To jest Warszawa, do granicy mamy kilkaset kilometrów!

– W tej cholernej Unii Europejskiej celnicy mogą działać na terenie całego kraju – wyjaśniłem. – I jeśli ktoś wyda im się podejrzany, mogą go rewidować niemal wedle swego widzimisię, to znaczy na podstawie przepisów, które to widzimisię sankcjonują.

– Nawet za cara wolno im było legitymować i przeszukiwać tylko w pasie do trzydziestu wiorst od granicy państwa! – oburzył się pan Piotr.

– A ja czytałem ostatnio, że nawet straż graniczna z mazowieckiego zrobiła nalot na hurtownię w jakiejś Koziej Wólce – odparłem. – Czyli tak, jakby celników i policję wyręczyli.

– Akurat straż graniczna to chyba powinna pilnować granicy, to znaczy ewentualnie lotniska, a nie ganiać za przemyconym towarem po jakichś wiochach? – prychnął antykwariusz.

– Nie pan jeden wspomina carski zamordyzm z łezką w oku – mruknąłem. – Wolałbym jednak udać ludzi z ABW.

– Dlaczego?

– Bo nie musimy zdobywać mundurów, wystarczy wbić się w garnitury i podrobić identyfikatory.

– Co jeszcze będzie potrzebne?

– Kajdanki, latarka, łom... No i spluwy.

*

Dochodziła trzynasta. Zaparkowaliśmy przed bramą i dłuższą chwilę obserwowaliśmy willę. Była bardzo podobna do domu, który ujrzałem w szklanej kuli. Wprawdzie zamurowano jedno z okien, skuto część ozdóbek z elewacji, a dach zamiast dachówkami został pokryty blachą, ale nie miałem żadnych wątpliwości, że to ten sam budynek. Nawet na barierce balkonu widać było połówkę monogramu. Wyglądało na to, że nowy właściciel jeszcze się tu nie rozgościł. Obok wejścia stała betoniarka, na dawnym klombie leżało jakieś pół wywrotki piachu.

– Dedukuję, że nikogo nie ma – mruknąłem. – Wszystko przygotowane do remontu.

– Dobra nasza, zatem nie będzie widać ewentualnych zniszczeń! No i unikniemy ofiar... – zatarł ręce pan Hieronim.

– Nie wiadomo, czy ktoś tego jednak nie pilnuje. Sprawdźmy dom – zaproponowałem.

Ująłem łom i bez większego trudu urwałem skobel. W holu także przygotowano materiały budowlane. Leżały tu worki kleju do kafelków, gipsu i cementu. Stały kartony z płytkami glazury i terakoty. Zgromadzono też deski i belki oraz paczki tandetnych paneli podłogowych.

– Co za sens zrywać doskonały stary parkiet, by zastąpić go tanim gównem? – Mój towarzysz był głęboko zniesmaczony. – To przecież czerwony dąb! Teraz takiego nie zdobędzie za żadne pieniądze. Albo popatrz na te lampy. W markecie kupione czy jak? Szczyt bezguścia. Taki piękny dom trzeba meblować szlachetnymi antykami, a nie...

– Nie wymagajmy zbyt wiele od dorobkiewiczów. Tu trzeba ewolucji. Wyższe uczucia estetyczne mogą się pojawić najwcześniej u ich wnuków, a i to jest mało prawdopodobne – filozofowałem.

Szybko przeczesaliśmy wszystkie pomieszczenia. Pusto... Tu i ówdzie poniewierały się jeszcze pojedyncze meble, przeważnie elementy meblościanek z lat siedemdziesiątych i osiemdziesiątych, oraz nieliczne przedmioty codziennego użytku. Tylko po układzie pomieszczeń mogłem rozpoznać dom oglądany przez szkło kuli. Kolejne pokolenia użytkowników wymiotły z tych murów całą historię.

– Mamy towarzystwo – mruknął pan Hieronim.

Spojrzałem przez okno. Przed bramą zatrzymał się wypasiony mercedes. Koleś w garniturze wyskoczył jak z procy i wywijając jakąś lagą, gnał w stronę drzwi.

– Wiejemy? – zaproponował stary.

– A po co? – Wzruszyłem ramionami. – Jest sam, a my w końcu bawimy tu służbowo. – Musnąłem przypięty na piersi lipny identyfikator i zszedłem po schodach do holu.

Ktoś szarpnął za klamkę i drzwi wejściowe stanęły otworem. Przyozdobiłem twarz promiennym uśmiechem. Na mój widok rozjuszony mężczyzna zatrzymał się jak wryty.

– No nareszcie ktoś raczył się zjawić – huknąłem na byłego posła. – Ty jesteś właścicielem tego chlewu?

– Chwila moment, a coście za jedni? – warknął komuch. – To prywatna posiadłość...

– Agencja Bezpieczeństwa Wewnętrznego. – Dotknąłem identyfikatora. – Przeszukujemy dom w pościgu za zbiegłym terrorystą.

– Ale tu nie ma żadnego... – Jakby trochę zmalał.

– Skuj go, pewnie jest wspólnikiem – rzucił pan Hieronim.

– Tak jest, panie majorze! – Wyciągnąłem kajdanki.

– Ale ja... – Polityk na sam widok obrączek zrobił się dziwnie potulny.

Ale i tak go skułem. Zabrałem mu też telefon komórkowy.

– Idziemy do auta – warknąłem. – Tam sobie grzecznie posiedzisz, póki nie skończymy przeszukania. Spróbujesz taliba ostrzec, to flaki wyprujemy, a ferie zimowe i letnie spędzisz w Guantanamo!

– Nie cackaj się z nim, nie ma czasu! – zrugał mnie domniemany major.

– Tak jest!

Przykułem mężczyznę do kierownicy w jego własnym aucie. Kluczyki rzecz jasna też mu zabrałem.

– Dotkniesz klaksonu, to zastrzelimy! – zagroziłem.

Kiwnął potulnie głową.

– Gotowi, stoimy w bezpiecznej odległości. Na twój sygnał wkraczamy! – Antykwariusz trzymał przy uchu słuchawkę swojej komórki.

Głośnik zabrzęczał, gdy w piwnicy domu na Mokotowie detonował ładunek. Chwilę panowała cisza. Pan Piotr zapewne badał skutki eksplozji.

– Kula strzaskana na kawałki, Niemca ani śladu – odezwał się głośnik. – Jeśli gdzieś jest, to u was!

Przełknąłem ślinę. I naraz spostrzegłem, że elewacja domu pokryła się trądem zacieków, purchli i wysoleń. W powietrzu unosiły się płatki śniegu. Cholernie nie chciało mi się wchodzić do budynku, ale antykwariusz wydobył z kabury glocka i odważnie ruszył do przodu. Chcąc nie chcąc, pomaszerowałem jego śladem, ściskając w dłoni rewolwer.

Gdy byłem jeszcze dzieckiem, do pokoju wpadł szerszeń. Zdołałem trafić go zwiniętą gazetą. Uderzony poleciał w kąt i znikł gdzieś za fotelem. Byłem pewien, że go załatwiłem, ale wolałem się upewnić. Z kapciem w ręce odsuwałem mebel. Ostrożnie poruszałem kotarą. Czułem, że gdzieś tam musi być. Że w każdej chwili mogę usłyszeć wściekłe bzyczenie. I wreszcie wypatrzyłem go żywego, zdrowego i przyczajonego w zupełnie innym kącie. Podobne uczucie towarzyszyło mi i teraz. Tylko ryzyko było nieporównywalnie większe.

Tynk wewnątrz holu sypał się na potęgę. W powietrzu cuchnęło zgniłym drewnem, grzybem ściennym, mysimi siuśkami i stęchlizną. Przepatrywaliśmy pomieszczenie za pomieszczeniem. Pusto, cicho, martwo. Powoli zaczynałem się odprężać. Pomyślałem, że esesman przestał istnieć wraz z magiczną kulą. I właśnie wtedy go znaleźliśmy.

Leżał na podłodze jak kupka szmat. Pomarszczona skóra opinała kości, nadając mu wygląd mumii. Białe, jakby utkane z popiołu włosy rozsypały się w nieładzie po spaczonym parkiecie. W pierwszej chwili sądziłem, że nie żyje. Myliłem się. Zarzęził jego oddech. Słysząc nasze kroki, przechylił głowę i spojrzał spod zmrużonych powiek. Nie wiem, co widział. Źrenice miał mętne. Czas dopadł go w jednej chwili, dodając brakujące kilkadziesiąt lat. Ile mógł mieć teraz? Sto dwadzieścia? Poczułem ulgę. Nie będziemy musieli go zabijać. Widać było, że to agonia.

– *Halt! Hände hoch!* – wychrypiał szkop.

Jego palce z trudem pełzły po podłodze, nadając dłoni wygląd groteskowego pająka. Próbował sięgnąć po spluwę.

– Nawet nie próbuj. – Wycelowałem w niego lufę rewolweru.

W zasadzie nie było to potrzebne. Czas nie oszczędził też jego broni – czarna, lakierowana skóra kabury w kilku miejscach przerosła na wylot rdzą korodującego wewnątrz pistoletu...

– *Verfluchte...* – wybełkotał.

– *Ja, natürlich* – odgryzłem się głupio.

Ale on już mnie nie słyszał. Z kącika ust pociekła strużka krwi. Dłoń znieruchomiała. Mój towarzysz stanął cicho za plecami esesmana i wycelował w skroń. Kropka laserowego celownika zatoczyła krąg i zatrzymała się koło ucha. Ale nie było już potrzeby strzelać. Hitlerowiec nie oddychał. Owionął nas początkowo słaby, ale z każdą chwilą mocniejszy smród rozkładu. Idąc do drzwi, rozglądałem się po wnętrzach mijanych pomieszczeń.

– A więc tak wygląda siedemdziesiąt lat skupione w kilka minut – mruknąłem.

Szkło, szyby, lustra i szklanki, wszystko pokryło się delikatną tęczową patyną. Podobnie wszystkie przedmioty metalowe straciły połysk. Drewniane meble poszarzały, obicia wyblakły. Parkiet ogłuszająco trzeszczał pod nogami.

– Codzienne użytkowanie i doraźne porządki mają swój, nazwijmy to, potencjał konserwacyjny. – Antykwariusz też obserwował otoczenie. – Zwykłe mycie i regularne pastowanie podłogi chroni klepki przed rozsychaniem się.

– Szczerze powiedziawszy, liczyłem, że obrazy wrócą na ściany – westchnąłem.

– I że podzielimy je pomiędzy nas trzech? – Uśmiechnął się. – No cóż, przyjemnie byłoby budzić się i patrzeć na pejzaż Gierymskiego...

– Albo na przykład Czachórskiego – dodałem. – Dobra, nic tu po nas...

Komuch siedział w aucie wściekły jak burzowa chmura.

– Rozkuj go – polecił stary antykwariusz.

– Tak jest, panie majorze! – konsekwentnie grałem rolę. – Dziękujemy za współpracę, nie był pan jednak wspólnikiem talibów – wyjaśniłem, zdejmując więźniowi kajdanki.

– Napiszę na was skargę! – odgrażał się, rozcierając odruchowo nadgarstki. – Ruski miesiąc popamiętacie!

– Każdemu wolno pisać skargi, ale odradzam, szczerze powiedziawszy – burknął stary antykwariusz.

Były poseł wysiadł z auta, spojrzał na willę i stanął jak wryty. Dom postarzał się w jednej chwili o siedemdziesiąt lat i naprawdę nie wyglądał dobrze. Dach zapadł się częściowo. Na naszych oczach z wypaczonego okna wypadła jedna z szyb. Gleba wokoło budynku była przyprószona centymetrową warstwą śniegu. Biała plama tworzyła idealny okrąg...

– Wy gnoje! Coście zrobili z moim domem?! – wykrztusił komuch. – Nowe okna przecież wstawiłem... I co to, do cholery, jest?!!! – Gestem wskazał kilka starych ludzkich szkieletów, spoczywających przed wejściem na grządkach.

– A bo ja wiem? Trupy jakieś. Ale to pański dom i pański ogród, zatem to pan powinien wiedzieć, co trzeba mówić, gdy prokurator zapyta. – Pan Hieronim wzruszył ramionami.

– A to skąd się tu wzięło?! – Kopnął ze złością śnieg.

– Nie ruszaj pan tego, to opad radioaktywny! – ostrzegłem. – Weżre się w skórę i białaczka murowana.

– Zabierajcie to, wy świry! – Aż się zapluł.

– Uważaj, koleś, bo za obrażanie funkcjonariuszy na służbie są odpowiednie paragrafy – odburknąłem. – Niezidentyfikowane ciała to już sprawa policji, nie nasza. – Zatrzasnąłem za sobą furtkę.

Pogróżki i złorzeczenia goniły nas jeszcze długo.

– Zdumiewający facet – zauważył pogodnie pan Hieronim. – Gdyby na moich oczach dom postarzał się o siedemdziesiąt lat, w ogrodzie wyrosły szkielety, a do tego jeszcze śnieg spadł w zupełnie nieodpowiedniej porze roku, to pewnie bym narobił w gacie z wrażenia. A ten myśli tylko o tym, że diabli wzięli nowe okna.

– Może to szok, a może tylko całkowity brak wyobraźni – rozważałem. – To już zresztą nie nasze zmartwienie. Zadanie wykonane. – Odetchnąłem z ulgą.

– Fajnie wymyśliłeś z tym opadem radioaktywnym – pochwalił stary antykwariusz. – Niech się teraz martwi... Należy mu się, za tę zgwałconą sekretarkę i inne nieosądzone, nieukarane świństwa. A teraz jedźmy do mnie. Trzeba to oblać.

*

Siedzieliśmy w salonie. Sączyłem doskonałą czeską śliwowicę ze szklaneczki ozdobionej herbem Poletyłów. Błogie ciepło promieniowało mi z żołądka. Kolejne zadanie, z pozoru nie do ugryzienia, zostało rozwiązane. I nawet rąk nie pobrudziliśmy. I jeszcze pan były poseł musi albo sam zakopać szkopa, albo szybko wymyślić, co powie prokuratorowi... Udany dzień.

– Pora się rozliczyć – powiedział antykwariusz. – Znamy pańskie stawki, pieniądze zostały naszykowane, ale mamy pewną, nazwijmy to, propozycję.

– Propozycję, która może zainteresuje pana bardziej niż banalne kilka tysięcy złotych – dodał jego kuzyn.

– Zamieniam się w słuch.

– Zna pan zapewne historię śmierci Józefa Piłsudskiego i wykonanej wówczas maski pośmiertnej?

– Jeśli dobrze pamiętam, po śmierci marszałka wezwano do Belwederu profesora Jana Szczepkowskiego. Zdjął formę i wykonał odlewy. Kilka znajduje się w polskich muzeach, los pozostałych jest nieznany. Jeden wypłynął w USA na początku lat dziewięćdziesiątych, inny parę lat temu oferowano na portalu aukcyjnym za bodaj dwadzieścia pięć tysięcy złotych.

– Jan Szczepkowski, powróciwszy do domu ze zdjętą formą, stwierdził, że do mokrego gipsu przywarło kilkanaście włosów – powiedział pan Hieronim. – Odkleił je przed zalaniem formy metalem i zachował. Moja propozycja jest konkretna. Gotówka w umówionej kwocie albo coś znacznie dla pana ciekawszego.

Z sejfu wyjął paczkę banknotów i zalakowaną przedwojenną buteleczkę po tabletkach. Położył jedno i drugie na blacie. Wewnątrz flaszeczki była karteczka z wykaligrafowanym opisem oraz cztery siwe włoski, pochodzące najwyraźniej z legendarnych sumiastych wąsów. Cztery włosy jako wynagrodzenie za identyfikację domu i pomoc w rozbrojeniu śmiertelnie niebezpiecznej magicznej pułapki. Może Marta uważała mnie za wariata, ale ta cena wydawała mi się odpowiednia.

Spojrzałem na pieniądze. No cóż, przydałyby się, lecz z drugiej strony pieniądze zarobić można zawsze, a drugi taki artefakt nie trafi mi się nigdy w życiu. Wątpliwości z miejsca minęły. Bez wahania zgarnąłem buteleczkę i troskliwie umieściłem w wewnętrznej kieszeni marynarki.

Pamięci Tomasza „Aquiliona" Pruskiego

Naszyjnik

Chłop siedzący przede mną mógł mieć równie dobrze czterdzieści, jak i sześćdziesiąt lat. Wyglądał trochę na gminnego urzędnika, który się stoczył. Jeśli był eksbelfrem, to co najwyżej od pracy-techniki. Mówił chwilami jak miastowy, chwilami przebijała gwara i śpiewny akcent. Alkohol nie oszczędził jego twarzy, a śniada cera była chyba efektem niechęci do mydła, połączonej z intensywnym fajczeniem najtańszych papierosów.

W piecu trzaskały polana. Wnętrze chaty wypełniała woń palącego się drewna i świeżo wytopionego smalcu. Spod niej przebijała stęchlizna. Podłoga chyba gniła od spodu. Wyposażenie pokoju nie było szczególnie interesujące. Poszarzała meblościanka kryła w swoim wnętrzu kolekcję zakurzonych kryształowych wazonów i serwis do herbaty rodem z Włocławka. Na ścianie pyszniły się obrazy – po lewej jeleń na rykowisku, po prawej – tonący „Titanic". W okna okrętu wprawiono migające diody.

Kolejnym elementem wskazującym, że nie żyjemy już w epoce Wojciecha Spawacza, był wielki plazmowy telewizor z upaćkanym ekranem i paskudna pseudoekologiczna żarówka wkręcona w żyrandol. Ja piłem zaproponowaną herbatę, mój gospodarz pociągał z puszki tanie piwo kupione w dyskoncie.

– Wedle tego, co ustaliłem, pradziadek pański tuż po odzyskaniu niepodległości został wójtem tej wioski – powiedziałem. – Jeśli przypadkiem zachowała się jego odznaka i jeśli miałby pan ochotę ją sprzedać, to jestem zainteresowany.

Facet popatrzył na mnie jak na wariata i głośno siorbnął piwa. No cóż, z jego punktu widzenia gadałem, jakbym spadł z kosmosu. W tej wsi nieczęsto widywano obcych, a tu przyszedł facet znikąd i chce kupić kawałek blaszki.

– Lekko owalna, brązowej barwy, na to nałożony srebrny orzeł. Na otoku wytłoczony wyraz „wójt" i grawerowana nazwa wsi – podpowiedziałem. – Gotów jestem zapłacić za nią, powiedzmy, tysiąc złotych. Ale jeśli będą dokumenty nominacji i inne odznaczenia, dam trochę więcej.

– Eee... – Facet dla odmiany zmartwił się, ale gdzieś na dnie jego mętnych oczu zapłonęły dobrze mi znane ogniki chciwości. – Cały szmelc po dziadku, ordery i inne takie to dawno już na bazarze w Lublinie puściłem. Ale jak pan szukasz staroci, to miałbym coś...

Wstał, pogrzebał za szafą i wyciągnął niedużą ikonę.

– I co pan powiesz? – Z dumą położył fant na ceracie pokrywającej stolik.

– Barwna rosyjska chromolitografia, naklejona na kawał starej dechy. – Nie musiałem nawet brać jej do ręki.

– Znaczy się nic takiego? – Skrzywił się.

– Zadrukowany papier. Po wierzchu pociągnięty jeszcze lakierem albo co bardziej prawdopodobne pokostem – uściśliłem. – Zapewne ostatnie dwudziestolecie dziewiętnastego wieku. Może kilka lat wcześniej albo kilka lat później.

Mogłem dodać, że to tani wyrób powstały pod koniec istnienia caratu, produkowany masowo dla największej rosyjskiej biedoty i sprzedawany na bazarach przez wędrownych handlarzy, ale nie chciałem człowieka dobijać.

– No, że papier na przetarciach widać, to sam zauważyłem, ale sądziłem, że to jednak jest coś więcej warte – westchnął. – To pamiątka po takim prawdziwym uczonym profesorze...

– Profesorze? – podchwyciłem.

Instynkt łowcy zapalił mi w głowie alarmowe diody. W tej koszmarnej wiosze prawdziwy profesor mógł się pojawić raz na sto lat, a i to gdyby bardzo zabłądził...

– A, w czterdziestym czwartym tu była potyczka z Niemcami, Ruskie nacierali, Szwaby nie mieli paliwa, by uciekać, za wsią trzy czołgi utknęły. Szkopy się okopali, obłożyli minami, coby nikt nie podszedł, i dawaj, w Sowietów naparzać, do ostatniego naboju pewnikiem chcieli się bronić. A może na odsiecz liczyli? Ale Ruscy nie tacy głupi. Podeszli od boku, gdzie pancerz cieńszy. Dali naprzód kolesi z rusznicami przeciwpancernymi i z czołgów w moment sito zrobili. Jak byłem mały, to tu jeszcze wraki stały, potem na złom je ściągnięto, gdzieś w siedemdziesiątym piątym. A po bitwie to wiadomo, szkopów do piachu koło czołgów. No i tych z Armii Czerwonej trochę też leżało tu i ówdzie. Jeden taki siwy padł na naszym ogrodzie, tatko opowiadał. Inni Ruscy gadali, że to był profesor wypuszczony z łagru. Pochowali go z wszystkimi, ale dziadek w zamieszaniu zaiwanił jego raportówkę. A tam mapy były, takie wojskowe, książka jakaś, pióro wieczne i ta ikona. Niebrzydka, to babka na ścianę dała. Ja tam wierzący nie jestem, denerwowała mnie, to zdjąłem... Może i Boga nie ma, ale co ma patrzeć, jak tu z kumplami chlejemy i pornole oglądamy. – Wskazał kciukiem plazmowy telewizor. – To wieś, rozumiesz pan, nie ma dużo rozrywek.

– Rozumiem. Mapy i książka?

– Cholera wie, pewnie do pieca poszło. Komu potrzebna książka po rusku? A papiery wiadomo to, jakie i o czym? Jeszcze by z tego jakie nieszczęście wynikło. Nie ma dowodów, nie ma sprawy...

– A raportówka?

– Tatko z nią do roboty chodził, jak się do cna złachała, to jeszcze z klapy sobie wyciapał dwie wkładki do butów. Pióro wieczne to ja w szkole używałem, co to był za szpan, wszyscy obsadkami skrobali, a tylko ja i nasz belfer piórem pisaliśmy. No ale potem długopisy weszły, wygodniejsze, tom gdzieś zapodział...

Spojrzałem na zegarek. Czternasta. Do Warszawy z jakieś siedem godzin jazdy. No cóż, pora się zbierać. I tak będę wracał po nocy...

– Dasz pan za nią na flaszkę i zagrychę? – zaproponował nieoczekiwanie dziadyga, popychając zachęcająco

ikonę w moim kierunku. – Było nie było, fant z wojny, albo i jak pan mówisz, jeszcze starszy.

Poskrobałem się po głowie. Z jednej strony, cena była trochę wygórowana. Z drugiej, obrazek faktycznie miał swoje sto lat, a gdybym go tu zostawił, poszedłby na zmarnowanie. Z trzeciej strony, po raz trzeci wracać do domu z zupełnie pustymi rękami jakoś głupio... Dwa argumenty za, jeden przeciw, przegłosowane.

– No dobra... – westchnąłem, odliczając trzy banknoty dziesięciozłotowe. – Zna pan może nazwisko tego poległego profesora?

– Gdzie tam, ale może na obelisku mu wyryli? Zaraz za wsią przy szosie na Włodawę ich wszystkich pogrzebali. Jak pan będziesz jechał, taki krzywy płotek i kamienna kolumna, nie sposób przegapić.

– Dziękuję za informacje. Gdyby jeszcze coś ciekawego się znalazło, proszę o mnie pamiętać. – Swoim zwyczajem położyłem na stole wizytówkę, a pod spodem jeszcze jedną nowiutką szeleszczącą dychę prosto z banku.

Pożegnałem się i wsiadłem do auta. Przemknąłem między opłotkami, płosząc brudne kury i kudłatego kundelka. Resory jęczały na dziurach w nawierzchni. Zaparkowałem kilkaset metrów za wsią. Mokre dachy chałup kryte eternitem straszyły zza krzaków. Pomniczek, o którym wspomniał staruch, był dość szkaradnym betonowym obeliskiem z zardzewiałą gwiazdą na czubku. Stał pośrodku charakterystycznego nasypu. Deszcze wypłukały masę cementową i na powierzchni widać było głównie żwirek. Całość otaczał stary drewniany płot. Po niedawnym Święcie Zmarłych pozostała w trawie wiązanka sztucznych kwiatów i kilka wypalonych zniczy. Nazwisk nie było, tylko data oraz napisy po polsku i rosyjsku, że leży tu czterdziestu sześciu żołnierzy radzieckich poległych w walce z „faszyzmem".

– Faszyści to ubrani w czarne koszule kolesie od Mussoliniego. Ci, z którymi walczyliście, to byli naziści – pouczyłem nieobecnych twórców obelisku.

Przez chwilę wydawało mi się, że widzę w trawie ludzką czaszkę, ale był to tylko kamień, wypłukany przez deszcze otoczak z miejscowego wapienia. Czterdziestu sześciu ludzi, bezimiennych, zagubionych gdzieś daleko od domu. Nikt z ich krewnych nie miał nawet szansy przyjechać na ten grób, by zapalić świeczkę.

– Mięso armatnie – westchnąłem. – Przygnani batem do walki. W oczach dowództwa niewarci nawet wymienienia z nazwiska. Niewolnicy, których jedynym zadaniem było odgonić szkopów od łupu i zniewolić nas...

Wiatr ze wschodu przenikał na wskroś. Kilka kilometrów dalej była granica, dolina Bugu i Wołyń. Korciło mnie, by wyrwać się tam na kilka dni. Pojeździć. Pobuszować... Ale niestety – pora była wracać do Warszawy... Niebo zasnuły ciemne chmury. Czekało mnie ładnych kilka godzin jazdy w deszczu. Pociągnąłem nosem. W powietrzu czuć było już nadchodzącą zimę.

– Oby tylko w deszczu – szepnąłem.

Pierwszy śnieg mógł w każdej chwili pokryć szosę paskudną śliską breją. A opony mojego auta miały już swoje lata. Przydałoby się kupić nowy samochód. To znaczy nowszy niż ten piętnastoletni trup...

*

Trzy tygodnie później

Kajdanki były założone fachowo. Ani za luźno, ani za ciasno. Latały sobie swobodnie na nadgarstkach, a jednocześnie byłem pewien, że nie zdołam wyszarpnąć z nich dłoni. No trudno, muszą mnie przecież w końcu rozkuć. Pokój przesłuchań wyglądał jak zwykły gabinet. Stało tu biurko, komputer, stolik, kilka krzeseł, blaszana szafa. Tylko podłogę odlano z lastryko i w oknach widać było siatkę, w dodatku założoną od środka.

– Jak oni tu, u diabła, wietrzą? – zdziwiłem się.

Bo było wietrzone i sprzątano też regularnie. Zazwyczaj w podobnych miejscach czuć pot, strach i stare skarpetki, a tu nic. Pilnujący mnie posterunkowy najwidoczniej nie uznawał mnie za szczególnie groźnego bandytę, bo bujając się na krześle, czytał gazetę. Nie byłem głodny, nie chciało mi się pić, nie potrzebowałem się odlać. Ale nudziłem się jak mops. Rozważałem nawet, czy nie poprosić gliniarza o udostępnienie przeczytanych już stronic, ale w porę spostrzegłem, że czyta wyjątkowo toksyczną szmatę wydawaną przez pogrobowców KPP. Nie wiedziałem, jak długo tu siedzę. Kwadrans? Może dwa? Pewnie chcieli mnie trochę rozmiękczyć. Z drugiej strony, gdybym był winny, dawali mi szansę opracowania całego zestawu łgarstw. Nieoczekiwanie trzasnęły drzwi i do pokoju wtarabanił się Piotrek. Posterunkowy omal nie spadł z krzesła, zrywając się na równe nogi.

– Panie nadkomisarzu, melduję doprowadzenie zatrzymanego... – Zasalutował regulaminowo.

– Dziękuję, jesteś wolny. A, rozkuj mi go jeszcze – polecił mój kumpel.

W pierwszej chwili ucieszyłem się na jego widok, ale zaraz przypomniałem sobie, że pracuje w wydziale zabójstw albo czymś podobnym. Skoro skierowano go do mojej sprawy, to znaczyło, że chyba podejrzewają mnie o coś poważnego. Ciekawe tylko, o co.

– Tam są rzeczy znalezione przy rewizji. – Posterunkowy wskazał gestem stolik. – Tylko spluwa nierozładowana, nie umieliśmy naboi z tego powyciągać, to jakiś przedpotopowy grat...

– Dziękuję, poradzę sobie.

Gliniarz wyszedł. Piotrek usadowił się za biurkiem, odpalił komputer, wyświetlił arkusz protokołu zatrzymania. Rozłożył na blacie notatki służbowe ekipy, która mnie tu przywlekła. Przyglądał się chwilę pomiętym papierkom.

Powinienem się przywitać, ale z tego wszystkiego nie zrobiłem tego w odpowiednim momencie, a teraz było mi głupio. On też milczał.

Kurczę, szybko pnie się po drabinie kariery. Musiał wiele spraw rozwikłać, skoro już jest nadkomisarzem, pomyślałem z melancholią. Szkoda, że w moim zawodzie nie ma takich możliwości awansu. Ani stopni służbowych, ani gwiazdek na naramiennikach...

– No i co? – Spojrzał na mnie. – Tym razem chyba się doigrałeś...

– Jak niby? – Wzruszyłem ramionami. – Jestem jak zwykle kompletnie niewinny. A nawet bardziej niż poprzednio!

– Opowiedz własnymi słowami przebieg zdarzenia – polecił, wpisując z pamięci moje dane. – Znowu ta cholerna Marta?

– Nie mów o niej „cholerna"! To wrażliwa i nawet miła dziewczyna. Tylko trochę, hmm... zakompleksiona? Zaplątana? O, już wiem, znerwicowana, bo i czasy mamy takie nerwowe.

– Do rzeczy.

– Zima jest. Siedziałem przy kominku, piłem wino, czytałem, słuchałem muzyki z patefonu, rozmyślałem, a potem znienacka ogarnęła mnie wyjąca melancholia.

– To dużo tego wina nie wypiłeś – mruknął, patrząc na wydruk z alkomatu. – Jedna dziesiąta promila w wydychanym powietrzu.

– No dużo nie. Trochę do herbaty dolałem.

– Fuj! – skrzywił się.

– Tak się pija w moich stronach! W każdym razie melancholia. Pomyślałem, że jestem przecież magistrem, skończyłem dwadzieścia siedem lat, a skoro mieszkanie już mam, a nawet od dawna je mam, to najwyższa pora założyć rodzinę, mieć dzieci, słuchać tupotu małych nóżek, robić żonie śniadanie do łóżka. I tak dalej.

– I postanowiłeś jeszcze tego samego wieczora zakładać tę rodzinę z Martą – podsumował.

– Tak właściwie, to postanowiłem się z nią ożenić jeszcze w liceum... No i od ponad roku jesteśmy zaręczeni, tylko ostatnio miała kilka miesięcy ciężkiego focha, więc nie było jak ustalić daty ślubu.

– No fakt, snułeś się za nią przez cztery lata. – Skrzywił się. – I cztery lata bez skutku. Czego jak czego, ale wytrwałości nie można ci odmówić... Wróćmy do wypadków dzisiejszego wieczora – zreflektował się.

– W każdym razie zadzwoniłem, by pogadać, ale nie odbierała, więc poszedłem osobiście. W końcu daleko nie jest, dwa kilometry może. Była dwudziesta pierwsza, jak dotarłem pod jej dom. Stanąłem na chodniku koło ogrodzenia. W jej mieszkaniu paliło się światło. Rozłożyłem na śniegu skromną romantyczną dekorację. Zacząłem grać na gitarze i śpiewać. Tak gdzieś po kwadransie Marta wyszła na balkon i popatrzyła na mnie.

– Okej. Nie przekraczałeś ogrodzenia chronionego osiedla?

– No niby jak? Te metalowe pręty mają dwa metry długości. Znaczy wysokości.

– Twoje szczęście – westchnął, zaznaczając w protokole. – Kontynuuj.

– Widząc ją, przerwałem grę, pomachałem dłonią i zawołałem: „Witaj, Marto". W odpowiedzi rzuciła mi ananasa.

– I to nie byle jakiego. Portorykańska odmiana, prawie sześć kilo – mruknął, zezując na stolik. – W zwykłym sklepie takiego nie kupi.

– W każdym razie uznałem to za zaproszenie. Bardzo się ucieszyłem, że już się na mnie nie gniewa. Szybko wygrzebałem owoc z zaspy i chciałem pobiec naokoło do bramy osiedla, kiedy cholera wie skąd i po co, zjawili się trzej ochroniarze. Obalili mnie na ziemię, skuli i wezwali was. Zaraz podjechał patrol i mnie zwinął. Kompletnie za niewinność. W dodatku to bzdurne i zbyteczne aresztowanie uniemożliwiło mi randkę... I to już w chwili, gdy wszystko zaczęło się układać.

– Robert... – Piotrek spojrzał na mnie naprawdę ciężko.

– Tak?

– Ona nie zrzuciła ci ananasa, tylko rzuciła w ciebie ananasem. Musiała być zdrowo wkurzona, bo taki okaz wedle katalogu w sklepie internetowym kosztuje dwie stówki za sztukę.

– Co? – zdziwiłem się. – Dwie stówy za przerośnięty...

– Skup się trochę, dobrze? Czy dotarło do ciebie, co powiedziałem?

– Ananas rzuciła... – Z trudem zebrałem myśli. – Znaczy zapraszała, żebym pobiegł na górę i zjadł razem z nią. Tak niezobowiązująco. Bo jakby na ten przykład rzuciła jabłko, to byłaby aluzja do Ewy kuszącej Adama... Aluzja seksualna. A tak to tylko chciała pogodzić się wreszcie i posiedzieć ze mną przy muzyce.

Patrzył na mnie długo. W jego oczach malowała się troska i jakby współczucie. Wreszcie powiedział:

– To ona zadzwoniła po ochronę osiedla i na policję.

– Co ty gadasz? – zdziwiłem się. – Że niby ona na mnie tych ochroniarzy nasłała? Bzdura kompletna. Przecież jesteśmy od kilkunastu miesięcy zaręczeni. A jaki pierścionek jej dałem, drugiego takiego nie ma w tej części Europy. A może mnie nie poznała?

– Czy wiesz, dlaczego tu jesteś?

– Nie wiem.

– Jesteś zatrzymany pod zarzutem zakłócania ciszy nocnej i uporczywego nękania. Zatrzymano cię na jej wniosek. Dzwoniła do nas na posterunek. Jest nagranie rozmowy. Osobiście odsłuchałem. Rozpoznała cię od razu. Podała twoje personalia. Łącznie z twoim adresem domowym na wypadek, gdybyś zdołał się wymknąć obławie.

Spojrzałem spode łba. Wyglądało na to, że mówi zupełnie poważnie. Do pierwszego kwietnia też pozostała kupa czasu. Zresztą chyba nie robiłby sobie jaj w tak poważnej sprawie. Potrząsnąłem głową.

– No toś mnie zaskoczył – mruknąłem. – Furda, strzeliła znowu focha albo to kontynuacja focha poprzedniego. To jej się zdarza. Kobiety chyba po prostu tak mają. Twoja żona też pewnie miewa gorsze dni.

– Człowieku, moja żona nie jest nawet w jednej dziesiątej tak popier... Zresztą nieważne. Nie o tym teraz gadamy. To znaczy w ogóle teraz nie gadamy, tylko jesteś przesłuchiwany w związku z zajściem.

– Tak jest. – Wyprostowałem się na krześle.

– Czy potwierdzasz fakt, że kilkakrotnie dzwoniłeś do Marty, byłeś tam pod jej oknem, śpiewałeś i grałeś na gitarze?

– Tak... ale...

– Rozsypałeś po śniegu płatki róż i ustawiłeś serduszko z płonących czerwonych zniczy cmentarnych?

– Narzekała często, że jestem mało romantyczny... Tak, potwierdzam.

Wstukał moje zeznania w komputer.

– Ci ochroniarze pieprzyli o groźbie pożaru. – Wpatrzył się w notatki. – Ale ten punkt możemy olać. Spluwa... To niestety namiesza, bo zawsze jak zatrzymany był uzbrojony, to już sąd surowiej patrzy. W zasadzie szkoda, że byłeś trzeźwy, bo podciągnęłoby się pod pijacki wybryk. Nie wiedziałem, że umiesz grać na gitarze.

– Bo nie umiem. Jeden znajomy mi pokazał po kolei, jak chwytać i które struny szarpać, by zagrać melodię „Czy panna Marta jest grzechu warta”...

– O Chryste, piętnaście minut brzdąkałeś jej pod oknem jedno i to samo?! – Złapał się za głowę.

– Na zmianę z lambadą, bo to też fajny kawałek o miłości, a i tak nic więcej nie umiem zagrać. – Rozłożyłem bezradnie ręce.

– Dobra. – Pyknął palcem w klawisz.

Zaszumiała drukarka. Podał mi papiery.

– Przeczytaj protokół zeznań i jeśli uważasz, że wszystko się zgadza, podpisz tam, gdzie wykropkowane.

Spojrzałem w dokument i poczułem ciarki na plecach. Opis zdarzenia, wzbogacony o wytłuszczone w druku numery złamanych paragrafów kodeksu wykroczeń, wyglądał poważnie. To możliwe, że aż tak się wpakowałem!?

– Ile lat dostanę?

– Rypnij się w dekiel klapą od kibla! Jakich lat? – parsknął. – Jak ta zołza faktycznie zechce założyć sprawę, to walną ci pro forma trzy stówki grzywny i może z dziesięć godzin prac społecznych w schronisku dla piesków. Albo i to nie, bo nie byłeś wcześniej karany. Nie sądzę, żeby jej się chciało latać do sądu z takim duperelkiem. Ale cóż, w aktach zostanie. Jak przyjdzie ci ochota na kolejne romantyczne porywy, na przykład gdybyś podjechał jej pod okno na białym koniu, to pamiętaj, że jesteś już notowany i może być z tego naprawdę spora afera.

– Nie nazywaj mojej narzeczonej zołzą, bo choć jesteś moim kumplem, będę musiał dać ci w mordę – ostrzegłem.

– Tia, jeszcze ci tylko do kompletu zarzutów brakuje napaści na funkcjonariusza. Pokwituj i zmiataj do domu. Wyśpij się. Zajmij się jakąś robotą. Podłub przy starej rzeźbie. Opraw na nowo rozsypujący się starodruk. Masz coś na warsztacie?

– Muszę zrobić konserwację dziewiętnastowiecznej ikony. Znalazłem ją u pijaczka pod Włodawą. Jest w kiepskim stanie, ale do uratowania, choć wilgoć i robactwo...

– No i widzisz. Zajmij się tym, co lubisz i umiesz, a panią akustyk z jej fochami zwyczajnie wybij sobie z głowy. Jest tego kwiatu pół światu, poszukaj sobie innej dziewczyny. Zdrowej psychicznie albo jeszcze lepiej chorej na to samo, co ty. No dobra. – Spojrzał na zegarek i ziewnął. – Zeznania złożone. Protokół podpisany. Jak będziesz potrzebny, wezwiemy cię. To znaczy mam nadzieję, że rozejdzie się po kościach i nie będziemy musieli cię ponownie wzywać. Dość mamy użerania się z prawdziwymi przestępcami.

– Dziękuję. – Wstałem, podszedłem do stolika z fantami zabezpieczonymi przy rewizji osobistej i zacząłem upychać moje drobiazgi po kieszeniach. – Ten ananas musi tu zostać jako materiał dowodowy czy mogę go zabrać na pamiątkę? – zapytałem.

– Ananas zostaje – warknął. – To dla twojego dobra, bo jeszcze byś do niej z nim poleciał. A tak ja z nim pójdę. Będzie pretekst pogadać.

– A po co chcesz z nią rozmawiać? – zaniepokoiłem się. – Przecież masz już żonę...

– Ty idioto nieszczęsny, służbowo chcę z nią pogadać. Spróbuję ją przekonać, po starej szkolnej znajomości, że jesteś niegroźnym świrem i nie warto wnosić oskarżenia.

– Prawdziwy kumpel z ciebie. – Poczułem wzruszenie.

– W polu mi to odpracujesz – warknął. – Albo raczej grzebiąc w archiwach. I jeszcze jedno...

– Tak?

– Moim zdaniem masz uszkodzoną tę część mózgu, która odpowiada za rozumienie współczesnej estetyki. Nie sil się więcej na bycie romantycznym. To ci nie wychodzi. I mów dziewczynom tylko, że je kochasz, zero komplementów, bo w twoim wykonaniu to już kompletna katastrofa. A teraz aut. – Gestem wyprosił mnie za drzwi.

*

Wyszedłem przed komendę. Wiatr uderzył mnie w twarz mrozem. Było może dwanaście stopni poniżej zera, ale przez ten cholerny orkan wydawało mi się, że jest minus trzydzieści. Postawiłem kołnierz, by choć trochę osłonić twarz, ręce wbiłem pod pachy. Aby zająć czymś myśli, cofnąłem się nieco pamięcią.

Z tą ikoną coś było nie tak. Zauważyłem to kilka dni po powrocie ze wsi. Deska była dziwnie wyważona, po lewej trochę cięższa niż po prawej. Chromolitografia postukana palcem wydawała głuchy odgłos, jakby w środkowej części nie przylegała do drewna. Nagrzałem nad parą i odkleiłem pasek tkaniny otaczający obraz. Od spodu wypatrzyłem zatyczkę, klinik drewna starannie wpasowany i wklejony. Gdy go usunąłem, okazało się, że wnętrze deski wydrążono. Ze skrytki wydobyłem naszyjnik składający się z trzydziestu jeden antycznych monet, oprawionych w cienkie srebrne obejmy połączone łańcuszkami. Był zawinięty w zetlałe resztki sowieckiej gazety z połowy czterdziestego trzeciego roku...

Odpreparowanie chromolitografii i zbadanie, co kryje się pod spodem, zaplanowałem na dzisiejszy wieczór.

Spojrzałem na zegarek. Był kwadrans po północy. Zrealizuję ten plan. Tylko trzeba dojść do domu... O Marcie starałem się nie myśleć.

*

Nawet najdłuższa droga gdzieś się przecież kończy. Zanurkowałem w bramę kamieniczki z prawdziwą ulgą. Tu przynajmniej nie wiało i nie sypał śnieg. Otrząsnąłem kurtkę, otrzepałem buty i dopiero wtedy wszedłem do klatki. Nie ogrzewaliśmy jej specjalnie mocno, bo i nie było takiej potrzeby. Drzwi były nowe i szczelne, mury budynku ocieplone podwójną warstwą styropianu, okna trójszybowe. Budynek jak termos. Jeden kaloryfer na parterze w zupełności wystarczał. Jednak gdy przemarznięty na kość i przewiany wiatrem znalazłem się pod dachem, panujące tu ciepło podziałało na mnie jak przyjemny prysznic. Przez chwilę grzałem skostniałe palce o żeliwne żeberka. Nie zapalałem światła, znałem tu każdy kąt, zresztą noc była jasna, a przez okna wpadało światło latarni. Ruszyłem po grubym, tłumiącym kroki chodniku. I naraz poczułem, że nie jestem tu sam. Odruchowo wydobyłem z kabury wiernego „lefoszaka" i odbezpieczyłem. Dobrze, że gliniarze nie zdołali go rozładować...

Tuląc się do ściany, wszedłem na swoje piętro. Cisza, spokój... Nie było tu na szczęście zakamarków, w których ktoś mógłby się przyczaić. Spojrzałem w górę. Jeśli ktoś obcy rzeczywiście się krył, umknął na górny koniec schodów. Menel? Włamywacz? Bandyta z gazrurką? Wciągnąłem powietrze nosem. Nic... Żadnej obcej woni. Ale sprawdzić trzeba. Zrobiłem jeszcze dwa kroki.

W ciemności nieoczekiwanie zalśniły cztery jasne punkciki. Rozpoznałem oczy. Pstryknąłem włącznikiem i klatkę zalało światło. Dwa rude kociska, wielkie jak żbiki, na mój widok zrobiły koci grzbiet i obnażyły pazury.

– Łuna! Pożoga! No co wy – ofuknąłem je. – Przecież mnie znacie!

Schowałem broń. Zwierzaki uspokoiły się, ale nadal popatrywały na mnie koso. Ich pani, Adelajda, nazywająca się księżniczką wiewiórek, spała zwinięta w kłębek na dywaniku pod drzwiami mieszkania na poddaszu. Nakryła się polarem, walizkę wsadziła pod głowę, futerał ze skrzypcami przytuliła do piersi. Gruba czapka w sam raz posłużyła jako poduszka. Rude kosmyki włosów rozsypały się po lakierowanej skórze. Wysokie futrzane, jakby lapońskie buty postawiła obok. Na stopach miała grube skarpety. Rozbłysk światła obudził ją. Zamrugała długimi rzęsami i spojrzała na mnie półprzytomnie.

– Przepraszam, panie Storm – bąknęła. – Przyjechałam do dziadka, a mieszkanie puste... Cała kamienica jak wymarła...

– Twoje szczęście, że pamiętałaś kod do domofonu – uśmiechnąłem się. – W taką noc można uświerknąć! Na zewnątrz już jest ze dwadzieścia stopni mrozu. Pan Lucjan wspominał, że jedzie na miesiąc do sanatorium. Ale nie wiem, gdzie konkretnie. Nie mam do niego numeru... Nie zostawił też kluczy. Wydaje mi się, że powinien wrócić za kilka dni.

– No to klops... – Spojrzała na mnie bezradnie.

– Przecież cię nie wygonię na mróz. I żadnego spania na schodach, od tego są łóżka! – Zszedłem, przekręciłem klucz w zamku moich drzwi i zaprosiłem dziewczynę gestem do środka.

– Trochę nie wypada... – bąknęła.

– Wiem, że to niemoralne i tak dalej, ale przecież cię nie zjem. Zresztą wchodząc do środka, ratujesz mi życie. I twój dziadek, i pan Maciek zamordują mnie, jeśli nie udzielę ci gościny! Możesz się rozłożyć w sypialni, a ja pościelę sobie w pracowni. Spokojnie pomieszkasz u mnie kilka dni. I nawet jeść dostaniesz. Dziadkowi zostawimy kartkę w drzwiach, jak wróci, to cię odbierze.

– Dziękuję – uśmiechnęła się.

Miała ze sobą tylko skrzypce, niedużą elegancką walizkę i plastikowy transporter, taki do przewozu kotów. W mieszkaniu było jeszcze z pięć stopni więcej niż na klatce. Z przyjemnością zanurzyłem się w cieple.

– Proszę. – Wskazałem dziewczynie sypialnię. – Czuj się jak u siebie w domu.

Wygrzebałem z szafy czyste powłoczki na kołdrę i poduszkę oraz gruby ręcznik frotté.

– Jakby ci było zimno, masz tu jeszcze koc. W drzwiach po wewnętrznej stronie jest klucz, gdybyś chciała poczuć się bezpieczniej. Tam jest łazienka, trzeba przejść przez salon. – Wskazałem kierunek. – Co zjesz na kolację?

– W zasadzie nie jestem głodna. Koty też poczekają na śniadanie. – Widać było, że walczy, by utrzymać opadające powieki.

Wzięła szybki prysznic i kwadrans później spała jak zabita. Rozdmuchałem przygasły żar i wepchnąłem grubą kłodę w palenisko. Rozgrzałem zgrabiałe dłonie przed kominkiem. Poleżałem kwadrans w wannie. Dopiłem zimną już herbatę. Rozgrzawszy się, przeszedłem do pracowni. Zapaliłem mocne punktowe reflektory, by doświetlić blat stołu roboczego.

– Panie profesorze – rzuciłem w przestrzeń – proszę o wybaczenie, że wydzieram panu sekret tej ikony, ale ufam, że zrozumie pan i wybaczy w imię nauki, która jest naszą wspólną rzeczywistością i płaszczyzną porozumienia.

Ująłem mesel w dłoń i ostrożnie podważyłem nadrukowany wizerunek Chrystusa. Na szczęście tektura była gruba i zwarta, a klej stary i kruchy. Odpreparowałem carską chromolitografię. Pod spodem było zagłębienie – typowy dla starych ikon „kowczeg". Wypełniała je nawoskowana lekko lignina, pożółkła dokumentnie ze starości. Ktoś chciał dodatkowo ochronić namalowany poniżej starszy obraz? Nie była przyklejona. Uniosłem ją.

– Oto i nagroda za dobry uczynek i udzielenie gościny zbłąkanej w obcym mieście dziewczynie – mruknąłem.

Jak się okazało, tania chromolitografia ukrywała drugą ikonę, namalowaną bezpośrednio na deskach. Nie byłem ekspertem, ale kanon przedstawienia wskazywał na pierwszą ćwierć dziewiętnastego wieku. Nigdy wcześniej nie zdarzyło mi się widzieć podobnego obrazu. Dwaj brodaci mężczyźni podawali sobie czerwone zawiniątko. Podpisy pozwoliły zidentyfikować ich jako dwóch świętych Kościoła prawosławnego. Pogrzebałem w necie, potem sięgnąłem na półkę, gdzie brązowiały grzbiety przedrewolucyjnej rosyjskiej encyklopedii. Wreszcie przyjrzałem się reprodukcjom innych ikon z ich wizerunkami. Poczułem mocniejsze uderzenie serca. Już wiedziałem. No, może nie miałem stuprocentowej pewności, ale domyślałem się, jaką tajemnicę widzę przed sobą. Miałem wrażenie, że wokoło ugina się czasoprzestrzeń. Nagle zabrakło mi tchu.

– To niemożliwe – szepnąłem. – Takie rzeczy po prostu się nie zdarzają... Nie znajduje się takich rzeczy w zapyziałej wiosze nad Bugiem!

Przystawiłem sobie taboret. Z najwyższej półki w szafie wyjąłem odpowiednie pudełko. Wróciłem z nim do stołu i otworzyłem. Raz jeszcze obejrzałem wydobyty ze skrytki naszyjnik. Już wcześniej wzbudził moje podejrzenia. Teraz wreszcie poczułem, że mam w ręce konkretny trop. Wiedziałem, czego dotyczy szyfr. Dzięki temu łatwiej będzie go złamać...

– Profesorze – szepnąłem w ciemność – czy to aby dzieje się naprawdę?

Wiatr zawył w kominie, ale wiedziałem, że nie jest to odpowiedź. I po prawdzie nie oczekiwałem jej. Czułem nieprawdopodobne podniecenie. Twarz płonęła mi gorączką. Aby dojść trochę do siebie, otworzyłem okno i przez dobre kilka minut chciwie piłem głębokimi haustami lodowate grudniowe powietrze. Zastanawiałem się przez chwilę, czy nie obudzić Adelajdy i nie podzielić się z nią odkryciem, ale rozsądek zwyciężył. Zmęczona wiewióreczka, niech śpi... Zresztą i tak muszę to jeszcze posprawdzać.

*

Obudziłem się o szóstej rano. Wypiłem mocną kawę. Potem obłożyłem się księgami i zagłębiłem w lekturze.

Drzwi do sypialni były lekko uchylone, koty wyległy przed nie i obserwowały mnie w milczeniu. Nalałem mleka do misek. Dziewczyna obudziła się przed ósmą. Przemknęła na paluszkach do łazienki. Spędziła tam może dziesięć minut. Wyłoniła się ubrana w haftowaną bluzeczkę i ciemnobordową spódnicę. Włosy upięła w dwa wysokie kucyki. Chyba chciała wyglądać jak wiewiórka, ale kojarzyła mi się raczej z Fraglesem.

– Zaraz zrobię śniadanie – powiedziałem, odkładając monografię na stolik.

– Nie chciałabym przeszkadzać panu w pracy – bąknęła. – A może ja zrobię?

– Ależ nie ma problemu. To zresztą nie praca, tylko przygoda – uśmiechnąłem się. – W każdym razie zdrowo się namęczę, nagłowię, doczytam to i owo, pewnie nie uda się rozwikłać zagadki, a nawet jak się uda, to pieniędzy z tego nie będzie. Choć niewykluczone, że spłynie na mnie nieśmiertelna sława.

– Oj, jak przygoda, to tym bardziej nie wypada przeszkadzać...

– Parówki czy jajecznica? – zapytałem konkretnie.

Przed śniadaniem wyszła z kotami na podwórze. Wróciła po kwadransie z policzkami zaczerwienionymi od mrozu. Termometr za oknem pokazywał piętnaście stopni poniżej zera. Skorzystała z mojego drążka, podciągnęła się dwadzieścia razy. Siedliśmy do stołu. Zauważyłem, że dziewczyna ma pod szyją złoty łańcuszek z krzyżykiem i drugi, srebrny z dziwnym znakiem. W pierwszej chwili sądziłem, że to pacyfka, ale promienie przecinające kółko były trzy, a nie cztery. Spostrzegła moje zainteresowanie.

– To znak mojej, eee... subkultury – powiedziała.

– Fanklub miłośników samochodów Mercedes?

– Gdy dociera się na rozdroże, można iść w lewo, w prawo lub cofnąć się. To tak zwana triada, znak rozstajnych dróg – wyjaśniła.

Przyjemnie było siedzieć przy ciepłym kominku, pić herbatę i pałaszować, ale w końcu talerze opustoszały.

– Jakie ma pan plany na dzisiaj? – zapytała dziewczyna, gdy kończyliśmy jeść.

– Muszę posiedzieć i pogrzebać w książkach, potem będę rozmyślał nad pustym notesem. Poczytaj sobie coś albo obejrzyj film, tam na regale masz płyty. – Wzruszyłem ramionami. – Możesz też pograć sobie na skrzypcach. Nie będziesz mi przeszkadzać.

– Może zrobię obiad albo posprzątam... – zaproponowała.

– Trochę to nie wypada, jesteś gościem.

Ale puściła tylko do mnie oko i pozbierała talerze. Pościerała potem kurze, umyła podłogę w kuchni. Wreszcie zamknęła się w sypialni i faktycznie godzinkę pograła. Ja w tym czasie doczytałem, przejrzałem notatki, wygrzebałem kilka starych katalogów monet antycznych i powoli rozszyfrowywałem, skąd pochodzą wszystkie egzemplarze tworzące naszyjnik. Monety ważniejszych polis greckich zidentyfikowałem z pamięci po widniejącej na nich symbolice. Trochę kłopotu sprawiły mi bite w małych, zapomnianych ośrodkach. Wreszcie zidentyfikowałem ostatnią. Ale wcale nie zrobiłem się od tego mądrzejszy.

Odpaliłem komputer i przez komunikator skontaktowałem się z Arkiem. Odebrał niemal natychmiast.

– Próbowałem się do ciebie dodzwonić wczoraj wieczorem na stacjonarny – odezwał się. – Ale nie odbierałeś.

– Poszedłem na nieudaną randkę, a potem miałem drobne nieprzyjemności z organami ścigania – zreferowałem mu pokrótce wczorajsze wypadki.

– Ta twoja Marta to ładniutka kobietka, ale nie pasuje do ciebie – powiedział. – Daj sobie z nią siana i tyle. Ona się zmienia. Na gorsze.

– Co masz na myśli?

– Wiesz, spotkałem ją raptem kilka razy, ale moim zdaniem znudziła się. Dawniej ciekawiło ją, co robimy. Jeździła nawet z tobą, gdy zapuszczałeś się na prowincję czy za granicę. Ale ostatnio od dawna pracowałeś sam...

– Miała dużo pracy. Haruje w radio, w telewizji i jeszcze coś tam dla ojca robi po godzinach. Fuchy bierze, kryzys przecież. Przemęczone kobiety robią się drażliwe.

– Tobie przydałaby się harcerka. Znaczy była harcerka, taka wiesz, bardziej w twoim wieku. No, dziewczyna z łydkami jak ze stali, wyrobionymi od chodzenia po górach, opalona od przebywania na świeżym powietrzu. Obwędzona dymem setek obozowych ognisk. Pachnąca leśnymi ziołami. Sympatyczna, bystra, oczytana, wierząca. Jak to kiedyś mówili, do tańca i do różańca. I najważniejsze, żeby lubiła historię.

– Znaczy rozglądać się za taką z sadzą trwale wżartą w skórę? – Poskrobałem się z frasunkiem po głowie.

Ten łebek chyba miał rację. Ale w końcu byłem już przecież zaręczony... Marta nie odesłała dotąd pierścionka. To przypuszczalnie znaczyło, że tylko się na mnie gniewa, ale chyba dalej chce za mnie wyjść.

– A ty nie myślałeś nigdy o tym, by znaleźć sobie dziewczynę? – zapytałem.

– Nie potrzebuję teraz dziewczyny, bo mam za mało czasu, by tracić go na głupoty. Muszę czytać, badać, rozwijać się...

– Ale kiedyś pewnie zechcesz założyć rodzinę. Albo przynajmniej zażyć trochę seksu. Chłopcy w twoim wieku myślą o seksie. Ja w każdym razie tak miałem...

– Oczywiście, czasem myślę i o takich sprawach. Ale wszystko mam już zaplanowane. Jak będę miał dwadzieścia trzy lata, pójdę na wydział historii, znajdę stołówkę, dosiądę się do stolika, przy którym będą jadły studentki czwartego i piątego roku. Zagaję rozmowę, oczaruję je swoją wiedzą, a tę najbardziej oczarowaną zaproszę do siebie, uwiodę, zwyobracam, a jak zajdzie w ciążę, będzie musiała za mnie wyjść. W ten sposób będę miał żonę podzielającą moje historyczne pasje. I od razu dzieci jako bonus.

Spojrzałem na niego spod oka. Cholera, wyglądało na to, że dzieciak gada te idiotyzmy zupełnie poważnie. W każdym razie taką minę przekazywała kamerka.

– Nie chcę rozwiewać twoich złudzeń, ale lepiej od razu idź naprzeciwko do barku, na archeologię – mruknąłem.

– A po co? – Łypnął okiem.

– Bo w budynku historii nie ma stołówki.

– Spoko, zanim będę w odpowiednim wieku, mogą już uruchomić – zbagatelizował. – Albo wyśledzę, gdzie chodzą. Jak myślisz, czy niestudenci mogą jechać na objazd naukowy?

– Nie wiem. Ale chyba nie...

– No nic, jakoś się wkręcę w środowisko. Tyle przeczytałem o szpiegach, na pewno znajdę sposób. Swoją drogą, aż trochę szkoda, że my dwaj jesteśmy hetero. Bo zainteresowania mamy zbieżne...

– Yhm – wolałem na wszelki wypadek zmienić temat. Z drugiej strony, pomyślałem, może to i nie taki głupi pomysł z tym podrywaniem dziewczyn w stołówce instytutu? Bo dalsze romansowanie z Martą chyba mija się z celem... Tylko że jestem z nią, do cholery, zaręczony.

– Dobra, co konkretnie potrzebujesz wiedzieć? – głos chłopaka sprowadził mnie na ziemię. – Zostawiłeś wiadomość, że masz pytanko...

– Trzeba zidentyfikować jednego człowieka. Profesor, Rosjanin, poległ na wschód od Włodawy. Siwy, więc w czterdziestym czwartym miał co najmniej czterdzieści lat. Mógł siedzieć w łagrze, to znaczy z jakiegoś powodu siedział, a potem wypuścili go, czyli skierowali prosto na front. Pod szkopskie kule.

– Jakiej specjalności?

– Historyk, archeolog, numizmatyk, orientalista... Chyba ktoś taki. Została po nim ciekawa ikona i naszyjnik ze starych greckich monet. Niestety, jeśli towarzyszyły temu jakieś notatki, to nasze chłopstwo puściło je z dymem.

– Nikogo takiego nie kojarzę, ale mniej więcej wiem, gdzie sprawdzić.

Rozłączył się. Adelajda ugotowała ryż, a potem, korzystając ze starej stępy, ubiła go na kluchowate ciasto. Wyrobiła je na placuszki. Suszone grzyby namoczyła w mleku. Danie było zaskakujące w smaku, ale przepyszne.

– To taka mieszanka kuchni staropolskiej z dalekowschodnią – powiedziała. – Napiszę kiedyś książkę, mam nawet tytuł: „O kulinariach zderzenia kultur".

– Mnie się kiedyś przyśniła potrawa – uśmiechnąłem się. – Wyobraź sobie pierogi ruskie z sosem do potraw chińskich.

– I jak smakowało?

– A skąd wiesz, że sprawdziłem?

– Ja bym sprawdziła...

– Niestety, sos całkowicie zagłuszył smak pierogów – wyjaśniłem. – Może trzeba było go trochę rozcieńczyć albo mocniej doprawić farsz? Sam nie wiem.

Zapikał komunikator. Usiadłem do kompa. Znowu Arek na linii. Widocznie już coś znalazł.

– Słuchaj, mam chyba twojego profesora – powiedział. – To znaczy tak mi się wydaje. Z kilku typowanych jeden pasuje po prostu jak ulał. Igor Wsiewołodowicz Ozierski. Orientalista, historyk sztuki prawosławnej. Wydał ponad osiemdziesiąt poważnych publikacji naukowych. Krytykował prace o konserwacji ikon autorstwa jakiegoś Riabuszyńskiego. Jego stryj był przełożonym jednego z klasztorów na Sołowkach.

– Chyba dobry trop...

– Stryja komuniści rozwalili jeszcze w tysiąc dziewięćset dwudziestym ósmym, nasz profesor dotrwał do trzydziestego siódmego. Aresztowany za klerykalizm, trockizm, sabotowanie reformy rolnej, szpiegostwo na rzecz USA, Trzeciej Rzeszy, Polski i Urugwaju. Do tego udowodniono mu sabotaż, przygotowywanie zamachu terrorystycznego na kierownictwo Wielkiej Komunistycznej Partii i gromadzenie kruszcu w postaci kolekcji srebrnych antycznych monet. Wyrok jak na tamte czasy zaskakująco łagodny, tylko dwanaście lat.

– Z tego bełkotu można odsiać dwa konkrety – mruknąłem. – Kontakty z cerkwią i kolekcjonowanie antycznych monet. Reszta to takie rytualne zarzuty, które NKWD w czasie wielkiej czystki stawiało każdemu, kogo chciało rozwalić albo posadzić na dłużej.

– Też tak sądzę. W każdym razie po wybuchu wojny z Niemcami został zwolniony z łagru i skierowany do batalionu karnego. Po dwóch latach, w uznaniu dla czynów bojowych, częściowo uniewinniony i przeniesiony do normalnych jednostek liniowych. Poległ pod Włodawą, ale nie podali gdzie. Zrehabilitowany pośmiertnie na fali odwilży. Zrobiono też reedycję jego najważniejszych prac, bo oczywiście wcześniejsze wydania usunięto z bibliotek.

– Jesteś geniuszem! – pochwaliłem.

– Po prostu wiem, gdzie i jak szukać. I rosyjskiego się wyuczyłem, choć mamusia twierdziła, że w obecnych czasach już nie warto. A przydaje mi się co i rusz! O, widzę, że już poszedłeś za moją radą i zakumplowałeś się z ładniutką harcereczką. – Puścił do mnie oko. – Szybki jesteś.

Co on, u licha... A tak, kamera złapała Adelajdę zbierającą naczynia ze stołu.

– To wnuczka sąsiada – wyjaśniłem.

– I nie jestem harcerką – dodała dziewczyna.

– Ale młoda jeszcze, to może zdąży się zapisać? Tam chyba przyjmują licealistki? Poza tym, co z tego, że od sąsiada? Nawet lepiej, bo nie musisz zdzierać zelówek, biegając po mieście. I zawsze wiesz, czy to porządni, dobrzy ludzie, bo trzy pokolenia rodu obserwujesz – wymądrzał się. – No nic, daj proszę znać, czy informacje przydały się do czegoś. Wracam czytać.

– Dziękuję serdecznie za pomoc. – Rozłączyłem się.

– Ten pański konsultant to jakiś dzieciak? – zauważyła.

– No nie taki znowu dzieciak, ma już ze dwadzieścia lat – wyjaśniłem. – Ważne, że to pasjonat o fenomenalnej pamięci. Czasem korzystam z jego pomocy, a opłacam się książkami do jego biblioteczki. Przyjemne z pożytecznym można powiedzieć.

Koty zaległy na wolnym fotelu.

– Tak miałam zapytać – mruknęła Adelajda, zezując na mój plecak wiszący koło drzwi. – Dlaczego krzyż harcerski ma pan przyszyty dratwą na klapie?

– Bo śrubkę rdza zjadła. – Wzruszyłem ramionami. – Muszę kiedyś dolutować nową.

– Ale to się nosi na piersi...

– Harcerze noszą na piersi – wyjaśniłem. – Ale ja nie mam prawa. Nigdy nie byłem w harcerstwie.

– To po co nosi pan na plecaku? – zdumiała się. – Po co w ogóle pan to nosi?

– Jestem tak jakby harcerzem, wierzącym, choć niepraktykującym. To znaczy doceniam ogromne zasługi tej organizacji, jej pracę wychowawczą, krzewienie patriotyzmu, kult zaradności i sprawności fizycznej. Poza tym to musi być fajne – wędrówki, obozy, namioty, ogniska w lesie. Wielkie przeżycie dla tysięcy dzieciaków. Ale jakoś nigdy nie zapałałem chęcią, by się do nich zapisać – wyjaśniłem z pewnym zażenowaniem. – Znalazłem ten krzyż przypadkiem w miejscu, gdzie przez wiele lat była letnia stanica harcerska. Ten egzemplarz jest bardzo nietypowy. Wieniec wokoło powinien składać się z gałązki liści dębowych i drugiej z liśćmi laurowymi.

– Tu po obu stronach są liście dębowe, w dodatku zaznaczono wśród nich żołędzie. – Oglądała odznakę, zaciekawiona. – Strasznie delikatna i precyzyjna robota. Dlaczego tak go wykonali?

– Robota grawera, powstał w pierwszych latach istnienia ruchu harcerskiego, w czasach, gdy wzór nie był jeszcze ostatecznie ustalony. Stanica działała jednak w tamtych lasach dopiero w latach sześćdziesiątych. Lilijka jest, jak widzisz, mocno starta, także numer wybity od spodu ledwo dawał się odczytać. Metal całe lata stykał się z szorstkim płótnem munduru. Wydedukowałem z tego, że zgubił go albo stary instruktor, albo harcerz, który nosił krzyż odziedziczony po jakimś krewnym. Miałem z nim trochę roboty, wybito go w srebrze, ale stop jest marny.

– Nie mogło być czyste srebro, bo jest za miękkie? – wydedukowała.

– Zgadłaś. W każdym razie powierzchnię metalu trochę nadgryzła korozja, ale usunąłem ją, posrebrzyłem elektrolitycznie, co pozwoliło ukryć wżery, wypolerowałem i położyłem oksydę, uzyskując prawie pierwotny stan. W każdym razie ten kawałek blaszki ma za sobą wiele letnich eskapad pod namiot, dziesiątki wieczorów spędzonych przy ognisku. Było mi jakoś żal trzymać go w szufladzie. Niech jeszcze zobaczy kawałek świata...

– Przepraszam, zagaduję, a pan ma swoją pracę...

– Nic nie szkodzi. Zresztą, hmm... Jeśli chcesz posłuchać, co robię...

– Zawsze!

– Kupiłem od chłopa ikonę – wyjaśniłem. – Z pozoru nie była wiele warta, w zasadzie zabrałem ją tylko po to, żeby jej nie wpakował do pieca, ale...

Zreferowałem jej wyniki dotychczasowych prac konserwacyjnych, pokazałem naszyjnik wyciągnięty z wydrążonej skrytki i odsłonięty obraz.

– Niesamowite – przyznała.

– Zorientowałem się, że stoję u progu wielkiej tajemnicy, jednak tylko domyślałem się, o co chodzi. Nie miałem mocnego punktu zaczepienia, ale gdy informacje uzyskane z oględzin obrazu połączy się z tym, co wiem o jego ostatnim właścicielu, profesorze Ozierskim, wszystko zaczyna układać się w spójną całość – powiedziałem. – Jego stryj był mnichem. Buszując w klasztornych archiwach, dokonuje ważnego odkrycia. Być może znajduje tę ikonę i poznaje jej tajemnicę? A może rozumie wagę przesłania, ale nie jest w stanie złamać szyfru? Prosi o pomoc uczonego bratanka. Potem zostaje rozstrzelany. Profesor, jak to bywało w tamtych czasach w Sowietach, nie może z odkrycia skorzystać ani opuścić swojego kraju. Nie jest w stanie przedstawić go światu. Niebawem sam trafia w tryby piekielnej machiny NKWD. Rusza na front, zabierając ze sobą ikonę. Ryzyko potworne, ale widocznie nie miał komu jej zostawić. Może nawet planował zdezerterować? Choć moim zdaniem bardziej prawdopodobny jest inny wariant. Wiedział, że uderzenie na Trzecią Rzeszę idzie koncentrycznie, więc zapewne liczył, że po zakończeniu wojny przedrze się na zachód. Do Amerykanów, Francuzów czy Anglików. Ale poległ.

– To brzmi całkiem prawdopodobnie. – Skinęła rudą główką.

Kociska też miały miny, jakby przyznawały mi rację.

– Nie wiadomo, czy nasz poległy poprzednik zdołał rozwikłać tę tajemnicę, ale podejrzewam, że mogło tak być – rozważałem. – Szkoda, że nie zachowały się żadne jego notatki.

– Wypuszczony z łagru i posłany na front raczej nie zapisywałby informacji, które mogą naprowadzić na trop kogoś obcego – zauważyła. – Ciekawi mnie raczej, jak odzyskał ikonę. Bo przecież nie miał szansy przemycić jej do więzienia, a potem do łagru.

– On był z Kijowa. Aresztowano go przed wojną. Mógł zostawić obraz na przechowanie u jakiegoś znajomego, albo może w skrytce. Gdy Armia Czerwona odbiła jego rodzinne miasto, mógł pod jakimś pozorem uzyskać przepustkę na kilka godzin, pobiec na stare śmieci i ją odzyskać.

– Tylko że gdyby była ukryta w jakimś sprytnym schowku, wtedy z jej wyciągnięciem poczekałby raczej na koniec wojny – zastanawiała się głośno.

– Chyba że nie planował już nigdy wracać do domu – odbiłem piłeczkę. – W każdym razie z jakiegoś powodu miał ją przy sobie, gdy dosięgła go kula.

– Jak pan sądzi, dlaczego ta ikona była tak bardzo ważna?

– Bo może skrywać naprawdę wielką tajemnicę. Komuś bardzo zależało na ukryciu tego naszyjnika. Ktoś kolejny dołożył starań, by ta ikona zniknęła. By rozpłynęła się wśród setek typowych obrazów. By można ją było przekazywać z rąk do rąk, nie budząc podejrzeń. Mam przypuszczenie, o co chodzi, ale jest ono zgoła fantastyczne – westchnąłem.

– Nie będę się śmiała! – obiecała.

– W Konstantynopolu przechowywano przez niemal tysiąc lat jedną z najważniejszych relikwii chrześcijaństwa. Tak zwany maforion, czyli szal, a może raczej welon Matki Bożej. W Bizancjum noszono takie jakby chusty, zakładane były na głowę i spływały aż do stóp...

– Chyba wiem, o co chodzi, na świętych obrazach takie malują. – Kiwnęła głową.

– Po upadku Konstantynopola muzułmanie obrabowali i spalili kościół pod wezwaniem Najświętszej Marii Panny w dzielnicy Blacherne. Wtedy przepadły relikwie w nim przechowywane. Maforion, fragmenty pasa należącego do Maryi oraz jej portret namalowany przez Łukasza Ewangelistę ponoć na blacie stołu, przy którym jadała. Na szczęście inny fragment tego pasa jest przechowywany na świętej górze Atos.

– Słyszałam, to ten półwysep w Grecji, gdzie od półtora tysiąca lat nie wpuszczono żadnej kobiety.

– No właśnie. Jest tam kilkadziesiąt prawosławnych klasztorów i jeszcze samotnie dla pustelników. Co do obrazu na blacie stolika, istniała legenda, że trafił do Częstochowy i obecnie znany jest jako obraz Matki Boskiej Częstochowskiej, ale badania naukowe, niestety, wykluczyły tę ciekawą teorię.

– Rozumiem. Czyli przechowywano je, a potem przepadły. Dlaczego sądzi pan, że to może być trop?

– Pomyśl sama, co robią ludzie, gdy ich miasto pada ofiarą najazdu – powiedziałem.

– Konstantynopol był oblężony przez dłuższy czas... To znaczy oblegano go kilka razy, a za ostatnim po długotrwałym szturmie zdołano zdobyć.

– Dokładnie rzecz ujmując, muzułmanie szturmowali miasto prawie dwa miesiące – uzupełniłem. – Ale liczono na odsiecz Wenecjan.

– Myślę, że co światlejsi mieszkańcy wiedzieli, że to już koniec. Odsiecz mogła oddalić zgubę o kilka lat. Może kilkadziesiąt, ale wielkie miasto, będące stolicą nieistniejącego już cesarstwa, nie mogło długo przetrwać pozbawione choćby ziem uprawnych, zapewniających żywność mieszkańcom – rozważała. – W tej sytuacji zapewne liczono się z przegraną. Jeśli sądzili, że miasto upadnie, czekało ich to, co zawsze dzieje się w podobnych przypadkach. Armia najeźdźców po zdobyciu długo bronionej twierdzy z reguły zajmuje się mordowaniem mieszkańców, plądrowaniem, torturami, gwałtami, rabunkiem i zniszczeniem... Zatem rzeczy cenne próbowano ukryć lub ewakuować.

– Myślę podobnie. Dlatego też przypuszczam, że niektóre szczególnie ważne skarby i relikwie chciano ocalić. Opiekujący się nimi mnisi i duchowni mogli je zakopywać, zamurowywać lub w miarę możliwości potajemnie ekspediować poza Konstantynopol. I wreszcie nadeszła tragiczna noc ostatniego szturmu. Wiadomość, że muzułmanie są już w mieście, z pewnością wywołała panikę, ale czy nie znalazł się nikt, kto byłby gotów ratować to, co najcenniejsze, nawet ryzykując życie?

– Zatem fakt, że kościół spalono, nie oznacza jeszcze, że maforion uległ zniszczeniu?

– Moim zdaniem, nie należy tego zakładać. Ale nie pojawił się nigdzie później, zatem od tamtej pory albo spoczywa w skrytce, albo przekazuje go sobie grupa wtajemniczonych strażników, co wydaje się mniej prawdopodobne. A mogło być i tak, że ktoś po latach poznał sekret miejsca ukrycia i zachował go dla potomnych w postaci szyfru. Namalował ikonę, wydarzenie, którego nie było, i ukrył w niej naszyjnik będący swego rodzaju szyfrem.

– Nie znam się na ikonach.

– Na tej namalowano dwu świętych prawosławia, Andrzeja Jurodiwego i jego ucznia Epifaniusza. Zapewne nigdy o nich nie słyszałaś... W roku dziewięćset dziesiątym podczas jednego z oblężeń Konstantynopola ci dwaj mnisi byli świadkami objawienia. Kopuła kościoła otworzyła się, z nieba zstąpiła Maryja. Towarzyszyli Jej święty Jan Chrzciciel i Jan Apostoł. U ołtarza Matka Boska wygłosiła modlitwę polecającą opiece Chrystusa wszystkich, którzy poproszą o pomoc za Jej pośrednictwem. Następnie odleciała do nieba, na odchodnym rozpościerając maforion tak, by okrył całe miasto. Na pamiątkę prawosławni obchodzą święto opieki – Pokrowę. Wydarzenie to malowano na ikonach. Obowiązujący kanon sprawiał, że w zasadzie wszystkie są dość podobne. To ważne święto. Każdy wyznawca prawosławia natychmiast zorientuje się, jakie wydarzenie przedstawia taki obraz. A tu kanon złamano. Ci sami dwaj święci, którzy byli świadkami objawienia, trzymają maforion w postaci zwiniętej. Gotowy do ukrycia. Moim zdaniem to wskazówka.

– Malowidło ukazujące dwu mało znanych świętych, naszyjnik z monet, zaginiona relikwia... To szalenie odległe skojarzenia – powiedziała po chwili milczenia.

– Wiem. Ale zobacz tę ikonę. Przedstawia ich widzenie. Układ ten sam. Kanoniczny. Tło bardzo podobne. Też kanon przedstawienia. Tylko brak Maryi rozpościerającej welon. Jej pominięcie to nieomal bluźnierstwo. Bez ważnego, naprawdę ważnego powodu tego nie zrobiono.

– Faktycznie to niemal kopia, ale ze zmianą... A dlaczego pan sądzi, że ten naszyjnik to jakiś szyfr? I to prowadzący do miejsca ukrycia maforionu?

– Bo jest bez sensu. Albo inaczej, bo jego sens jest dla nas nieoczywisty. Ktoś go wykonał. Nie zrobił tego bez celu.

– Dla swojej dziewczyny?

– Przymierz...

Ujęła sznur monet. Zbadała jego długość.

– Sięgnąłby mi do pępka. Niby duża nie jestem, ale to musiałaby być jakaś żyrafa. No i nie ma żadnego zapięcia... Zatem chyba faktycznie nie dla dziewczyny. A może to taka ozdoba na czoło, jakie noszą Arabki? Gdyby upiąć to w czterech rzędach... Nie, to bez sensu.

– Trzydzieści jeden starych monet... – wróciłem do tematu. – Trzydzieści dość cennych greckich i jedna byle jaka rzymska. Trzydzieści niemal unikalnych i jedna pospolita do bólu... Trzydzieści w różnym stanie zachowania, jakby komuś zależało na zdobyciu kompletu określonych egzemplarzy, i jedna jak prosto spod sztancy.

– Może ktoś sobie robił ozdobę w kształcie girlandy? Planował to zawiesić na ścianie czy jakoś tak?

– To po co ukrywałby to w ikonie?

– Ozdoba ołtarza albo świętego obrazu – rzuciła kolejną hipotezę.

– Na tych monetach jest masa wizerunków pogańskich bóstw... W dodatku zwróć uwagę, że na tej rzymskiej monetce odbito maleńką puncę w kształcie krzyżyka. Chyba z jakiegoś powodu chciano ją oznaczyć. Obejrzałem to pod mikroskopem. Moneta pokryta jest cienką warstewką tlenków. Ale ścianki zagłębienia są tylko lekko utlenione. Znak wybito, gdy miała już swoje lata. Zapewne wtedy, kiedy wykonano naszyjnik.

– Jeśli ktoś poznał miejsce ukrycia maforionu, czemu bawił się w szyfrowanie informacji, zamiast go wydobyć?

– Jeśli dobrze datuję epokę powstania artefaktu, być może nie mógł. Grecja znajdowała się wówczas w tureckiej niewoli. Może nie był to dobry czas? W latach dwudziestych dziewiętnastego wieku trwała tam niewyobrażalnie krwawa wojna o niepodległość... Nie wiemy, jakie były losy tej ikony przez ponad sto lat. Aż wróciła w dłoniach profesora. I na kolejne sześćdziesiąt lat utknęła na wsi, gdzie nikt nawet nie domyślał się, jaki sekret skrywa.

– Maforion to rzeczywiście bezcenna relikwia. Tak ważny przedmiot zaginiony przed stuleciami... – rozważała. – I miałby się nagle odnaleźć?

– Nie można tego wykluczyć. Wyobraź sobie, że przed paru laty w ruinach opuszczonego od trzech wieków klasztoru na wyspie Świętego Jana opodal bułgarskiego Sozopola archeolodzy znaleźli mały sarkofag, kryjący relikwie świętego Jana Chrzciciela. Samotne wyspy i opuszczone ruiny kryją jeszcze niejedną tajemnicę. A na przykład na świętej górze Atos w jednym z klasztorów przechowywana jest zmumifikowana dłoń Marii Magdaleny. Co ciekawe, ta dłoń pozostaje zawsze ciepła...

Grudniowy wieczór przyszedł wcześnie. Śnieg walił z nieba jak szalony. Przyjemnie było siedzieć przy ciepłym kominku i patrzeć na odblask płomieni, tańczący po podłodze. Miło było posłuchać godzinnego koncertu granego na antycznych skrzypcach, a potem wyjaśniać bystrej nastolatce różne niuanse historii oraz archeologii. W samowarze szumiała woda. Pachniało węglem drzewnym i mocną, świeżo zaparzoną herbatą. W lodówce znalazłem imbir i plasterki cytrynek w miodzie. Gruba jak mech skóra renifera grzała nam bose stopy. Wspólnie grzebaliśmy w książkach w poszukiwaniu informacji o kolejnych greckich koloniach i miastach, z których pochodziły poszczególne monety. Zazwyczaj znajdowaliśmy tylko nieliczne wzmianki, ale i to wystarczało. Wyjaśniłem, dlaczego tak niewiele informacji zachowało się o mniejszych polis. Wspominałem drobne ciekawostki o ludziach, którzy chwalebnie zapisawszy się w historii swoich miast i królestw, odeszli już dziś w niepamięć.

– To nie może być szyfr. – Dziewczyna kręciła głową, po raz dziesiąty oglądając naszyjnik. – Szyfr to litery, znaki, ideogramy...

Podawałem jako kontrargument przykłady z kryptografii egipskiej, pokazywałem zdjęcia rzeźb i przedstawień posiadających ukryte znaczenie.

– Zobacz chociażby to. – Otworzyłem jej przed noskiem książkę „Święte znaki Egiptu" profesora Myśliwca. – Mamy tu przerysowany relief. Z pozoru zwykły obrazek, kilkanaście kroczących postaci. Tak na pierwszy rzut oka zwykła procesja, ale gdy przyjrzymy się bliżej, okazuje się, iż każda postać trzyma jakiś przedmiot, który zarazem można odczytać jako znak hieroglificzny.

– Sprytne – przyznała. – Ale monety naszyjnika są greckie... Sądzi pan, że jeśli na jednej jest ryba, a na drugiej żółw, to może coś znaczyć?

– Nie wiem... Jednak ten naszyjnik z pewnością posiada ukryte znaczenie. Po prostu patrzę na niego i to czuję. Więcej, ja to wiem. Nie wiem skąd. Możesz to nazwać przeczuciem, szóstym zmysłem, ale to coś więcej niż przeczucie...

Wreszcie sporządziliśmy listę z nazwami kolonii. Kilkaset liter. Co zrobić? Na początek wypisałem je jedna pod drugą. Niestety, czytane w pionowych kolumnach nie tworzyły żadnego rozpoznawalnego słowa. Żadnej nazwy. A może po prostu, nie znając greki, nie byłem w stanie takowej rozpoznać?

– A może trzeba wypisać nazwy ciągiem i odczytać tylko niektóre litery? – podsunęła. – Na przykład co dziesiątą?

– Albo co dwunastą, bo lubili operować tuzinami.

– Albo co siedemnastą, bo rzymska moneta jest siedemnasta z kolei... – rozważała.

Ułożyłem nazwy alfabetycznie, wedle kolejności liter w alfabetach greckim i łacińskim. Bez skutku. Czułem, że to nie jest właściwa droga.

– Drepczemy w miejscu – westchnąłem. – A przecież co jeden człowiek wymyślił, drugi powinien umieć odgadnąć. Może po prostu jestem za głupi?

– Proszę tak nie mówić. – Aż ją poderwało. – Jest pan jednym z najmądrzejszych facetów, jakich znam. Albo i najmądrzejszym. To ten szyfr jest piekielnie trudny.

– Yhm... A może trzeba to zapisać inaczej? Co drugi wyraz od końca? – rozważałem głośno.

– Dlaczego?

– Bo Grecy pierwotnie stosowali system zapisu zwany *bustrofedon*, czyli po naszemu „ślad orki wołem". Gdy pisząc z lewej ku prawej, dojechali do końca kartki, zawracali i kolejną linijkę pisali od prawej do lewej, na wzór bruzdy, którą zostawia zaprzęg podczas orania pola.

– A jeśli w linijce było kilka wyrazów?

– Rozpiszemy to na kilka wariantów i spróbujemy czytać pionowe kolumny. To musi mieć jakiś sens. Może nie uda się rozszyfrować tego dziś. Może przyjdzie mi obracać rzecz w głowie kilka tygodni albo miesięcy. Ale poradzimy sobie z tym.

– Podchodzi pan do sprawy strasznie ambicjonalnie...

– Mój przodek w czasie powstania styczniowego łamał carskie szyfrowane wiadomości nadawane telegrafem. – Puściłem do niej oko. – Nie chcę okazać się gorszy!

Mordowałem się godzina po godzinie. Zbitki wychodziły wybitnie dziwne. Próbowałem sprawdzać w słowniku te najbardziej podobne do słów, ale nie osiągnąłem kompletnie nic. Adelajda zrobiła kolację – plastry bakłażana zapiekane z masłem i serem. Znów zderzenie kultur, bo do gruzińskiej potrawy użyła polskiego oscypka.

– A gdyby tak... – zadumałem się.

Wyciągnąłem z półki atlas historyczny i otworzyłem go na stronie przedstawiającej archipelag wysp greckich.

– Ma pan jakiś nowy pomysł? – zaciekawiła się.

– Tak. Skoro żonglowanie nazwami nic nie daje, może warto popatrzeć, czy zaznaczając te kolonie na mapie i łącząc liniami, nie uzyskamy jakiegoś ideogramu albo może czegoś podobnego... Ewentualnie czy linie łączące ośrodki nie przetną się w jakimś punkcie.

Ująłem ołówek. Zaznaczałem może pięć minut. Każda kolejna kropka utwierdzała mnie w przekonaniu, że wreszcie złapałem dobry trop.

– O rany! To przecież jest jakaś trasa! Może morski szlak handlowy. – Adelajda aż się poderwała. – Dokąd prowadzi?

– Z Larisy do Miletu. – Postawiłem ostatnie kółko. – Albo z Miletu do Larisy. Zależy, jak patrzeć. Czyli nie jest to szyfr, ale rodzaj mapy – rozważałem głośno.

– Mapy?

– Na przykład ludy syberyjskie, a także Lapończycy i Eskimosi mieli naszyjniki z kości lub drewienek, z zaznaczonymi charakterystycznymi punktami swoich szlaków. Taki środek mnemotechniczny, żeby się nie pogubić i wiedzieć, w które rozwidlenie ścieżki skręcić.

– A starożytni Grecy też tego używali, czy może znali już mapy takie jak nasze? – zaciekawiła się.

– Raczej operowali tak zwanymi periplusami, czyli rękopisami wyliczającymi charakterystyczne miejsca wybrzeża i podającymi odległości, które je dzielą.

– To by pasowało! – zapaliła się. – Może jak policzymy ogniwa łańcuszka...

– To nam chyba nic nie da, bo czasem są cztery, czasem pięć lub sześć... Nie pasuje do odległości na mapie. Wydaje mi się, że nie tędy droga. Jak sądzę, ten naszyjnik wykonano znacznie później. Bliżej naszych czasów. Jeśli dotyczy maforionu, to sporządzono go najwcześniej w piętnastym wieku, ale podejrzewam że w ogóle powstał w osiemnastym lub dziewiętnastym, gdy intensywnie rozwijał się ruch kolekcjonerski, a co za tym idzie stosunkowo łatwo było zdobyć monety konkretnych polis i posiadano już wiedzę pozwalającą dość precyzyjnie je datować i identyfikować. Ten szyfr, moim zdaniem, odnosi się do map takich, jakie znamy.

– Trzeba jechać do Miletu i tam szukać. A jak się nie uda, to na drugim końcu. Ale jak? Gdzie może być ta skrytka?

– Tu chyba nie o to chodzi – mruknąłem. – Kluczowe znaczenie ma zapewne moneta niepasująca do zestawu. Rzymska... Obcy element. Dysonans. Detal, którego jedynym zadaniem jest przykuć naszą uwagę. Nakierować nas na rozwiązanie zagadki.

– Rzym jest poza mapą. A może oryginalna moneta wypadła z naszyjnika i ktoś uzupełnił ją inną? Też starożytną, ale... – urwała zamyślona.

– Raczej nie. – Pokręciłem głową. – Zobacz, jak starannie wszystkie zostały zakute. Tu nic nie mogło się obluzować czy wypaść z obejmy, a gdyby monetę usunięto siłą i podmieniono, byłyby wyraźne ślady tej operacji. Myślę raczej, że znalazła się tu od razu i nieprzypadkowo. Poza tym umieszczono ją rewersem do wierzchu, odwrotnie niż wszystkie pozostałe.

Pochyliłem się nad mapą. Po raz kolejny dotykałem końcem ołówka poszczególnych miast i wysp. Układały się w długą krzywą linię. Czułem, że dotknąłem jakoś myśli twórcy naszyjnika. Mój umysł poszedł tą samą ścieżką, którą kiedyś kroczył on. Jeszcze chwila, a odkryję, co chciał nam przekazać...

– Ależ to oczywiste! – szepnąłem. – Popatrz tu, na domniemanym szlaku pomiędzy wyspami Amorgos i Patmos jest jeszcze jedna mała wyspa. Kinaros.

– Czy biła własne monety?

Siadłem do komputera. Znalezienie informacji zajęło mi trzy minuty.

– Tak. Choć był to maleńki ośrodek, miasteczko rybackie liczące kilkuset mieszkańców, przez około sto lat sporadycznie emitowali własną walutę. Jednak zamiast ich monety umieszczono pieniążek rzymski. W dodatku raczej nikłej wartości materialnej i historycznej... Hmm... a gdyby odczytać to dosłownie? Zobacz, na rewersie przedstawiono świątynię. A właśnie rewersem do góry umieszczono go w naszyjniku. Moneta ma aż cztery cechy, które wyróżniają ją z zestawu. Jeśli ktoś się na tym nie zna, nawet nie zwróci uwagi. Ale dla fachowca to jak głośny krzyk: „Tu się coś nie zgadza". Pochodzi z innej epoki, z innego kręgu kulturowego, umieszczono ją odwrotnie niż wszystkie i została napuncowana.

– Coś ukryto w świątyni na tej właśnie wyspie? – rzuciła propozycję.

– Domyślam się nawet, gdzie szukać. Zobacz, że właśnie obok jednej z kolumn wybito malutką puncę w kształcie krzyża... Tylko najpierw sprawdźmy, czy w ogóle jest tam jakaś świątynia! – zreflektowałem się.

Wpisałem nazwę i kazałem komputerowi wyświetlić dostępne ilustracje. Rzeczywiście, starożytni Grecy wznieśli na wyspie niewielką świątynię ku czci Artemidy. W późniejszych czasach przejściowo użytkowali ją chrześcijanie, potem – gdy Grecję zajęli Turcy – ludność wyspy częściowo wymordowano, niedobitki sprzedano w niewolę, a starożytna budowla ostatecznie popadła w ruinę.

Świątynia miała od frontu sześć kolumn, dokładnie tyle, ile na monecie. Znalazłem w necie dobrej jakości skan sztychu z roku 1843. Na drugiej kolumnie od lewej wykuto w kamieniu znak krzyża. To też się zgadzało. Spojrzałem na Adelajdę i uśmiechnąłem się. Oczy miała jak spodki.

– Jest pan geniuszem! – szepnęła. – Takim geniuszem, że Einstein mógłby za panem co najwyżej teczkę nosić!

Patrzyła z bałwochwalczym uwielbieniem. Nawet koty zamruczały i obserwowały mnie z ciepłą aprobatą. Poczułem się strasznie głupio. By pokryć zmieszanie, odwróciłem się i dosypałem do paleniska samowara kilka kawałków węgla.

– Dużo nam to niestety nie da – mruknąłem, przeszukując sieć. – Świątynia Artemidy, wzniesiona w drugim wieku przed naszą erą, została nieznacznie przebudowana w średniowieczu, gdy ulokowano w niej kościół. Niestety, w roku tysiąc osiemset siedemdziesiątym drugim nastąpiło katastrofalne trzęsienie ziemi, po którym do morza osunął się cały wapienny klif. Z ruin pozostała tylko tylna ściana... – Wyświetliłem współczesne zdjęcie. – Obecnie wyspę zamieszkuje zaledwie garstka osób.

– Czyli?

– Przepadło... Ale i tak trzeba tam będzie latem pojechać. Rozejrzę się. Może kolumny leżą w wodzie? Może nie wszystko stracone? Za wcześnie, by sobie odpuścić. Jeśli na przykład zalutowano relikwię w pojemniku z miedzi albo brązu i zamurowano w podstawie kolumny, nadal mamy szansę. Potrzebny jest zatem sprzęt do nurkowania i wodoodporny wykrywacz metali.

– Pan nigdy się nie poddaje?

– Staram się zawsze wyjaśnić rzecz do końca... Jak twój dziadek. Pamiętasz, ile lat próbował naprawić swoje rozbite skrzypce? I w końcu mu się udało.

– Gram na nich od kilku miesięcy – potwierdziła. – Doskonały instrument.

– Zatem rozumiesz też mnie.

Pomyślałem, że na poszukiwania fajnie byłoby zabrać dziewczynę. Obiad by ugotowała... I wieczorem mogłaby na skrzypcach zagrać. Ciekawe, czy umie nurkować. A nawet jak nie umie, co z tego? Przecież może grzebać wśród kamieni albo brodzić w płytkiej wodzie przy brzegu. W kostiumie kąpielowym też pewnie ładnie wygląda... Zgrabna, gibka wiewióreczka. Coś głucho stuknęło. To Pożoga wstała z legowiska i gniewnie uderzyła ogonem o oparcie fotela. Pazury też pokazała.

Dobra, dobra, pytania nie było, powiedziałem w myślach, patrząc kotce w oczy.

Uspokoiła się i znów zwinęła w kłębek, ale dalej łypała na mnie podejrzliwie i jakby z naganą. Spojrzałem w okno. Nadal cicho padał śnieg. Zegar wybił dwa razy.

– Druga w nocy – mruknąłem. – O tej porze dzieci powinny już dawno spać!

– Nie jestem dzieckiem, tylko, eee... podlotkiem – przekomarzała się Adelajda.

– Sio do sypialni, bo złamię ustawę o przemocy i dostaniesz klapsa. – Władczym gestem wskazałem jej drzwi.

– To jest ustawa o przemocy w rodzinie – przekomarzała się. – A my nie jesteśmy spokrewnieni.

– Mieszkańcy kamienicy są jak jedna rodzina!

Tupnęła przekornie, ale też była zmęczona, więc po chwili powędrowała do sypialni. W drzwiach obejrzała się jeszcze.

– Dziękuję.

Uniosłem pytająco brwi.

– Nigdy nie przeżyłam tak niezwykłej nocy... – bąknęła.

– Ja chyba też nie. – Rozłożyłem ręce.

Zgasiłem górne światło, zapaliłem mniejszą lampkę. Wepchnąłem w palenisko grube polano, które powinno się palić do samego rana. Pociągnąłem łyk zimnej, gorzkiej herbaty. Rozwikłałem zagadkę. Przez ostatnie dwadzieścia cztery godziny byłem jak w gorączce. Teraz umysł przeskoczył na jałowy bieg. Westchnąłem ciężko. Potrzebowałem nowych wyzwań, paliwa... Siadłem w fotelu przed kominkiem i rozłożyłem na kolanach monografię naukową. Poczytam jeszcze choć ze dwadzieścia minut. A rano trzeba się zabrać do konserwacji ikony.

*

Budzik poderwał mnie punkt siódma. Na zewnątrz było dwanaście stopni mrozu. Cudowna pogoda, jeśli można oglądać świat przez trzyszybowe okno. Najlepiej z kominkiem za plecami. Przez noc napadało jeszcze trochę śniegu. Trzeba będzie sprawdzić, czy cieć z sąsiedniej kamieniczki pamiętał, by oczyścić też nasz kawałek chodnika. Rozdmuchałem żar w palenisku. Dołożyłem drewna. Przez chwilę patrzyłem w tańczące płomienie. Wracało wspomnienie miło spędzonego wieczoru. Zagadka, wiewióreczka, herbata... Umyłem się, ubrałem, wypiłem filiżankę kawy i byłem gotów do pracy.

Ikona z pewnością leżała za szafą długie lata. Korniki nieco nadgryzły drewno, ale to był w sumie najmniejszy kłopot. Przed niemal dwustu laty lipową deskę pokryto wapiennym podkładem i na tej warstwie położono złocenia oraz używając tempery, namalowano scenę. Niestety, podkład odspoił się w kilku miejscach od podłoża. Należało go delikatnie podkleić, a dopiero potem zająć się dalszą konserwacją zabytku.

Wyciągnąłem pudełko, w którym trzymałem odpryski rybnego kleju kazeinowego, obdłubane kiedyś z resztek przedwojennej walizy. Lepszy oczywiście byłby carski, ale takiego nie udało mi się zdobyć. Nie chciałem używać współczesnego. Ten był przynajmniej w połowie odpowiednio stary. Zalałem kawałki odrobiną wrzątku i mieszałem, patrząc, jak powolutku się rozpuszczają. Naszykowałem pędzelek, strzykawkę i igłę. Zamierzałem wpuszczać po odrobinie klej przez pęknięcia szpecące powierzchnię malarską. Resztą planowałem przykleić chromolitografię do nowej deski. Cud rozmnożenia. Kupiłem jedną ikonę i zrobiłem z niej dwie. Najpierw jednak roztwór powinien wystygnąć. Czyli miałem jakieś pół godziny. Przed chwilą zegar wybił ósmą rano, powinienem zdążyć wyskoczyć do sklepu po coś na śniadanie. Łuna wyszła przez uchylone drzwi sypialni i przyglądała się ciekawie, co robię.

– Co najchętniej jadają wiewiórki? – zapytałem kotkę.

– Miau – padła godna odpowiedź.

– Pieczywo, wędlina, jogurt owocowy, w sumie masz rację, orzeszki też możemy kupić. – Nie widziałem powodu, by się z nią spierać. – Dla ciebie pewnie mleko? Może być dwuprocentowe jak wczoraj czy skoczyć po mocniejsze?

– Miau – zwierzę zgodziło się łaskawie na to, które miałem w lodówce.

– To może jeszcze podejdę do cukierni po kawałek sernika? Wasza pani lubi sernik?

– Miau. – Nie do końca ją rozumiałem, ale zabrzmiało to jak potwierdzenie.

– Wybacz głupie pytanie, kto by nie lubił sernika... A dla skrzypiec znajdzie się ircha, wosk i kawałek kalafonii. Jak śniadanie, to śniadanie. Wszyscy są zaproszeni.

– Miau... – chyba wyraziła uznanie dla mojej gościnności.

Pukanie wyrwało mnie z zadumy. Listonosz? Zamawiałem niedawno olejek migdałowy, widocznie już przysłali. Podszedłem do drzwi, przekręciłem klucz w zamku i otworzyłem. Na podeście stała... Marta. Wyglądała ślicznie z policzkami zaróżowionymi od mrozu i płatkami szronu na brwiach.

– Postanowiłam dać ci jeszcze jedną szansę – powiedziała i bez powitań wparowała do środka.

Miałem na końcu języka pytanie, o jakiej szansie mówi, ale jakiś wewnętrzny głos podpowiedział mi, żeby raczej poczekać, aż sama wyjaśni.

– Cieszę się, że cię widzę... – bąknąłem.

Zdjęła czapkę z lisa. Odwiesiła futerko na wieszak. Miała na sobie białą bluzkę, elegancki żakiet i odprasowaną spódnicę. Wyglądała strasznie oficjalnie. Wpadła z wizytą w drodze do pracy czy jak?

– Wejdź proszę – zaprosiłem ją do saloniku. – Napijesz się kawy albo herbaty? Wyobraź sobie, że zdobyłem prawdziwą gruzińską...

– Kawę już dziś piłam. Masz wodę mineralną? Niegazowaną...

Poszedłem do kuchni. Z lodówki wyjąłem talerz z bajaderkami. Wystygniętą wczorajszą wodę z samowara przelałem do szklanego dzbanka. Bielony cyną zbiornik świetnie strącił chlorki, nadając podłej warszawskiej kranówie niemal źródlaną świeżość. Z kredensu wyjąłem talerzyki i widelczyki oraz przedwojenne szklanki z kolorowego szkła. Rozstawiłem to wszystko na stoliku. Na szczęście obrus był czysty.

– Musimy poważnie porozmawiać – oświadczyła pani akustyk, sadowiąc się wygodnie w fotelu.

– Aha – przytaknąłem bez przekonania i też siadłem.

Pewnie chce mnie przeprosić za poszczucie policją, domyśliłem się. Ale ananasa nie przyniosła, więc pewnie zaprosi i zjemy go wieczorem.

Spojrzałem na zegar. Jeśli moje obliczenia były prawidłowe, miałem na tę rozmowę dwadzieścia trzy minuty. Potem klej trzeba będzie wymieszać i zużyć. Liczyłem, że podklejenie odspojeń zajmie mi nie więcej niż godzinę. Przyklejenie obrazka do deski może pięć minut... A potem lecę po zakupy.

– Ty mnie w ogóle słuchasz? – fuknęła.

– Oczywiście. – Z niejakim wysiłkiem zogniskowałem wzrok na jej twarzy. Kolczyki w uszach miała jakieś dziwne.

Jakby dzieciak próbował podrobić szkło weneckie, używając kolorowego plastiku i żywicy jubilerskiej, oceniłem. A przecież dałem jej kiedyś porządne, międzywojenny filigran...

– Słuchasz? – upewniła się.

– No przecież – zaczynałem się irytować.

Nie lubiłem, gdy zaczynała ze mną „poważnie" rozmawiać. Z reguły strasznie przynudzała albo wygadywała jakieś głupoty.

– Rozmówiłam się wczoraj po południu z moim ojcem i w zasadzie doszliśmy do porozumienia. Jesteś bystry, masz dar do gadania z ludźmi. Ojciec też cię lubi – zawiesiła głos, chyba czekając, aż coś powiem.

– Aha – przytaknąłem. – To bardzo miło z jego strony – dodałem.

Problem w tym, że ja nie lubiłem jego. Obmierzły nowobogacki typek w garniturze od Armaniego, zainteresowany chyba tylko zarabianiem pieniędzy. Spotkałem go parę razy, ale pogadać się nie dało. Po prostu nie znajdowaliśmy wspólnych tematów. Nie znał się na malarstwie braci Gierymskich ani na sygnaturach osiemnastowiecznych instrumentów muzycznych, a gdy kiedyś zreferowałem mu wyniki mojego śledztwa dotyczącego zaginionych rysunków projektowych samochodu CWS 1928, tylko wybałuszał ślepie i ziewał.

– No i czego tak milczysz? – Chyba się wkurzyła.

– Mów, proszę – bąknąłem. – Ja cały czas uważnie słucham.

– No więc mój ojciec postanowił, że da ci etat. W poniedziałek otwieramy nasz szósty sklep, tym razem w galerii handlowej na Ochocie. Markowe zegarki, designerska męska biżuteria, skórzane portfele, teczki i tego typu rzeczy dla cholernie bogatych japiszonów. I jesteś u nas zatrudniony. A za pół roku – ściszyła głos – jest szansa, że otworzymy jeszcze dwa.

– Dwa kolejne sklepy dla cholernie bogatych japiszonów. – Widząc, że patrzy na mnie, wolałem potwierdzić, że słuchałem jej monologu.

– Przez te sześć miesięcy poznasz asortyment, załapiesz, jakie są trendy, jak się przyłożysz do roboty, możesz zostać kierownikiem tego nowo otwartego. Będziesz miał normalną etatową robotę za sensowne pieniądze, bez konieczności babrania się w jakichś odpadkach. – Wskazała gestem stolik w kącie, zawalony przedmiotami czekającymi w kolejce do konserwacji.

– To bardzo interesująca propozycja – zacząłem ostrożnie.

– Lepszej już w życiu nie dostaniesz. No to zbieraj się. Jedziemy. – Zabrzęczała kluczykami od auta. – Kupimy ci na początek porządny garnitur i koszule. Będą ci potrzebne w pracy. A, i jeszcze normalne buty, bo te zelowane mokasyny z chwościkami, które nosisz, wyszły z mody dwadzieścia lat temu. Krawat dostaniesz firmowy. A po południu jest szkolenie dla nowych pracowników. Potem możemy skoczyć razem na jakiś obiad albo na kawę.

– Ale ja przecież mam pracę... – zaprotestowałem nieśmiało.

– Nie pieprz głupot! – Chyba kolejny raz się zirytowała. – Co to niby za praca? Wędrowny skup rupieci...

– Z tego żyję.

– Kopiejkowe interesiki. – Machnęła lekceważąco dłonią. – Normalnego etatu w porządnej firmie to nie zastąpi!

Pomyślałem o rozwikłanej wczoraj zagadce. Maforion, legendarna bezcenna relikwia, coś jak święty

Graal, jak całun turyński, jak chusta świętej Weroniki... Dotknięcie największych tajemnic naszej wiary. Sekret, jaki może poznać jeden człowiek na dziesiątki milionów. I to mnie było dane... A wszystko dzięki, jak to nazwała, wędrownemu skupowi rupieci. Czy przeżyłbym coś tak wspaniałego, sprzedając krawaty bogatym bucom?

– Ty mnie słuchasz? Ojciec obiecał, że jak się przyłożysz, dostaniesz procent od utargu. Jako kierownik wyciągniesz może nawet dwie średnie krajowe. Czemu robisz taką minę!? Czy ty się czasem nie narkotyzujesz?

– Ja? No skąd...

– Masz nieobecny, rozmarzony wzrok i przyklejony uśmiech, jakbyś wygrał w totolotka...

– Bo widzisz, przeżyłem tej nocy coś naprawdę cudownego... – zacząłem.

I naraz Marta zamarła z kawałkiem ciasta w połowie drogi do ust. Patrzyła ponad moim ramieniem i robiła się coraz bardziej czerwona. Zaciekawiony też się obejrzałem. Adelajda najwidoczniej właśnie się obudziła. Stała w drzwiach mojej sypialni w zwiewnej, kusej, półprzejrzystej koszulce nocnej i koronkowych majteczkach, trąc zaspane oczy. Koty łasiły się do jej nóg.

– Ty pedofilu! – Marta ryknęła jak syrena przeciwmgielna.

Odwróciłem się w jej stronę, ale ujrzałem tylko oślepiający błysk, potem cały świat rozprysł się w kawałki i wszystko zgasło.

*

– O Boże, ależ panu przyładowała... – usłyszałem. – Dobrze, że czaszka cała. Z tego dzbanka zostały okruchy...

Uchyliłem powieki, Adelajda klęczała koło mnie i przykładała mi lodowato zimny kompres do czoła. Spostrzegłem nad swoją twarzą trzy drobne piersi tańczące w dekolcie i znów odpłynąłem.

Świadomość wróciła. Było mi ciepło, dobrze, tylko głowa bolała, jakbym oberwał między oczy obuchem siekiery. Ciepło na czole... Czapkę mam na głowie czy co? Uchyliłem powieki. Zogniskowałem wzrok.

– Jak pan się czuje? – zapytała z troską dziewczyna. – Może wezwać pogotowie?

– Już mi lepiej – mruknąłem, zdejmując kota z twarzy.

Łuna miauknęła przyjaźnie.

– Kot przyłożony do bolącego miejsca wyciąga chorobę – wyjaśniła sąsiadeczka. – Nie mdli pana? Mdłości to objaw wstrząsu mózgu.

– Nie, już mi lepiej. Tylko coś słabo trochę.

Naprawdę czułem się o niebo lepiej. Zawroty głowy minęły. Powoli usiadłem.

– Narozrabiałam... – bąknęła. – Przepraszam... Nie mam szlafroka. Zachciało mi się do toalety, a myślałam, że pan jeszcze śpi i przemknę chyłkiem taka nie całkiem ubrana. Pana narzeczona pomyślała sobie nie wiadomo co! A raczej wiadomo co – poprawiła się.

– E, gdzie tam. – Wzruszyłem ramionami. – Z nią tak zawsze, z igły robi widły. Nie ma się czym przejmować. Wkurzyła się trochę. Przejdzie jej za miesiąc albo za dwa, to jej wytłumaczę. Nic ci nie zrobiła? – zaniepokoiłem się.

– Nic. Chyba przestraszyła się kotów. Trochę beznadziejnie wygląda to pańskie życie uczuciowe – westchnęła. – Słyszałam wprawdzie, że związki dorosłych bywają skomplikowane, ale to jakieś ekstremum...

– Ma trochę trudny charakter... ale to normalne. Chyba. Powiadają, że kto się lubi, ten się czubi – zbagatelizowałem. – Poza tym łatwych dziewczyn jest na pęczki, przychodzą, pobawią się człowiekiem i jego uczuciami, potem odchodzą. A wartościowe są właśnie te trudne. Trzymają mężczyzn na dystans, ale gdy bariera pęknie, dalsze życie jest oparte na trwałych, nieprzemijających uczuciach. Już w pierwszej klasie liceum stwierdziłem, że to jest ta jedyna... Po dwunastu latach udało mi się z nią zaręczyć. Teraz pewnie chce mnie potrzymać w niepewności.

Patrzyła na mnie z miną, jakby chciała coś powiedzieć, ale dała sobie spokój. Pomacałem czoło. Uch, ale śliwa wyskoczy. Co powiedziała dziewczyna? Dzbanek? Widocznie dostałem w głowę dzbankiem ze szkła.

– Moja twarz... – Dotknąłem czoła.

– Siedem niewielkich ranek od odłamków – wyjaśniła. – Nic groźnego. Szyć nie trzeba. Blizn też raczej nie będzie. Zresztą blizny zdobią mężczyznę.

– Dobrze, że nie samowarem mi przywaliła, jeszcze by się uszkodził. Miałem rację, że wczoraj wyniosłem go do kuchni.

Z tak pokancerowaną gębą nie miałem szans pokazać się klientom. Dwa tygodnie przymusowego urlopu... Diabli nadali. No nic, popracuję sobie w domu. Jakaś myśl nieśmiało kołatała mi się w głowie. Miałem wrażenie, że przegapiłem coś bardzo ważnego. Zaraz, zaraz... Ścisnąłem skronie palcami. Rachunek za prąd wczoraj przyszedł... Nie, to nie to. Drzwi... Zamknąć trzeba? Marta... Zaraz. Zakupy trzeba zrobić... Kompres i... ta mała. Trzy piersi!?

Spojrzałem na nią odruchowo. Ubrała się, gdy byłem nieprzytomny, koszulę miała zapiętą pod samą szyję, a pod brodą jeszcze zawiązała czarną aksamitkę.

Nie, to jakaś bzdura, uspokoiłem się. W łeb dostałem, więc troiło mi się w oczach.

I nagle przypomniałem sobie, o czym zapomniałem.

– Klej stężeje!

Zawrót głowy był bardzo silny. Omal nie upadłem, ale Adelajda mnie podtrzymała. Miała zaskakująco silny chwyt.

– Dolałam wrzątku i wymieszałam starannie – uspokoiła mnie. – Jakby klej kazeinowy, ale z ryby, dziadek też pracuje na takich, tylko wygotowywanych z kości zajęczych.

– Złota dziewczyna... – Uśmiechnąłem się.

Kwadrans później zdołałem na tyle pozbierać się do kupy, by móc usiąść wreszcie do pracy. Łyknąłem aspirynę. Chciałem iść po zakupy, ale wiewióreczka uparła się, że mnie wyręczy. Praca nie była łatwa. Najpierw przykleiłem obrazek do deski i umieściłem pod prasą introligatorską. Zjedliśmy śniadanie. Potem zająłem się starą ikoną. Wpuszczałem po kilka kropli kleju w każdą szczelinę. Następnie osłoniłem wizerunek ligniną i przejechałem ostrożnie gorącym żelazkiem. Efekt był całkiem zadowalający. Adelajda zrobiła poranną gimnastykę, potem przez dobrą godzinę wodziła sobie smyczkiem po strunach w salonie, ale drzwi do pracowni zostawiłem otwarte, więc mogła obserwować, co robię.

– Nie ma sensu bawić się w odświeżanie kolorów. Pozostało już tylko uzupełnienie drobnych ubytków złocenia... Nie wiem, niestety, czy to prawdziwe złoto, czy tylko szlagmetal – wyjaśniłem, gdy zrobiła sobie przerwę i przyszła przyjrzeć się dokładniej moim poczynaniom.

– Ale użyje pan prawdziwego kruszcu?

– No cóż, w końcu mamy do czynienia z naprawdę wybitnym dziełem sztuki... I mam akurat folię w bardzo podobnym kolorze.

Wyjąłem resztę książeczki płatków złota i naszykowałem odpowiednie kleje.

– Jakie to delikatne... – zauważyła, oglądając skrawek metalowej folii, który przywarł jej do opuszka palca.

– Z jednego grama tego metalu można wywalcować arkusz o powierzchni metra kwadratowego... Złocenie wydaje się z pozoru proste, ale w rzeczywistości to cała wiedza tajemna i żeby dobrze to zrobić, trzeba sporo doświadczenia.

Cienkim pędzelkiem nakładałem mikstion. Potem ostrożnie przykleiłem płatek złota.

– Za kilka dni zwiąże, wtedy można usunąć te zbędne kawałki – wyjaśniłem, powtarzając operację w innym miejscu. Swoją drogą, pracuję nad ikoną, więc może powinienem pościć – zadumałem się. – Mnisi, którzy je malowali, pościli, odmawiali modlitwy, musieli siadać do pracy z czystym sercem i umysłem...

– Słyszałam o tym, ale może do samej konserwacji nie trzeba zachowywać tak rygorystycznych zasad?

– Sam nie wiem...

– Może coś trzeba panu wyprać albo wyprasować? – zaproponowała. – Ja już na razie dość poćwiczyłam, a skoro żelazko nagrzane... Jeśli oczywiście nie potrzebuje go pan do dalszych prac...

– Szczerze powiedziawszy, chronicznie nie znoszę prasowania – westchnąłem. – Jeśli chcesz się podjąć tego zadania, to pół szafy koszul marzy o gorącym dotyku stali...

– Ale stopa żelazka jest z teflonu. – Zamrugała uroczo.

Rozstawiła sobie deskę i zabrała się do pracy. Znowu popatrywała kątem oka, co robię, a żelazko dosłownie śmigało jej w rękach. Anioł nie dziewczyna. Tylko że ruda. Nie kojarzyłem żadnych przedstawień rudych aniołów... Kończyłem już pracę nad tłem, gdy rozległo się pukanie do drzwi. Otworzyłem ostrożnie. Myślałem, że Marta wraca mnie dobić albo przeprosić, na szczęście to był tylko pan Lucjan.

– O mój Boże! Co się panu stało w czoło? – wykrztusił stary lutnik na mój widok. – Bójka na puste kufle w knajpie? Bo chyba nie moja wnuczka... – W jego oczach błysnął niepokój.

– Narzeczona mnie bije – wyjaśniłem. – Pan po Adelajdę? Zapraszam. Oddaję koty i wiewióreczkę. Całą i zdrową, choć bez litości goniłem ją do sprzątania, gotowania i innych prac domowych.

– Dziękuję, że ją pan przygarnął.

– Drobiazg. Trzeba sobie pomagać.

Nie miała dużo rzeczy, spakowanie się zajęło jej może pięć minut. Pożegnałem się z sąsiadeczką i wróciłem do pracy. W spękania powierzchni malarskiej mocno wżarła się sadza, usuwałem ją ostrożnie, używając mocnej lupy, najcieńszego ostrza i pędzelka. Lubiłem tę robotę, ale jakoś nie cieszyła mnie tym razem. Znów zaczęła ogarniać mnie melancholia. Poczułem, że potrzebuję ruchu, świeżego powietrza, widoku ludzi... Zapragnąłem wyjść z domu.

Głupio było pokazywać się na mieście z tak rozbitym czołem, ale i tak musiałem kupić trochę naturalnego korala na uzupełnienia dekoracji rękojeści karabelki i nową książeczkę płatków złota. Chcąc nie chcąc, założyłem papachę, która choć trochę zasłaniała siniaka, i wyszedłem z domu. Na szczęście mróz odrobinę zelżał. W zasadzie, wracając, i tak musiałem przejechać koło galerii, więc po prostu wysiadłem kilka przystanków wcześniej. Zaszedłem do sklepu. Ojciec Marty na mój widok wyraźnie się nachmurzył.

– Ach, to ty – mruknął. – Czego chcesz?

– Widzi pan, jest taka sprawa. Pańska córka była łaskawa dziś rano dać mi w głowę dzbankiem z grubego hartowanego szkła. Przywaliła, aż się rozprysł.

– Wspominała – odburknął. – Niezła śliwa – dodał jakby z uznaniem.

– Był to poważny uraz, jak cios młotkiem. Straciłem przytomność łącznie na ponad piętnaście minut, siniak i strupy na czole utrudniają mi wychodzenie z domu, a tym samym wykonywanie mojej pracy. Gdzie się pchać między ludzi z tak pokancerowaną twarzą...

– Do rzeczy – uciął.

– Znajomy prawnik, z którym telefonicznie skonsultowałem sprawę, orzekł, że to podpada pod ileś paragrafów jako uszczerbek na zdrowiu i tak dalej. Dobrze, że zdążyłem się odwrócić, bo gdyby rąbnęła mnie w skroń albo w potylicę, trup na miejscu... Niby można twierdzić, że działała w afekcie, ale nie sprowokowałem pańskiej córki w żaden sposób.

– I... – Spojrzał pytająco.

– Wie pan, biuro mam w mieszkaniu i tam spotykam się z klientami. Odwiedzają mnie różni ludzie, mam więc w salonie podłączony monitoring. Nagranie idzie non stop. No i to też się nagrało. To znaczy to, jak mnie rąbnęła.

Spojrzał na mnie wyjątkowo ciężko.

– Ty marny szantażysto – syknął, czerwieniejąc. – Mało ci, że nie wniosła oskarżenia o tę kocią muzykę pod balkonem? Gadaj wprost, ile chcesz?

– Tylko przysługę. Ja to skasuję, ale w zamian chciałbym mieć pańskie słowo honoru, że do końca życia nie usłyszę od pana ani od Marty żadnych propozycji zatrudnienia na etacie, czy to w sklepie, czy gdzie indziej.

Facet miał chyba trochę nierówno pod sufitem, bo zaczął wydawać z siebie iście ośle ryki. Nie bardzo wiedziałem, co go tak rozśmieszyło, więc ukłoniłem się uprzejmie i wyszedłem. Chłodne powietrze przegoniło precz ból głowy.

No i załatwione. Ciekawe, ile potrwa u Marty ten foch, ale przecież pogodzimy się w końcu. Po pierwsze, nie odesłała pierścionka. Czyli nie zerwała zaręczyn. Zatem już ochłonęła, przemyślała sytuację i z pewnością nie podejrzewa mnie o uwiedzenie Adelajdy. Po drugie, wybiegając, zostawiła u mnie na wieszaku swoje futerko i czapkę. Zima taka ostra w tym roku, przecież nie będzie marznąć. Wróci po nie i wtedy, korzystając z okazji, wszystko jej do końca wytłumaczę... Żeby się tylko biedactwo nie zaziębiło!

*

Przewinąłem raz jeszcze nagranie. Marta zrywa się, łapiąc dzbanek, i wali mnie na odlew. Ja lecę z krzesłem do tyłu, szkło rozpryskuje się w połyskliwą chmurę odłamków. Potem moja narzeczona wykonuje dziwny gest, jakby czymś rzucała. Łuna i Pożoga wskakują na stół i robią koci grzbiet. Na widok dwu rozwścieczonych kotów Marta obraca się na pięcie i umyka. Adelajda przypada do mnie, klęka, klepie po twarzy, przykłada palce do szyi, żeby zbadać, czy wyczuje puls, wybiega do kuchni, wraca ze ścierką zmoczoną w wodzie...

Zatrzymałem film. Nastolatka w kusej halce... Tak, zdecydowanie trzeba ten plik skasować, bo prokurator mógłby się czepić. Utrwalanie treści pornograficznych z udziałem nieletnich? Niepełnoletnich? W zasadzie nie była goła, nie wiedziałem nawet, ile ma lat, ale znałem nasze sądy. Jest człowiek, to i paragraf się znajdzie. Po co komu kłopoty? Wyciągnąłem kartę pamięci i przeszedłszy kilka kroków, wrzuciłem ją do kominka. Momentalnie strzeliła płomieniem. Pyk i nie ma śladu. No to po problemie. Zamknąłem szybkę.

Wróciłem do stolika. Na ekranie pozostał obraz. Chyba nie zamknąłem pliku przed wyjęciem karty. Adelajda biegnąca z zaimprowizowanym kompresem w ręku była rozmazana w ruchu i faktycznie przy odrobinie wyobraźni można było pomyśleć, że ma trzy piersi. Skasowałem stop-klatkę i wróciłem do pracy nad ikoną. Nie zjadłem obiadu, zapomniałem, można więc chyba przyjąć, że pościłem, pracując. Gdy skończyłem, zapadał już wieczór. Krótkie te zimowe dni.

– Profesorze Ozierski, ikona pańska została odczyszczona i zakonserwowana, szyfr naszyjnika złamany. Szanse nie są duże, jednak spróbuję dokończyć misję, którą musiał pan porzucić – złożyłem na głos meldunek.

Duch uczonego i tym razem nie dał żadnego znaku, ale miałem nadzieję, że siedząc gdzieś na chmurze, uśmiechnął się, widząc, że jego ziemskie sprawy są jednak kontynuowane. Mieszkanie bez Adelajdy i jej rudych kocurów wydawało się dziwnie puste i, mimo ognia płonącego na kominku, chłodne. Muzyki też mi brakowało, ale jakoś nie chciałem puszczać żadnej płyty. Zrobiłem sobie jajecznicę na boczku. Potem sprzątnąłem w saloniku. Zmartwiły mnie dziwne rysy na powierzchni stolika. Nie miałem pojęcia, skąd się wzięły, wcześniej ich nie było... Koty pazurami wydrapały czy może Marta swoimi tipsami? No nic, to się zawoskuje. Wymiecenie okruchów szkła spod mebli nie zajęło dużo czasu. Już kończyłem, gdy pod kaloryferem spostrzegłem dziwny błysk. Sięgnąłem szczotką i wydobyłem pierścionek zaręczynowy z oprawionym w złoto egipskim skarabeuszem. Ten sam, który kiedyś dałem Marcie. Widocznie ściągnęła go z palca i cisnęła na oślep. To tłumaczyło zagadkowy gest z filmu.

– Aha – mruknąłem i odłożyłem go do szuflady. – Czyli zaręczyny zerwane. Zatem futerko i czapę trzeba spakować w siatkę i odnieść na portiernię tego jej osiedla.

Dołożyłem do paleniska grubą brzozową kłodę i zapatrzyłem się w ogień. Widok płomieni uspokajał, pomagał zebrać myśli. Wiosną pojadę do Grecji. Wynajmę łódkę i przedostanę się jakoś na tę zapomnianą wysepkę. Wprawdzie ze świątyni nie pozostało nic, ale pogrzebię chociaż wśród gruzów na brzegu morza i zanurkuję w poszukiwaniu przewróconych kolumn... Samotnie.

*

Sześć miesięcy później

Łódka nie była duża. Ale dzielnie walczyła z falą. Morze było na szczęście spokojne, wiatr mi sprzyjał, ale i tak żeglowałem z duszą na ramieniu. Co innego wypuścić się na Śniardwy na omedze, a co innego zmierzyć podobną łupinką z prawdziwym morzem... Z drugiej strony, co to za morze, gdy z jednej wyspy wyraźnie widać drugą? Zmierzchało już, gdy moim oczom ukazała się Kinaros. Skały w blasku zachodzącego słońca wydawały się niemal czarne. Mapa morska, którą zdołałem zdobyć, ostrzegała, że w tym miejscu znajdują się liczne podwodne głazy. Przerzuciłem ster i skorygowałem kierunek.

Jestem idiotą, zganiłem się nie wiedzieć który raz.

Rozwikłałem zagadkę? Czy może to jedynie mrzonki? Ikona, naszyjnik z monet. Brak jednej. Ale czy na pewno chodzi o Kinaros? Wtedy w Warszawie byłem pewien, że złamałem szyfr. Teraz, u celu podróży, nabrałem wątpliwości... Ta wysepka. Mała, skalista, jałowa. U progu dziewiętnastego wieku dodatkowo narażona na ataki tureckich piratów i łowców niewolników. Po co ktoś

miałby ukrywać na niej relikwię? Dlaczego tutaj? Bez sensu... W archipelagu Cyklad było z pewnością wiele lepszych miejsc.

Może tak bardzo chciałem zaimponować małej wiewióreczce, że wymyśliłem sobie rozwiązanie jakoś tam pasujące do artefaktów... W dodatku na tę wyprawę poszła większość pieniędzy, które miałem zachomikowane na czarną godzinę. Uniosłem lornetkę do oczu. Na szczycie klifu spostrzegłem coś, co wyglądało na kawałek muru. Czyżby to tu znajdowała się kiedyś świątynia? Poczułem mocniejsze uderzenie serca. Nieoczekiwanie moją uwagę przykuła jasna plamka gdzieś na usypisku. Skierowałem na nią lornetkę, podkręciłem ostrość, ale nie zdołałem jej ponownie odnaleźć. Co to było? Świeca w oknie? Ludzie? Z tego, co wiedziałem, dekadę temu wyspa miała kilkoro stałych mieszkańców. Widocznie któryś z nich pojawił się tu z latarką w dłoni... Płynąłem w prawo, szukając dogodnego miejsca, by dobić do brzegu.

Po upływie kwadransa zaryłem dziobem łodzi w bielusieńki piasek niewielkiej plaży ukrytej wśród skał. Zeskoczyłem na ląd i wyciągnąłem łódkę daleko na brzeg. Odetchnąłem zapachem gnijących wodorostów, mokrego drewna, siana i rozgrzanego piachu. Zapachem lądu...

Zamotałem linę cumowniczą do dużego głazu. Wprawdzie ślady na skałach wskazywały, że przypływ nie sięga aż tak wysoko, ale mimo wszystko nie chciałem ryzykować utknięcia w tym uroczym miejscu. Wyrzuciłem plecak w piach. Rozejrzałem się. Zatoczka sprawiała wrażenie całkowicie bezludnej. Żadnych śladów ludzkich stóp na brzegu, żadnych pomostów ani innych budowli, żadnych śmieci. Nawet jednej zardzewiałej kotwicy porzuconej w piachu...

Wydedukowałem, że od morza będzie mocno wiało. Znalazłem osłonięte miejsce na obozowisko. Wyciągnąłem namiot, rozstawiłem, rozwinąłem śpiwór i wpełzłem do środka. Napięcie ostatnich dni, lot do Aten, szukanie kolejnych połączeń, wszystko to powoli ze mnie spływało. Szum morza szybko mnie ukołysał.

*

Ze snu wyrwał mnie hurgot osypujących się kamieni. Ocknąłem się w jednej chwili, odrzuciłem śpiwór i zacisnąłem dłoń na rękojeści maczety. Wokoło panował głęboki mrok. Szum fal zagłuszał większość dźwięków. Tubylcy? Oczyma wyobraźni ujrzałem masywnych troglodytów, naznaczonych piętnem cech recesywnych. Żyją na wyspie od pokoleń, krzyżując się między sobą. Jałowa ziemia nie jest w stanie ich wykarmić, więc dla zdobycia mięsa polują na zbłąkanych żeglarzy. Nie, co za bzdura... Za dużo się horrorów naoglądałem w dzieciństwie.

Ale jeśli ktoś się tu kręci, lepiej mieć się na baczności. Nie wiadomo, kto to ani jakie ma zamiary. Uchyliłem klapę i spojrzałem w mrok. Nad morzem było nieco jaśniej. Dźwięk nie powtórzył się więcej. Co to było? Ktoś schodził żlebem? A może wchodził do góry? Łódka majaczyła opodal tak, jak ją zostawiłem. Wypełzłem na piasek, obszedłem namiot wokoło. Nikogo... A jednak czułem na sobie czyjś wzrok. Zatoczyłem szerszy krąg, kryjąc się w cieniu skał. Morze zagłuszało większość dźwięków.

Szkoda, że nie ma tu Adelajdy i jej kotów, pomyślałem. Choć nie, tu lepszy byłby pies... Dlaczego nigdy nie sprawiłem sobie psa? Noktowizor też by się przydał. I Arka mogłem zabrać ze sobą.

Przemknąłem się aż do żlebu. Przycupnąłem za głazem. Jeśli wróg zszedł na dół i jeszcze buszuje w zatoczce, tędy pewnie będzie wracał... Czatowałem w zasadzce naprawdę długo, ale nikt nie nadszedł. Przemarznięty do szpiku kości wróciłem do namiotu. Śpiwór na szczęście trzymał jeszcze wewnątrz ciepło. Zasnąłem.

Przyśniła mi się Marta. Brodziła wśród kamieni na brzegu morza. Była daleko ode mnie, a gdy do niej pomachałem, odwróciła się obojętnie. Bałem się podejść, bo trzymała w ręce szklany dzbanek...

*

Ranek był chłodny. Wiatr łopotał tropikiem namiotu. Wypełzłem i teraz przy dziennym świetle dokładnie zbadałem otoczenie. Z zatoki, w której obozowałem, wąska piarżysta ścieżka prowadziła w górę, w głąb wyspy. Przeszedłem się brzegiem morza i pozbierałem wyrzucone patyki. Z tych najbardziej suchych ułożyłem stosik. Malutkie ognisko w sam raz, by zagrzać kubek wody na poranną kawę. Siedziałem, patrzyłem w ogień, przebierałem palcami paciorki różańca. Tak dawno nie miałem wakacji. Tak dawno nie spałem pod namiotem... Tak dawno nie piłem kawy nie parzonej, ale zagotowanej w rondelku nad płomieniem... Może parzona była smaczniejsza, ale zagotowana za to szybciej stawiała na nogi.

Należą mi się wakacje, pomyślałem, pakując plecaczek. Należą jak psu buda. Należały od dawna...

Wyspa wyglądała na całkowicie bezludną. Nie widziałem też żadnego śladu śmieci, jakie zwykle zostawiają po sobie niesforni turyści. Odnalazłem ścieżkę. Ktoś kiedyś musiał ją wydeptać. Kto? Kiedy? Ile czasu może przetrwać ślad człowieka w tym klimacie?

Ruszyłem w górę. We wschodniej części wyspy wyrastało skaliste wzgórze. Z mapy wynikało, że jego szczyt wznosi się ponad dwieście metrów nad poziom morza. Z wierzchołka mógłbym ogarnąć wzrokiem cały niewielki spłachetek lądu. Spostrzegłem na wzniesieniu ślady jakichś ruin. Powędrowałem w tamtą stronę. Ziemia porośnięta była trawą i krzewami. Co chwila mijałem też stare drzewa oliwne o grubych pniach, poznaczonych charakterystycznymi zagłębieniami.

Na wysoczyźnie ścieżki stały się wyraźniejsze. Biegły w różnych kierunkach, chaotycznie. Wydeptali je ludzie czy może zwierzęta? Spostrzegłem kilka kóz. Nie podchodziły do mnie ani nie uciekały, widok człowieka nie był dla nich czymś nadzwyczajnym.

Kawałek dalej znalazłem mur z niewielkich kamieni spojonych gliną. Otaczał zagajnik zdziczałych drzewek owocowych. Jeszcze kilka kroków i dotarłem do gruzowiska. Kiedyś mieszkali tu ludzie. Pozostały po nich resztki ścian i podłoga z płytek łupku. Dziewiętnasty wiek? Osiemnasty? Kawałek dalej widać było ślady kolejnego gospodarstwa i jeszcze jednego. Wioska... Usiadłem na kamiennym progu nieistniejącej chaty. Nad głową zaćwierkał mi skowronek. Wiosna. Grecka wyspa zagubiona pośrodku morza. Nagle poczułem, że mam dość wszystkiego, ciągłej gonitwy i szarpaniny, kryzysu. Nawet dość Marty i jej wiecznych fochów. Zamieszkać tu. Odbudować sobie jedną z chat albo postawić nieco solidniejszy szałas. Leżeć w hamaku, pić kawę albo wino i czytać książki od rana do nocy... Niech świat pędzi ku samozagładzie beze mnie. Raz na kilka tygodni popłynąć na większe zakupy...

– Nie przeczytałem nigdy „Opowieści kanterberyjskich" – rzuciłem w przestrzeń. – Ani „Boskiej komedii".

Słoneczko kompletnie mnie rozleniwiło, ale wreszcie zebrałem się w sobie. Trzeba iść. Przyjechałem tu, żeby badać... By sprawdzić trop... Potwierdzić słuszność teoretycznych dociekań! Raz jeszcze zlustrowałem pozostałości wsi.

– Bez sensu – mruknąłem. – Jałowa gleba. Ani tu założyć ogrodu, ani wysiać zboża... Co najwyżej kozy hodować, choć na tych lichych trawkach nawet one się nie utuczą. Czemu tu się osiedlili? Może coś wydobywali?

Ruszyłem pod górę. Wypatrzyłem kamienne obramowanie i spory, pusty obecnie basen. Ślady piasku wskazywały, że dawniej płynął tu strumyczek. Mieszkańcy spiętrzyli wodę, by poić zwierzęta, robić pranie... Kawałek dalej znalazłem płytkie wyrobiska. Skała była ciemna, zapewne andezyt. Przecinały ją żyły zielonkawego kamienia i jasne nitki kwarcu. Ruda miedzi? Kwarc okruszcowany złotem? To by tłumaczyło, dlaczego osiedlono się w tak niegościnnym miejscu.

Wreszcie stanąłem na szczycie. Wyspa nie była duża. Przypominała dwa sklejone ze sobą pierogi. Dłuższa oś miała może dwa kilometry. Daleko na zachodzie wyraźnie rysował się większy ląd. Wyspa Leros?

– Jak bohaterowie powieści Juliusza Verne'a – mruknąłem pod nosem. – Rozbitkowie badają bezludną wyspę. Wchodzą na szczyt... Szukają wzrokiem innych lądów. Potem wracają na brzeg budować schronienie.

Ruszyłem w stronę zachodniego klifu. Faktycznie, na samej krawędzi stały resztki muru z kamiennych bloków. Dotknąłem ściany. Była ciepła, nagrzało ją wiosenne słońce. To nie mogła być świątynia, mur był zbyt cienki. Przypomniałem sobie wiadomości zdobyte na studiach archeologicznych. Szacowania pierwotnej wysokości muru na podstawie jego grubości i sposobu fundamentowania... Podszedłem ostrożnie do krawędzi urwiska. W dole huczało morze. Nie. To nie tutaj. Rozejrzałem się po okolicy i ruszyłem na zachód. W czasach antycznych gdzieś tu musiało być miasteczko. Zapewne niemałe, skoro jego mieszkańcy postawili sporą świątynię i bili nawet własną monetę. Tylko gdzie się znajdowało? Prawdopodobnie nad zatoką, na końcu doliny w środkowej części wyspy. Gęściejsza roślinność podpowiedziała mi, że zapewne płynie tam strumyk. I rzeczywiście płynął.

Napiłem się wody, usiadłem na kamieniu. Byłem zmęczony. Straciłem kondycję przez zimę czy co? Gdzieś daleko trzasnęła gałązka. Obejrzałem się odruchowo. Nikogo nie dostrzegłem, ale ponownie odniosłem wrażenie, że jestem obserwowany. Wyobraźnia podsuwała mi obrazy zgoła idiotyczne. W Grecji się znalazłem, zatem żyją tu fauny, satyry, driady... A może jednak ludzie? Sfiksowany staruszek mieszkający od lat samotnie na tej wyspie, obawiający się obcych... Ruszyłem pod górę. Nieoczekiwanie wyszedłem na resztki drogi. Ułożono ją z niewielkich, dobrze spasowanych kamieni. Kiedy? Nie miałem zielonego pojęcia. W jednym miejscu z bruku wyrastała oliwka. Drzewko mogło mieć grubo ponad sto lat.

Droga z miasteczka do świątyni na wzgórzu, wysnułem teorię. Porzucona, gdy morze zabrało świątynię.

Klif od północy był niższy niż ten od zachodu. Droga urywała się nieoczekiwanie na krawędzi urwiska. Podszedłem i spojrzałem w przepaść. U moich stóp, na brzegu morza leżało ogromne wachlarzowate zwalisko głazów. Nawet stąd widziałem wśród nich starannie obrobione kamienne bloki. Kolejne dostrzegłem w wodzie. Zlustrowałem morze. Najprościej byłoby podpłynąć łódką, zakotwiczyć ją u stóp urwiska. Kłopot w tym, że bałem się uszkodzić dno na jakiejś ostrej skale... Zejść po urwisku też się nie da.

Musiałem przejść około kilometra, nim dotarłem do obniżenia terenu i natrafiłem na wąską kamienistą plażę. Ciągnęła się u podnóża klifu. W niektórych miejscach ciut szersza, w innych prawie zanikała. Parokrotnie musiałem brodzić w wodzie, stąpając niepewnie po oślizgłych głazach... Ale wreszcie znalazłem się na miejscu.

Penetrowałem usypisko przez ładne kilka godzin. Szukałem przede wszystkim bębnów kolumn – jednak bezskutecznie. Natrafiałem wyłącznie na obrobione bloki konstrukcji ściennej oraz potrzaskane płytki łupku, stanowiące zapewne pierwotnie dach. Kamienie spojono nie tylko zaprawą – na niektórych widziałem placki poczerniałego metalu i sterczące z nich zardzewiałe drzazgi. Zapewne bloki połączono żelaznymi klamrami, a otwory, w których je osadzono, zalano ciekłym ołowiem. Wykrywacz metali, który tu przydźwigałem, okazał się całkowicie bezużyteczny. Akwalungu też nie miałem. Wreszcie uznałem, że pora się poddać. Siadłem na głazie i przegryzałem kawałek suszonej kiełbasy, popijając ją wodą z manierki. Słońce schowało się za wyspą. Pora wracać do obozowiska... A jutro? Może poszukam miejsca, gdzie znajdowała się antyczna osada?

Niezbyt uśmiechało mi się wracać trasą u podnóża urwiska. Po lewej widać było coś w rodzaju wąskiej półki skalnej, biegnącej lekko ku górze. Może warto sprawdzić tę drogę? Zasznurowałem mocniej buty i ruszyłem. Półka wygodnie zaprowadziła mnie za cypel, jeszcze jeden zakręt i stanąłem zaskoczony. Przede mną wyrastała metalowa tablica, osadzona na zardzewiałym metalowym słupku.

„Tu świątobliwy pustelnik modli się o odpuszczenie waszych grzechów" – głosił napis sporządzony w kilku językach. „Proszę nie zakłócać jego spokoju".

No cóż, jak nie wchodzić, to nie wchodzić. Zawróciłem i stanąłem oko w oko z mnichem. Ubrany był w czarną szatę przepasaną sznurem. Krzaczasta biała broda spływała mu na piersi. Pod nią połyskiwał gruby, srebrny prawosławny krzyż. Mógł sobie liczyć zarówno pięćdziesiąt lat, jak i osiemdziesiąt... Ciemne oczy spoglądały na mnie badawczo. Nie znałem greki, więc zacząłem po łacinie:

– *Laudetur Jesus Christus.*

– *Nunc et in aeternum! Amen* – odpowiedział bez zająknienia. – Witaj, wędrowcze – przeszedł na angielski. – Zapraszam na herbatę.

Jak się okazało, na pustelnię zaadoptowano jaskinię w zboczu urwiska. Zamurowano wejście, pozostawiając tylko okno i drzwi. Mnich przekręcił klucz w zamku i weszliśmy do środka. Otworzył okno na oścież, by morska bryza przewietrzyła wnętrze. Zapalił świecę, osadził w lampie. Pomieszczenie miało może trzydzieści metrów kwadratowych.

Na stoliku leżał laptop, telefon satelitarny i cyfrowy aparat, zaopatrzony w potężny obiektyw. Cyknął mi kilka fotek i od razu posłał przez net gdzieś dalej? Na to wyglądało. I chyba celowo zostawił ten sprzęt na wierzchu, żebym go zauważył... Żebym wiedział.

– Nieczęsto miewany tu gości – powiedział mnich, zapalając kuchenkę gazową. – Turyści zazwyczaj omijają ten niegościnny brzeg. A już praktycznie nigdy nie pojawiają się tu ludzie zainteresowani zabytkami przeszłości. Kim jesteś, młodzieńcze?

– Zazwyczaj jestem poszukiwaczem zaginionych rzeczy i tropicielem zagadek przeszłości – wyjaśniłem.

Brwi mnicha ściągnęły się nieco.

– Tym razem przybywam tu raczej jako pielgrzym – wyjaśniłem. – Podążam do samych źródeł mojej wiary.

– Tu nie ma do czego pielgrzymować.

– Być może już nie – przyznałem. – Ale dopuszczam myśl, że nie zawsze tak było i że może jednak warto choć dotknąć stopą tej skały.

– Ale czemu pojawiłeś się akurat tutaj? W Grecji jest wiele wspaniałych kościołów oraz relikwii, a także słynących cudami ikon... – Teraz wyglądał na naprawdę zaintrygowanego.

Najwyraźniej domyślał się, że wiem, co tu ukryto, ale usiłował najpierw mnie wysondować. Wyjąłem z raportówki teczkę, a ze środka fotografię ikony znalezionej we wsi nad Bugiem oraz zdjęcia naszyjnika z monet, który mnie tu doprowadził. Ujął zdjęcie w dłoń i zamarł w bezruchu. Widziałem, jak jego powieka lekko drga, a może to tylko pełgający płomyk świecy sprawiał takie wrażenie... Wreszcie odłożył fotografię i przyjrzał się dla odmiany zdjęciom naszyjnika. Mruknął pod nosem coś po grecku. Nie zrozumiałem, ale domyśliłem się po intonacji, że nie jest zachwycony moją obecnością.

– Więc tak tu dotarłeś? – zapytał wreszcie. – Z tego, co wiem, nigdy nie gościliśmy tu ludzi, którzy sprawialiby choćby wrażenie, że wiedzą, po co przybyli.

– Złamałem szyfr.

– Zatem wiesz, co było tu ukryte?

– Domyśliłem się. Maforion.

Wyjął dwa kubki i z pękatej flaszy nalał do nich czerwonego wina. Patrzyłem, jak płomyki odbijają się na powierzchni cieczy.

– Powiedz – polecił – czego się domyśliłeś.

– Maforion... Był ukryty na tej wyspie. Zamurowany w jednej z kolumn starej pogańskiej świątyni, przekształconej w kościół. Wydedukowałem, że prawdopodobnie ukrywano go tak, by długo opierał się różnym zagrożeniom. Jeśli zalutowano go w szczelnym pojemniku z brązu lub srebra, może istnieć nadal. Szukałem przewróconych kolumn.

Skinął poważnie głową i wskazał mi naczynie. Wypiliśmy po łyku. Wino było bardzo dobre, półsłodkie, z delikatną owocową nutą. Woda zagotowała się. Nasypał herbaty do imbryka i zalał wrzątkiem.

– I co byś zrobił, gdybyś go odnalazł? – zapytał.

– Jestem katolikiem. Zawiózłbym do swojego kraju i złożył w jakimś ważnym sanktuarium. Albo... bo ja wiem? Może lepiej papieżowi?

Pokiwał w zadumie głową.

– Mija przeszło sto lat, od kiedy w jednej z opuszczonych od dawna pustelni na świętej górze Atos znaleziono dokument wskazujący tę wyspę jako miejsce ukrycia relikwii – powiedział wreszcie. – Przez to stulecie nie pojawił się nikt, kto znałby tę tajemnicę. Najwyraźniej jednak tak ważna informacja została zdublowana. Nie sądziliśmy, że ktokolwiek tu trafi, ale zjawiłeś się ty. – Ujął zdjęcia w pomarszczoną dłoń. – Zdumiewające, że z tak nikłych przesłanek wywnioskowałeś nie tylko, o co chodzi, ale też odnalazłeś ten kawałek skały pośrodku morza.

– Nie było to łatwe – przyznałem. – Ale od razu wydało mi się, że ten naszyjnik to szyfr. Przedstawienie na ikonie, będące jaskrawym złamaniem kanonu...

Zreferowałem, jak znalazłem ikonę i domyśliłem się, jaki sekret ukrywa. Wspomniałem o sowieckim uczonym, którego tropem szedłem.

– Nie jesteś nawet naszej wiary. – Pustelnik pokręcił głową w zadumie. – Choć to relikwia tak stara, że nie ma to żadnego znaczenia...

W milczeniu upiliśmy jeszcze po łyku wina. Popiliśmy herbatą.

– Mamy dwie możliwości – odezwał się wreszcie. – Byłeś szczery, więc i ja będę szczery. Możliwość pierwsza jest taka: poprzysięgniesz milczeć i nigdy tu nie wracać, nigdy nie próbować tego odnaleźć. A rano zepchniesz łódkę na wodę i pożeglujesz tam, skąd przybyłeś.

– Druga możliwość?

– Mogę zaoferować dożywotni pobyt w klasztorze o najsurowszej regule, na świętej górze Atos.

W zasadzie mi nie groził, ale wiedziałem, że nie żartuje. Właściwie to nigdy nie byłem na górze Atos i niewielka była szansa, bym kiedykolwiek mógł zwiedzić tamtejsze sanktuaria. Ale postanowiłem nie korzystać jednakowoż z tej okazji.

– Poprzysięgnę i odejdę – zaproponowałem.

– Dobrze ci z oczu patrzy, zatem zaufam twojej uczciwości...

– Proszę mi tylko powiedzieć... Maforion naprawdę tu jest? Nie zdołano go odnaleźć, ale pilnujecie, by nikt tu nie buszował...

– Nikt tu nie buszuje. Czasem cumują jachty i łodzie. Niekiedy turyści obozują na wyspie. Jesteś chyba pierwszym człowiekiem od trzydziestu lat, który chodził po tym rumowisku. Klif runął. Niektóre bloki skalne leżące w wodzie są obrobione, inne nie. W odległości zaledwie kilkunastu metrów od brzegu dno urywa się gwałtownym uskokiem, głębokim na ponad trzydzieści metrów. Pozostałości frontonu leżą zapewne gdzieś tam w głębinie. Myślimy podobnie. Relikwiarz prawdopodobnie był zalutowany i zamurowany w kolumnie lub może w ołtarzu? Co do reszty... To jak szukanie igły w stogu siana. Metalowa kapsuła, wpuszczona w blok kamienia spoczywający gdzieś wśród usypiska tysięcy ton skały... Mamy dziś wykrywacze metali, radary geologiczne, być może też inne cuda, o których nie słyszałem. To jeszcze za mało. Ale technika idzie do przodu. Kiedyś być może pozwoli nam odnaleźć relikwię. Na wszelki wypadek ktoś tu zawsze czuwa. Bez przerwy od ponad stu lat.

Przez otwarte okno w pogoni za owadem wpadł skowronek. Zatoczył krąg wokół stołu i wyfrunął. Zdziwiłem się. O tej porze dnia ptaszki powinny już chyba spać. Odprowadziliśmy go wzrokiem.

– Gnieżdżą się tylko tutaj – wyjaśnił mnich. – Wśród krzaków na tym urwisku. Nie ma ich na okolicznych wyspach. U nas mówi się, że skowronek to ptaszek Matki Boskiej.

– U nas też.

– Nie ma dowodów. Są znaki... – szepnął, patrząc w płomień świecy.

Wielbłądzie masło

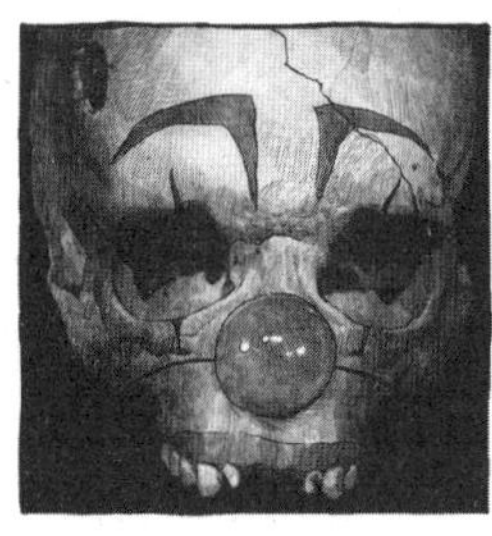

Dyrektor Apfelbaum wyszedł na środek areny. We fraku szamerowanym złotymi haftami wyglądał zarazem szykownie i egzotycznie. Ukłonił się cylindrem, skubnął odruchowo posiwiałą nieco capią bródkę. Widownia świeciła pustkami. Zajęta była nie więcej niż jedna trzecia miejsc. Ludziom teraz nie w głowie rozrywki. Wszędzie wokoło, gdzie tylko spojrzał, widział smutne, przestraszone, przygnębione twarze. Nawet dzieci były nad wyraz poważne – czuły wiszącą w powietrzu grozę. Po prawdzie i jemu nie było do śmiechu.

No, do dzieła, rozkazał sobie. Rozruszajmy towarzystwo!

Zdjął cylinder i ukłonił się głęboko zebranym. Orkiestra zagrała tusz, spostrzegł błysk ożywienia w oczach zgromadzonych, a może tylko go sobie wyobraził? To nie było zbyt istotne. Odnalazł swoją rolę.

– Panie i panowie, droga młodzieży i najmłodsi. Sztuka cyrkowa, o czym świadczą freski pałaców na Krecie i sceny malowane na greckich wazach, jest sztuką czcigodną i starożytną. Narodziła się wraz z antykiem, kwitła w średniowieczu i do naszych czasów niczym arka przeniosła najcenniejsze okruchy kultury antycznej. Kultury, która szczególnie wysoko ceniła sobie zdrowie, tężyznę fizyczną oraz harmonię w budowie ciała. W hołdzie niezliczonym pokoleniom naszych antenatów nazwałem nasz cyrk „Amfora"...

Młody klaun Marco, czekający za kulisami, z trudem tłumił rozbawienie. Ilekroć słuchał tych andronów, poprawiał mu się humor. Silny żydowski akcent pryncypała dodawał napuszonej przemowie dodatkowych, choć niezamierzonych elementów komicznych.

– ...jednak myliłby się ten, kto by sądził, że cyrk to tylko tchnienie czcigodnych ruin cywilizacji starożytnej. Cyrk dzisiejszy czerpie bowiem z dorobku całej ludzkości, łącząc w harmonijną całość tradycję mykeńskich pogromców byków i średniowiecznych kuglarzy z myślą gimnastyczną ludów Orientu. Jesteśmy duchowymi potomkami zarówno rzymskich gladiatorów, jak i mongolskich zapaśników. Oto przed państwem nasza gwiazda, uczeń joginów, fakirów, derwiszy i buddyjskich mnichów. Profesor białej i czarnej magii, hipnotyzer i chiromanta. To światowej sławy mag, Wielki Dżony!

Iluzjonista wyszedł na środek areny. Miał niespełna trzydzieści lat, więc przed występami przyprawiał sobie obfitą rudą brodę. Marco pospiesznie wniósł stolik. Mag zaczął od prostych trików: wyciągnął z kapelusza królika, wyczarował gołębia i bukiet kwiatów.

Następnie zaprezentował sztuczkę z przenikaniem. Położył na blacie stalową kulkę łożyskową. Nakrył ją cylindrem. Popukał różdżką i kulka z głuchym stuknięciem upadła w piach areny. Mag zaprezentował stolik. W blacie nie było żadnego otworu.

Marco podpatrywał występy od dawna i stopniowo rozgryzł wszystkie triki. Ten był ostatnim, którego nie umiał odgadnąć. Podejrzewał, że kulki są dwie. Jedna zostawała w kapeluszu, gdy mag podnosił go ze stolika. Ale skąd wcześniej wypadała ta druga? Blat był zbyt cienki, by zawierać skrytkę. Oględziny nóżek stolika też nic komikowi nie powiedziały...

Klaun wniósł skrzynię i stojak ze szpadami. Zaraz też wbiegła na paluszkach młodziutka woltyżerka, Tina. Obiegła arenę, posyłając widowni całusy. Podeszła do maga, jakby trochę przestraszona. Wielki Dżony wykonał kilka rozkazujących gestów, na co dziewczyna zareagowała spuszczeniem głowy. Całą postawą zagrała potulną rezygnację. Czarodziej zamknął ją w pudle, po czym przebił ściankę szpadą na wylot. Ukłonił się publice i wbił kolejną klingę.

Marco podszedł i uśmiechając się przymilnie, pokazał na migi, że i on chciałby spróbować. Otrzymawszy szpadę, przeszył nią pakę. Z wnętrza dobiegł głośny jęk, po czym z jednego rogu zaczęła cieknąć krew. Przerażony chłopak wyrwał szpadę, zakrwawioną aż po jelec. Mag teatralnym gestem złapał się za głowę. Obaj doskonale grali spanikowanych sztukmistrzów, którzy usiłują ukryć tragiczny wypadek. Zgrany numer, w miastach wprawdzie wywołujący uśmiechy politowania, na prowincji robił ogromne wrażenie.

Zgroza odebrała zebranym mowę. Wielki Dżony wyrwał pozostałe, równie pokrwawione klingi. Zza kulis wybiegł przerażony dyrektor. Zaczęli naradzać się szeptem i w panice. Wymachiwali przy tym rękoma, może nieco zbyt teatralnie, ale po widowni przebiegł szmer niepokoju, a ten i ów wstał, by lepiej widzieć, co się dzieje na arenie. Reszta zespołu wyglądała zaniepokojona zza kulis. Orkiestra przestała grać. Wreszcie mag nakrył skrzynię serwetą i uderzył w nią trzykrotnie magiczną różdżką. Zerwał tkaninę, otworzył boczną ściankę. Wnętrze było puste, tylko na dnie leżał kawał świńskiej rąbanki.

Publiczność, widząc, że to tylko sztuczka, odetchnęła z ulgą, a gdy Marco porwał mięcho i przytuliwszy do piersi, zaczął rozpaczliwie szlochać, cały cyrk ryknął śmiechem ulgi.

Mag władczym gestem uciszył ludzi, wyrwał klaunowi rąbankę, umieścił w pudle, ponownie nakrył skrzynię serwetą. Odprawiał jakieś straszliwe czary, wreszcie otworzył wieko i Tina wyłoniła się z wnętrza cała i zdrowa. Widownia oszalała. Rzęsiste brawa grzmotnęły jak salwa karabinowa.

Cała trójka w ukłonach zeszła z areny. Teraz przyszła pora na pokaz akrobacji. Trzej bracia zademonstrowali klasyczne salto mortale na trapezach i chodzenie po linie. Potem na widownię wtoczono podłużną skrzynię podobną do trumny. Znowu przyszła kolej na Wielkiego Dżonego. Ukłonił się publiczności. Wkroczyli cyrkowi siłacze i dyrektor.

– Panie i panowie! Z pewnością wiele sztuk cyrkowych widzieliście w swoim życiu, ale zapewne nikt z państwa nie oglądał jeszcze na arenie pogrzebu!

Widownia zaszemrała ze zdumienia.

– Oto nasz mistrz wejdzie teraz w stan najgłębszego transu. To coś jak sen, ale dużo głębszy. W transie nie trzeba jeść ani pić. Zatrzymują się serce i oddech. A po wszystkim człowiek uznany przez lekarzy za zmarłego wraca do życia...

Maga ułożono w skrzyni. Trzej siłacze pospiesznie wykopali dół w piaszczystej glebie. W trakcie, gdy kopali, Marco i Polo, drugi klaun, zabawiali publiczność serią klasycznych gagów. Suczka Pola, Kika, tego wieczora też pokazała klasę, tylko raz pomyliła wyuczoną lekcję. Wreszcie atleci spuścili skrzynię do dołu i zasypali ziemią. Wniesiono przęsła i kraty.

Dyrektor ukłonił się.

– Panie i panowie, oto przed wami profesor Ralf, niestrudzony badacz Czarnego Lądu, dzikich ostępów Azji oraz obu Ameryk – dyrektor zapowiadał kolejny występ. – Profesor zasłynął jako podróżnik, pogromca najbardziej krwiożerczych bestii. By przetrwać w pierwotnej dżungli pełnej dzikiego zwierza, wzniósł na niespotykane na co dzień wyżyny umiejętności strzeleckie, które także zechce nam zaprezentować.

Profesor był żwawym siedemdziesięciolatkiem. Miał siwą capią bródkę i białe krzaczaste brwi. Był chudy jak derwisz i łysy jak kolano, ale tego akurat nie było widać, bo na występ zawsze zakładał bawełnianą koszulę oraz hełm korkowy. Marco nie był pewien, czy człowiek ten faktycznie ma prawo tytułować się profesorem. Nigdy jakoś nie doszedł do tego, czy samozwańczy uczony kiedykolwiek był Afryce, ale jeśli chodziło o strzelanie i tresurę, staruszek umiał pokazać klasę... Profesor wprowadził tygrysa. Zaczął od kilku prostych sztuczek, potem zwierzę skakało przez obręcz zalepioną papierem. Wreszcie jeden z atletów odprowadził „bestię" na zaplecze. Marco był już gotów. Przez chwilę żonglował pięcioma orzechami kokosowymi, a potem jednym ruchem wyrzucił je pod dach namiotu. Profesor błyskawicznie wyrwał rewolwer z olstrów i celnymi strzałami roztrzaskał wszystkie. Publiczność zaszemrała z podziwu.

Marco wiedział, że w tym numerze jest drobny szwindel, bo rewolwery nabito nie zwykłymi pociskami, ale grubym śrutem. Profesor starzał się, wzrok coraz częściej go zawodził. Potem pogromca strzałami gasił i zapalał świece. Wreszcie zaprezentował strzelbę na słonie, z legendarnymi pociskami Nitro Express. Demonstrował wszystkim swoją flintę i naboje. Opowiedział kilka historii o polowaniach na hipopotamy, słonie i nosorożce. Na ile Marco się orientował, te opowieści były nawet prawdziwe, choć może niekoniecznie przytrafiły się akurat narratorowi. Wreszcie na arenę wtoczono czaszkę słonia na wózku. Widownia zaszemrała. W czole zwierzęcia ziała jedna niewielka dziura.

– Zabicie słonia jest niezwykle trudne technicznie – tłumaczył staruszek. – Dwa podstawowe problemy to niezwykle gruba kość i bardzo mały mózg. Tylko nieliczni strzelcy umieją powalić takie zwierzę jednym czystym strzałem. Celować trzeba tak, by trafić dokładnie w środek czoła, dwie piędzi nad linią łączącą oczy. Szarżujący słoń nie da nam drugiej szansy...

Pokazał drewnianym wskaźnikiem oczodoły. Połączył je kreską, a potem odmierzył wspomnianą odległość.

Otwór idealnie pasował do podanych wcześniej współrzędnych.

– Ten gagatek, którego czaszkę prezentuję, był starym złośliwym słoniem samotnikiem. Stratował wiele poletek ubogim Murzynom i zabił pięciu ludzi w ciągu dwu lat. Miejscowy kacyk, dowiedziawszy się, że przebywam w Mombasie... – dziadek ciągnął swoją opowieść „nieustraszonego białego myśliwego".

W tym czasie ekipa rozstawiała tarczę zbudowaną z sześciu jednocalowych desek, rozdzielonych listwami.

– To jest jedyna strzelba zdolna powalić słonia. – Profesor uroczystym ruchem wprowadził nabój do komory. – Teraz ujrzycie, drodzy państwo, jaka siła jest do tego potrzebna.

Odrzut prawie przewrócił starca. Pocisk roztrzaskał wszystkie sześć desek i utknął w worku z piachem. Widownia zaszemrała z podziwu.

Potem zaprezentował się Cygan – pan Kusy, i jego dwa uczone niedźwiedzie, Michał i Malwina. Zwierzęta niewiele jeszcze umiały, układał je od dwu lat, ale nauka szła im opornie, a on jakoś nie lubił używać bata.

Wreszcie na arenę ponownie weszli siłacze.

– Oto nasi atleci i zapaśnicy, przybysze z dalekiej Grecji, którzy wyrośli w cieniu drzew oliwnych porastających ruiny legendarnej Sparty – przedstawił ich dyrektor Apfelbaum. – Powitajmy brawami braci Tartara, Tantala i Hadesa!

W tym, co mówił dyrektor, było nawet źdźbło prawdy, z tym że z Grecji przybył dziadek siłaczy, a oni sami nigdy chyba nie odwiedzili ojczyzny przodków. Mocarze zgięli kilka podków, zerwali łańcuchy. Na zakończenie ustawili piramidę. Publiczność zaszemrała z podziwu. Numer z rwaniem łańcuchów czy gięciem podków widywali na jarmarkach. Prowincjonalni „atleci" najczęściej oszukiwali – jedno z ogniw odlewane było z cyny, a podkowy przed łamaniem nacinali. Wieści o tych sposobach już się rozeszły i mocno popsuły interes uczciwym cyrkowcom. Ale jeden byczek podnoszący naraz dwu równie masywnych braciszków... To robiło wrażenie, bo tu po prostu nie było miejsca na żadne kanty.

Na zakończenie występu siłacze odkopali skrzynię z Wielkim Dżonym. Mag wybudził się z transu i ukłonił zachwyconej publiczności. Dyrektor wyszedł na arenę, by pożegnać zgromadzonych. Szczupła trupa też się ustawiła. Młody klaun powiódł wzrokiem po widowni. Uśmiechali się wszyscy. Absolutnie wszyscy, bez wyjątku. Magia cyrku zadziałała raz jeszcze, odgoniła smutki, choć na chwilę rozjaśniła twarze.

Po to jesteśmy, pomyślał Marco. Sens naszego istnienia to budzić radość.

Jutro spokojnie się spakują i można ruszać dalej. Pan Kusy twierdził, że wrzesień powinien być ciepły i słoneczny. Cyganowi wychowanemu na szlaku w takich sprawach można wierzyć... Twierdził też, że nad światem zawisło straszliwe nieszczęście. Co gorsza, w tych sprawach też można było mu wierzyć.

Dyrektor podliczył utarg, dopilnował sprzątania i zamykania wszystkich obiektów. Zajrzał jeszcze do menażerii, upewnił się, że wszystkie zwierzaki mają się dobrze. Wreszcie mógł udać się na spoczynek.

Wydawało mu się, że tylko dotknął głową poduszki, gdy obudziło go gwałtowne potrząsanie za ramię.

– *Was ist los?* – mruknął poirytowany. Uchylił powieki. Za oknem dniało. Szarpał nim iluzjonista. – No i co ty mnie budzisz?

– Niemcy nad ranem przekroczyli granicę. Ich samoloty zbombardowały Wieluń.

Dyrektor oprzytomniał w jednej chwili.

– *Oj wej mir!* Zaatakowali? Może to tylko prowokacja?

– Do walk doszło w wielu punktach granicy. Ostrzelano z artylerii okrętowej składnicę na Westerplatte, to gdzieś koło Gdańska. Nie ma wątpliwości. To wojna.

– Diabli nadali... A więc stało się...

– Budzić ludzi? – zapytał magik. – Uciekamy? Jesteśmy niby dość daleko...

Dyrektor zamyślił się, wreszcie usiadł, gwałtownie odrzucając kołdrę.

– To okręg przemysłowy, mogą wysłać samoloty, by go zbombardowały. Nie możemy tu zostać, zaraz za lasem są fabryki zbrojeniowe. Trzeba wstawać, zwijać namiot. Chcę, żebyśmy najdalej w południe byli gotowi do drogi.

– Tak jest! Dokąd się udamy?

*

Wrzesień był bardzo ciężki. Już od kilku miesięcy trwała posucha, jakiej nie pamiętałem od lat. Zrezygnowałem z prób reanimowania auta. Odpuściłem sobie udział w aukcji starodruków, potem w kolejnej. Nowych zleceń nie było. Ostrożnie podbierałem niewielkie kwoty z konta oszczędnościowego. Wyłączyłem ogrzewanie podłogowe, żeby nie żarło prądu, i sypiałem w salonie przy kominku. Plany letnich eskapad najpierw zredukowałem do minimum, potem odłożyłem ad acta. Pod koniec kwietnia kasa kończyła mi się już definitywnie. Przejrzałem moją kolekcję, typując pierwsze przedmioty, z którymi trzeba będzie się rozstać... Na schodach dość regularnie zacząłem spotykać cztery licealistki z futerałami, a popołudnia często umilała mi muzyka sącząca się przez strop – lutnik z poddasza łatał budżet, udzielając lekcji gry na skrzypcach. Pan Maciek wystawił w witrynie warsztatu kilka ciekawych zegarków i zegarów ze swojej kolekcji. Mimo bardzo przystępnej ceny nie znajdowały jakoś nabywcy. Sam bym kupił za tyle, ale...

– Kryzys, panie Robercie, i co poradzisz? – marudził zegarmistrz, gdy spotkałem go pewnego ranka na podwórzu. – Nie pierwszy, nie ostatni. Ale jak rządzą nami tacy idioci, to czego się spodziewać? Zaczynam mieć tego dosyć. Podatki, kontrole, biurokracja... Inny VAT na zegarki, inny na paski, inny na baterie. A jak bateria w zegarku, to jak, do cholery, mam liczyć? Dobrze, że sprzedaję głównie nakręcane. Zamknę wreszcie w diabły cały ten interes... Spakuję zegarki i narzędzia, wywalę witrynki, a lokal wynajmę na lumpeks albo lombard, bo chyba tylko te dwie branże są w dzisiejszej Polsce wypłacalne... No i zagraniczne banki.

– To minie – pocieszałem go. – Cykle koniunktury i dekoniunktury są przeważnie siedmioletnie. Na Zachodzie podobno się już odbija od dna, to i nam w końcu zaświeci słoneczko. Wiosną...

Machnął tylko ręką i odszedł zrezygnowany. Nie przekonałem go. Sam powoli przestawałem wierzyć w rychłą odmianę losu.

Poczłapałem do siebie na górę. Naszykowałem klej, pędzelki, szczoteczki, dratwę. Starodruk najlepsze lata miał zdecydowanie za sobą. Przeciągnąłem dratwę przez wszystkie składki. Delikatnie nasączyłem klejem grzbiety. Zwisające końce nitek splotłem w warkoczyki. Wreszcie umieściłem całość pod prasą introligatorską. Ostatnie symboliczne poprawki... Jutro zrobię okładki, dokleję do nich sznurki trzymające grzbiet, całość oprawię w skórę. Dorobię zameczek i okucia na rogach...

To będzie chwilowo ostatnia oprawiona książka. Skończyła się giemza. Teoretycznie mógłbym podejść na Bazar Różyckiego i za kilkadziesiąt złotych kupić sobie kolejny kawałek... Może nawet udałoby się skombinować prawdziwą kozią – szewro. Tylko ten cholerny brak kasy.

Spojrzałem na książkę, a potem na kilka podobnych stojących w kolejce. Będą musiały poczekać na lepsze czasy. Może pół roku, może rok... Swoją drogą, z tego, co pamiętałem, Marta miała niezłą skórzaną miniówę. Ciut się już przecierała, więc i tak będzie musiała kupić sobie nową. Świetny surowiec, cieniutka jak ircha, ale z ładnym miodowym połyskiem. Gdyby ją pociachać... W sam raz do takich prac! Zadzwonić? Pani akustyk zmieniła numer komórki i stacjonarnego... A może mejla napiszę? Nie jest już wprawdzie moją narzeczoną, ale przecież każdy lubi książki, a ich ratowanie jest czynnością szlachetną, pożyteczną... Zmagałem się z tą myślą, ale w końcu nie napisałem.

*

Tabor ciągnął szosą na południe. Przez ponad tydzień usiłowali znaleźć dla siebie miejsce. Początkowo powędrowali w stronę Warszawy, rychło jednak przerażające komunikaty o nalotach podawane przez radio wymusiły korektę planów. Bitwa w obronie granic nie powiodła się. Niemcy wtargnęli w głąb kraju i mimo zaciekłego oporu posuwali się do przodu. Zespół już wtedy trochę się wykruszył. Atleci i akrobaci mieli od dawna karty powołania. Opuścili cyrk, by podjąć próbę dotarcia do swoich jednostek i komend uzupełnień.

Drogi na wschód zatłoczone były kolumnami uchodźców. Cyrkowcy zawrócili zatem na południe. Dyrektor rozważał ucieczkę w okolice Lwowa lub Stanisławowa, ale ostatecznie wybrał drogę na Sandomierz. Miał tam przyjaciół. W tej okolicy nie było na drogach wielu uchodźców, raz tylko spotkali wycofujący się na wschód oddział polskiego wojska. Żołnierze nie mieli jasnych rozkazów, ale dowódcy przekazano, że na Kresach trwa koncentracja wojsk i mobilizacja, która pozwoli na rychły kontratak. Niestety, kilka dni później radio poinformowało o wkroczeniu Sowietów.

Feralnego dwudziestego drugiego września byli w drodze od szóstej rano. Nalot zaskoczył wszystkich. Dwa samoloty pojawiły się jakby znikąd i widząc tabor, otworzyły ogień z karabinów. Marco puścił lejce i zeskoczył z kozła wozu prosto do rowu. Zrobił to w ostatniej sekundzie. Długa seria poszła po dachu, w powietrzu zawirowały kawałki desek, chwilę później pociski dosięgły konia. Zwierzę wydało nieludzki kwik i padło jak podcięte. Dyszel trzasnął jak zapałka. Samoloty z rykiem silników pomknęły dalej. Marco odprowadził je wzrokiem i ku swojemu przerażeniu spostrzegł, że zawracają. Rozejrzał się w panice. Zewsząd dobiegały wrzaski, złorzeczenia, kwiki rannych zwierząt. Schować się pod wóz? Czy dno wytrzyma ostrzał? Nie... Nawet stąd widział wyłupane drzazgi desek leżące na szosie pod pojazdem. Jego partner stary Polo był w środku. Żyje? Zabity? Ranny?

– Marco! – zawołał ktoś.

Uniósł głowę. W cieniu swojego wozu stał Profesor – pogromca lwów. W rękach trzymał strzelbę na słonie, a pod pachą dzierżył duży kawał stłuczonego zwierciadła.

– Zaraz wrócą, aby nas dobić – krzyknął. – Łap lustro!

Nie namyślając się wiele, Marco podbiegł i chwycił szklaną taflę.

– Zaskoczyli nas z tyłu. Ale teraz lecą ze słońcem. Samolot zejdzie bardzo nisko i pochyli się do przodu. Oślep mi na chwilę pilota zajączkiem, a ja skurwysyna zdejmę – poinstruował mężczyzna. – Już nadlatują!

Poprawił okulary na nosie. Poderwał broń do ramienia i złożył się do strzału.

– To tylko jeszcze jeden słoń – mruczał do siebie. – Tylko tym razem blaszany i latający. Ale zasadniczo problem jest ten sam, malutki mózg, w który trzeba niezwykle precyzyjnie trafić z odpowiednio grubej rury... Trzeba go zdjąć jednym czystym strzałem. Zanim nas stratuje.

– Dwie piędzi powyżej linii łączącej oczy – szepnął Marco zduszonym głosem, łowiąc słońce na taflę szkła.

Samolot faktycznie leciał nisko. Rozszczekały się karabiny. Pociski przeszyły dach wozu jadącego na czele taboru. Klaun puścił promień słoneczny, celując w kabinę, chwilę potem odezwał się basowy grom strzelby, a po sekundzie jeszcze głośniejszy huk z drugiej lufy. Samolot gwałtownie zszedł z kursu i umknął gdzieś w bok. Trafiony? Chłopak, nie czekając na instrukcje, błysnął lustrem w stronę drugiej maszyny. Zdołał na kilka sekund skupić zajączek na kabinie. Usłyszał trzask zamka, Profesor zdążył przeładować.

Huknął kolejny strzał, ale tym razem nie było widać żadnego efektu. Długie serie zadudniły po dachach. Rykoszety podskoczyły na bruku tuż obok stopy młodego klauna. Pogromca lwów zwinął się i padł jak ścięty. Marco rzucił lustro i skoczył do mężczyzny. Profesor otrzymał trzy kule w pierś.

Nie było sensu tłumić krwotoku ani próbować innych metod ratunku. Któryś z pocisków musiał uszkodzić serce. Kule przeszły na wylot. Na bruku rozlewała się wielka kałuża krwi. Klaun wyłuskał z bezwładnych palców nieboszczyka broń, z jego kieszeni wyciągnął kolejne dwa naboje. Przypomniawszy sobie, że ma jeszcze jeden pocisk w lufie, wychylił się i wypalił w ślad za odlatującym Niemcem. Odrzut powalił go na ziemię, a ramię łupnęło wściekłym bólem. Nie wiedział, czy to tylko wybity bark, czy może coś sobie złamał. Trafił jakimś cudem w ogon maszyny, ale poza dziurą w blasze nic nie uzyskał. Pospiesznie nabił i ponownie wychylił się zza uszkodzonego wozu. Ale panowała już cisza. Karabin umilkł, samolot odleciał.

Teraz dopiero chłopak mógł ogarnąć wzrokiem cały tabor. Ogarnęła go niema zgroza... Większość koni została zabita. Kilka, padając i miotając się w agonii, połamało dyszle lub przewróciło wozy. Szarpnął klamkę. Stary Polo leżał pod ścianą w kałuży krwi. Dwa kroki dalej spoczywała jego suczka. Oboje byli martwi, ale Marco stracił chwilę, by się upewnić. Do wozu z przodu nie miał po co iść... Profesor powoził sam, nikt z nim nie jechał...

Pobiegł w stronę zaprzęgu woltyżerek. Tina, blada jak ściana, ale żywa, stała, szlochając nad zastrzeloną klaczą. Pan Kusy mamrotał pod nosem jakieś cygańskie słowa. Na widok flinty na ramieniu młodego urwał i zagryzł wargi. Chyba od razu się domyślił, co zaszło.

– Profesor zabity. Polo też – rzucił chłopak. – Pierwszy samolot oberwał po kabinie, ale chyba kula przeszła pilotowi nad głową.

Z tyłu rozległo się kilka wystrzałów rewolwerowych. Podskoczyli spłoszeni, ale to tylko Wielki Dżony dobijał śmiertelnie ranne konie. Dyrektor nadbiegł od końca kolumny. Miał zakrwawione czoło. Widocznie trafił go odłamek szyby.

– Panie Kusy, proszę ze mną! – krzyknął i pognał jak młodzieniaszek na koniec kolumny.

Marco i Tina pomogli drugiej dziewczynie wydostać się z przewróconego wozu. Tu też seria rozpruła dach, ale na szczęście pociski ominęły pasażerkę. Kunegunda była blada jak ściana, w jej splątanych lokach uwięzły jakieś wióry. Znajdowała się w stanie głębokiego szoku, ale żyła. Klaun odetchnął z ulgą i zostawiwszy ją pod opieką towarzyszki, ruszył za pryncypałem. Podejrzewał, że może być tam potrzebny.

Nalot kosztował życie siedmiu członków trupy. Dwie osoby zostały lekko ranne. Zginął tygrys. Ocalało tylko siedem koni, jedenaście zginęło, trzy ciężko ranne trzeba było dobić. Bez szwanku za to wyszły z napaści niedźwiedzie i wielbłąd. Kolejne godziny mijały jak w sennej malignie. Ściągnięto martwe zwierzęta z szosy. Mieszkańcy pobliskiego miasteczka pomogli doprowadzić do porządku tabor. Ustawiono przewrócone wozy. Połamane koła i dyszle zastąpiono zdemontowanymi z rozbitych. Przepakowano tobołki. Przyszedł staruszek proboszcz, odmówił modlitwę nad zabitymi i zaprosił ocalałych na wieczorną mszę.

Słońce zachodziło krwawo. Na wiejskim cmentarzyku zebrali się wszyscy chyba mieszkańcy osady, wykopano zbiorową mogiłę. Nie było trumien, bo stolarza zmobilizowano, a nie miał w warsztacie niczego gotowego... Kilka kobiet pomogło przy obmyciu zwłok. Zabitych przebrano w najlepsze kostiumy, owinięto ciała w całuny z namiotowego brezentu. Na zaciosanych deseczkach dyrektor kopiowym ołówkiem zapisał imiona, nazwiska i pseudonimy cyrkowe. Gdy proboszcz nie patrzył, obok klauna Polo położono ukradkiem zawiniątko z ciałem jego pieska. Wielki Dżony starannie zanotował, w jakiej kolejności złożono nieboszczyków. Może kiedyś będzie okazja przeprowadzić ekshumację.

Marco stał, patrząc, jak na mogile wyrasta kopczyk gliniastej ziemi. Czuł żal i oszołomienie. Cyrkowcy przywykli ryzykować życie. Wypadki śmiertelne, urazy, kalectwo były nieodłączną częścią ich egzystencji. Ale tak nagle spadła ta śmierć...

*

Rozłożyłem na stole skórzaną kurtkę. Całkiem przyzwoita, niewiele noszona. I w zasadzie mój rozmiar. Gdyby włożyć pod nią polar... Przez chwilę biłem się z myślami, potem zagryzłem wargi i wykonałem pierwsze cięcie.

– Miękka, garbowana chromem – burknąłem. – Odzieżowa, a nie introligatorska... Wprawdzie dziewięćdziesiąt pięć procent ludzi nie zauważy różnicy, ale pozostaje te newralgiczne parę procent... Z drugiej strony, po prostu trzeba...

Zabrałem się do oprawiania tomiku. Skóra była nawet niezła, dawała się naciągać, ale mimo wszystko wiedziałem, że to nie to. Nie ta grubość, inny połysk. Kłopot w tym, że w mojej sytuacji jedynym źródłem potencjalnego surowca introligatorskiego był pobliski lumpeks. Zgrzytałem zębami, myśląc o tym, jak nisko upadłem... Ale nie miałem innego wyjścia. Nie znosiłem siedzieć bezczynnie. Kończyłem szycie, gdy zadzwonił telefon. Popatrzyłem przelotnie na wyświetlacz.

– A ten czego chce? – zdumiałem się, widząc numer znajomego Cygana z okolic Ząbkowskiej. – Halo?

– Witaj, Robert. Tu mówi Tytus.

– Witaj.

– Miałbym dla ciebie małe zlecenie. To znaczy nie takie małe. Małym bym ci przecież głowy nie zawracał. To jest zlecenie z gatunku takich konkretnych... Sprawy poniekąd rodzinne, ale...

– Rozumiem, ale takie, których sam nie umiesz ugryźć. Na szczęście znasz mnie.

– Gdybyś mógł wpaść do mnie do sklepu, bo to nie jest rozmowa na telefon. Chyba że wolisz, żebym to ja przyjechał do ciebie?

– Mogę być na Pradze za dwie godziny. Odwiedzę cię – obiecałem i rozłączyłem się.

*

Wysiadłem z tramwaju obok Bazaru Różyckiego i zagłębiłem się między kamienice, których fronty odmalowano chyba po raz ostatni na wizytę Papieża w 1987. Od razu poszedłem do sklepiku. Przez chwilę podziwiałem witrynę przyozdobioną skrzyżowanymi karabinami i gipsową rzeźbą siedzącego psa, któremu na szyi zawieszono replikę sowieckiego orderu. Nie byłem pewien, czy ta dekoracja niesie jakieś głębsze przesłanie, czy może właściciel interesiku uznał, że tak będzie po prostu ładnie. Wszedłem. Tytus przeglądał właśnie gruby katalog znaczków. Przywitaliśmy się. Usiadłem na krześle mającym najlepsze lata dawno już za sobą.

– Czego zatem mam poszukać? – zagadnąłem.

– Kociołka – odpowiedział bez sekundy zastanowienia. – Cygańskiego kociołka.

– Rozumiem. – Skinąłem głową.

– Gdzie tam rozumiesz – uśmiechnął się z pobłażaniem. – Cygański kociołek to metafora samego życia – dodał w natchnieniu.

– Zatem nie rozumiem – przyznałem.

Nie byłem pewien, czy mój niechciany przyjaciel, aby na pewno zna znaczenie słowa „metafora". Z drugiej strony, tyle razy repetował klasy, że chyba coś tam z programu nauczania w końcu zapamiętał?

– Muszę ci to wyjaśnić... Popatrz na siebie. Pomagasz ludziom, grzebiesz w tym, co lubisz, przez to twoje życie tworzy coś jak bieżnik utkany z kolorowych pasów. Wkładasz dobre rzeczy i czerpiesz dobre rzeczy... Tak jak my z kociołka – mówił z wyraźnym patosem.

Skrzywiłem się w duchu.

– Hmm... Mój kociołek ostatnio jakby zbyt często pokazuje dno – westchnąłem.

Nie zwrócił na moją wypowiedź najmniejszej uwagi. Najwyraźniej był w transie... Uniósł oczy i utkwił wzrok w suficie, gdzie wisiała masa jakichś gratów.

– Wiesz, jak nasi gotowali strawę na wędrówce? Mieli kociołek. Taki z pięć, może osiem litrów. Czasem trochę większy, czasem trochę mniejszy. Najlepiej miedziany pobielony cyną. Wiesz, po co pobielony?

– Wiem. Czysta miedź łatwo się pokrywa trującym grynszpanem. W dodatku cyna strąca chlorki, dzięki czemu najpodlejsza kranówa smakuje jak woda źródlana.

– To też – przyznał Cygan. – Choć samej wody tośmy w nich raczej nie gotowali. W każdym razie prawdziwy cygański kociołek na włóczędze zawsze był pełen. Nigdy nie wyczerpywaliśmy ich do końca. Nigdy. Zawsze musiała zostać jedna trzecia. Tylko dorzucaliśmy składniki, dolewaliśmy wody i wybieraliśmy zupę chochelką, ile nam było trzeba. Jak zdobyliśmy kurę, był rosół. Jak zdobyliśmy kartofle, była kartoflanka. Jak zdobyliśmy groch, była grochówka...

– A jak złapaliście jeża, to była zupa jeżowa z kolcami... – Wzruszyłem ramionami.

– Daruj sobie, nie jadłeś w życiu jeża, to się nie wypowiadaj – parsknął gospodarz.

– Ano jakoś nie jadłem i nie zamierzam.

Zapadło nerwowe milczenie. Chyba zastanawiał się, czy ma się na mnie obrazić, czy jednak nie. Ja obojętnie rozglądałem się po wnętrzu graciarni. Pardon, „sklepu z antykami".

– Co ty w ogóle wiesz o jeżach! – ruszyło go po minucie. – My też nie każdego jemy. Są takie, które mają nosek jak u świnki, i takie z psią mordką. Te z ryjkiem, „świńskie jeże", się jada, a te drugie to „psie jeże", a pies i koń to zwierzęta...

– Których nie jadacie. Nieczyste, skalane i tak dalej. Wiem. Foka też ma jakby psią mordkę, więc i foki nie zjecie...

Łypnął okiem, jakby sprawdzał, czy sobie kpię. Zachowałem kamienny wyraz twarzy.

– Rybactwem na Bałtyku to się nasi raczej nie zajmowali – zadumał się. – Ale z foką chyba masz rację. Tego byśmy nie jedli. Wracając zaś do jeży...

– Zapewne chodzi o gatunki *Erinaceus europaeus i Erinaceus roumanicus*. Jeż zachodni i jeż wschodni, choć pojęcia nie mam, który niby miałby mieć psią mordkę, a który świński ryjek. I przypomnę ci, że oba są pod ochroną. Daruj sobie szczegóły, bo zaraz puszczę pawia w sklepie i będziesz musiał wreszcie tu posprzątać.

– To ty zacząłeś wydziwiać nad naszą tradycyjną kuchnią. – Cygan chyba się trochę obraził.

– Przeeeeepraszam za brak tolerancji wobec obyczajów kulinarnych mniejszości narodowej. Co z tym kociołkiem?

– Zawsze zostawiało się tak jedną trzecią zawartości – powtórzył.

– Dlaczego?

– Dzięki temu nigdy nie groziła nam śmierć głodowa. Dopełniało się go czasem wodą, czasem czymś bardziej treściwym. Bywało, że kilka dni pod rząd tylko wody dolewali, ale wywar nadal przecież zawierał jakieś kalorie... Oczywiście najlepiej by było nigdy nie gasić pod nim ognia, no ale tabor przecież większą część czasu spędzał w drodze. W ruchu...

– Nie wybieraliście zawartości do dna, to jak je myliście? – zdziwiłem się.

– Nie myliśmy. Dorzucaliśmy tylko nowe składniki. Zawsze czyste i świeże, to i nic się nie mogło zepsuć. No i nigdy nie dopuszczaliśmy, by się przypaliło.

Zadumałem się nad tym, co powiedział. Może ta receptura miała sens? W końcu bigos najlepszy jest właśnie taki, kilka razy odgrzewany...

– Rozumiem. Mam zatem odnaleźć takie naczynie. To znaczy jakiś konkretny egzemplarz, jak mniemam? – postanowiłem przejść do meritum.

– Słyszałem o tobie, o tym, jaki masz fart, jakie rzeczy zdołałeś wyszukać. I naraz doznałem natchnienia. Zapragnąłem odzyskać nasz kociołek. Ten, o którym opowiadał mi dziadek, jak byłem mały. No bo wiesz, dobry kociołek wędrował przez pokolenia, matka przekazywała go najstarszej córce, babka wnuczce, i tak dalej. Bywały w starych rodach kociołki szczególne. Gdy się przez lata gotowało w nich zupy, nabierały swoistych właściwości. Szlachetne produkty, wrzucane do środka, oddawały cząstkę swej doskonałości ściankom naczynia, a te przekazywały je kolejnym daniom... Uzyskiwano dzięki temu potrawy doskonałe... – wygłaszał swój monolog znowu w stanie głębokiego natchnienia.

– Pozwól, że zgadnę – przerwałem mu. – Zaginął wam kiedyś kociołek waszej babki i chcecie go odzyskać, bo wraz z nią odeszły w niepamięć cuda, które gotowała. Liczycie zatem, że samo naczynie pomoże wam wspiąć się na wyżyny kulinarnego kunsztu.

– Coś w ten deseń – przyznał. – Tylko że nie jest to kociołek babki, lecz prababki. A ona odziedziczyła go po swojej prababce. Moja rodzina używała go przez wiele dekad. Z pewnością zupa z niego będzie czymś absolutnie niepowtarzalnym... Jak łyk tradycji. – Znów wzniósł uduchowione spojrzenie ku sufitowi. – Eliksir, esencja naszej kuchni... Godna weselnego stołu.

Raczej powinien popłynąć z niego ocet siedmiu złodziei, tyle kradzionych kur tam wrzucili, pomyślałem złośliwie, ale zmilczałem.

– Poproszę zatem konkrety.

– Konkrety? No cóż, prababka po śmierci pradziadka wyszła ponownie za mąż. Dzieci były już odchowane, poszła więc za nowym mężem. Był kowalem, cieślą i układał zwierzęta. Miał tańczącego niedźwiedzia, to znaczy parkę. Wędrownemu kowalowi było ciężko przed wojną wyżyć, więc przyłączył się do cyrku.

Skrzywiłem się w duchu. Nie lubiłem cyrków. Nie byłem zwolennikiem tresury zwierząt. A już szczególnie nie pasowały mi cygańskie metody uczenia niedźwiedzi tańca... Po co w ogóle tu przychodziłem? Nic mi w tym zleceniu nie odpowiadało. Nawet zleceniodawca budził moją niechęć...

– Prababka umarła. Jej mąż znał wartość takiej pamiątki, więc obiecał oddać go rodzinie jesienią, ale po prostu nie zdążył. Ostatni kontakt z nim był latem trzydziestego dziewiątego. Cyrk ruszał w trasę na południe, a nasz tabor ciągnął na wschód. Podczas okupacji każdy ukrywał się przed szkopami i nie pisywało się listów. A po wojnie ten człowiek się nie odezwał. To oznacza, że umarł, bo słowo Cygana dane drugiemu Cyganowi jest święte...

Miałem co do tego pewne wątpliwości, ale taktownie się nie odzywałem. Trzeba szanować zleceniodawcę. A przynajmniej udawać szacunek...

– Skąd przypuszczenie, że ten kociołek da się w ogóle odnaleźć? – zainteresowałem się.

– Żenił się będę. Matka postawiła karty mojej narzeczonej, a swojej przyszłej synowej. Wyszło z nich, że jeśli zupa z niego będzie podana na weselu, to zapewni nam wszystkim szczęście... Ale za to jak go nie znajdziemy, czeka nas szare pasmo pecha... Karty bywają wredne, bo jak przepowiedzą dobre rzeczy, to może czasem się spełni, ale jak przepowiedzą złe, to się na pewno spełni.

– Jeśli...

– Gdyby jego odnalezienie było zupełnie niemożliwe, karty by o nim nie powiedziały. Zatem nie tylko istnieje, ale chyba da się też odszukać. Sami tego nie ugryziemy. Ty jesteś cenionym fachowcem – podlizał się.

– Przywykłem trzymać się jak najdalej od okultyzmu, magii i tak dalej. A już wasza magia szczególnie mi nie leży...

– Tak, wiem, jesteś moherem i rasistą – westchnął.

– No, z tym rasizmem to może lekka przesada. Powiedzmy, że jestem do was trochę uprzedzony.

– Czy jakiś Cygan zrobił ci kiedyś coś złego? – parsknął.

Zamyśliłem się.

– Tak po prawdzie to nie.

– Skoro nas nie lubisz, to policz więcej za usługę i tyle.

– Stawka jest jedna dla wszystkich... – Wzruszyłem ramionami. – Jeśli chodzi o kasę, ludzi wszystkich ras, wyznań i narodowości traktuję jednakowo surowo, okrutnie i bezwzględnie.

– Weźmiesz tę robotę? – Spojrzał prosząco.

– Wezmę – westchnąłem. – Cyrk z przyszywanym pradziadkiem i kociołkiem prababki na pokładzie wozu udał się w dół mapy. Czyli mam do przeszukania całą powierzchnię kraju na południe od Warszawy plus ewentualnie przedwojenne województwa lwowskie, stanisławowskie i takie tam, czyli kawał obecnej zachodniej Ukrainy – sprecyzowałem. – No cóż, bywało lepiej, bywało gorzej...

– Myślisz, że jest szansa?

– Sam mówiłeś, że wasze karty to sugerują. W każdym razie spróbuję. Zaliczka z góry, druga połowa tylko w razie odnalezienia artefaktu.

– Wiem...

– Przyjmijmy, że trafię na trop. Czy wiesz, jak wyglądał ten kociołek? Ten konkretny. Jak go mam rozpoznać, gdyby na przykład były dwa? Albo osiem.

– Jest miedziany, z grubej blachy. I wyklepano go z jednego kawałka. Wiesz, o co chodzi?

– Mniej więcej. W dawnych czasach najczęściej wycinano z blachy trójkąty, klepano, nacinano brzeg w ząbki, lutowano i wyklepywano połączenia. A ten wasz zrobili z pojedynczego placka miedzi, klepiąc do skutku?

– Tak. No i jest stary. Pochodzi chyba jeszcze z osiemnastego wieku. Miedź była wtedy ciemniejsza. Inaczej śniedziała.

– Bo obecnie używa się elektrolitycznej. Tamta była wytapiana z rudy, zanieczyszczona cyną, cynkiem, berylem, ołowiem i co tam jeszcze występowało w złożu. Dobra, wiem już mniej więcej, czego szukać.

– I jeszcze jedno – odezwał się. – Gdybyś znalazł przypadkiem jakimś cudem informację, gdzie pan Kusy został pochowany... No wiesz, pojedziemy choć świeczkę zapalić. Choć sądzę, że raczej przepadł w jakimś Auschwitz czy podobnym miejscu...

– Jeśli wasz kociołek jest, na przykład, elementem ekspozycji muzealnej... – zacząłem.

– To powiesz nam tylko, gdzie on jest tym elementem, a już my po naszemu zajmiemy się resztą – warknął.

Ech, i jak tu pozbyć się uprzedzeń i stereotypów? – westchnąłem w duchu. Mógł chociaż powiedzieć, że podmienią go na identyczny albo jakoś delikatniej ubrać to w słowa. No nic, zlecenie to zlecenie. Najpierw poszukam, a potem zadecyduję, co dalej. Może uda się rozegrać to tak, by żadne muzeum nie traciło „elementów".

Pożegnaliśmy się i wyszedłem. Na ulicy odruchowo sprawdziłem, czy mam nadal portfel i telefon. Były na swoim miejscu. Za to zegarek zamiast na lewej ręce miałem teraz na prawej. Ale nie mogłem wykluczyć, że przełożyłem go rano, gdy dłubałem przy starej książce.

*

Wozy rozstawili między drzewami, daleko od siebie. Jeśli zostaną ponownie zaatakowani, straty będą mniejsze... Zwierzęta przywiązano obok rozłożystych dębów. Konie patrzyły na pobliską polanę porośniętą długą, jedwabistą trawą, wyciągały szyje i rżały zirytowane. Na szczęście samoloty słyszano tylko raz, kilka dni temu. Teraz panował spokój.

Klaun przeliczył wzrokiem trupę. Zostało ich już tylko siedmioro. Większość ekipy po pamiętnym nalocie odłączyła się, by na własną rękę szukać możliwości przedarcia się do swoich rodzin. Tego dnia też nie robiono obiadu, dym mógłby zdradzić pozycję cyrku. Wielki Dżony rozwiesił antenę pomiędzy drzewami. Ze swojego wozu wydobył radio kryształkowe i zasiadł na pniu ze słuchawkami na uszach. Długo milczał, zasłuchany w komunikaty krążące w eterze, czoło marszczyło mu się, a uśmiech, zazwyczaj przyklejony do warg, znikł bez śladu. Wreszcie wstał i złożył urządzenie.

– Warszawa skapitulowała, Twierdza Modlin poddana. Niemcy wycofali się spod Lwowa, oddając tamten teren Sowietom – zreferował.

– Coś o okolicy, w której się znajdujemy? – zapytał dyrektor.

– Nic. Ale Kraków zajęty... W Tarnowie z pewnością gospodarują już szkopy. Ale wyjechać z lasów chyba musimy tak czy inaczej. Żywność się kończy, pasza dla zwierząt też.

– Marco?

– Jestem. – Chłopak zeskoczył z wozu.

– Weźmiesz konia, podjedziesz na skraj lasu, zorientujesz się, jak wygląda droga na południe. Podpytaj ludzi we wsi, może będą coś wiedzieli. Tylko nie daj się złapać.

– Się wie!

Młody klaun szybko osiodłał Srebrnego i pomknął leśnym duktem. Wrócił po niemal trzech godzinach.

– W okolicy w miarę spokojnie – zameldował. – Spotkałem w miasteczku policjanta. Niemcy już tu byli, ale poszli dalej. Kazali mu pozostać na służbie i utrzymywać porządek. Drogi przejezdne, ale radził uważać, bo bywa, że Niemcy dla zabawy ostrzeliwują uchodźców. Nie wie, jak wygląda sytuacja dalej na południe, telefony nie działają od kilku dni.

– Kusy! – zawołał dyrektor.

– Jestem. – Rosły Cygan wyszedł spomiędzy drzew.

– Słyszałeś? Co radzisz?

– W lesie można żyć choćby i cały rok... Moglibyśmy zjechać w młodnik, wykopać ziemianki. Tu i sam diabeł nieprędko by nas znalazł. Ale to chyba bez sensu. Najwyraźniej przegraliśmy wojnę. Zapasy się kończą. Myślę, że trzeba do miasta... Nie podoba mi się to, ale w lesie czy na wsi nie wyżyjemy, a tam może jakaś robota wpadnie.

– Dobrze. Zbierzemy ludzi i ruszamy. Nocleg w Tarnowie.

Kilka razy trafiali na świeże pobojowiska lub pobocza szos zasłane resztkami rozbitych wozów, trupami koni i świeżymi krzyżami na grobach uchodźców. Radio kryształkowe, przy którym co godzinę siadał iluzjonista, pozwalało zorientować się jedynie w ogólnej sytuacji. Rozmiary klęski oszałamiały. Armia pobita, kraj zalany przez Niemców... Do Tarnowa dojechali przed wieczorem, ostatkiem sił, przemykając się bocznymi drogami. Dwukrotnie mijały ich kolumny niemieckich ciężarówek, ale hitlerowscy żołnierze na widok kolorowych wozów i wielbłąda uśmiechali się tylko, szczęśliwie dając im spokój. Jeden nawet rzucił jabłko do klatki z niedźwiedziami.

– Magia cyrku – skwitował to iluzjonista. – Nawet zbrodniarze i łajdacy lubią się pogapić na przedstawienie...

– Ci z samolotów nie chcieli się gapić, walili do nas jak na strzelnicy – mruknął Marco.

– Może nie spostrzegli, że to cyrk?

Wjechali do miasta od północy, chcieli ominąć hitlerowskie posterunki, jednak kawalkada wozów nie uszła oczywiście uwadze niemieckich żandarmów. Zatrzymano ich. Początkowo okupanci byli surowi, ale iluzjonista zaczął gadać z nimi po niemiecku. Obśmiali się na widok wielbłąda. Pan Kusy zagrał na harmonijce i niedźwiedzie zatańczyły w klatce. Wielki Dżony wyciągnął królika z kapelusza. Hitlerowskie pyski o rysach jak odlanych z żeliwa nieoczekiwanie złagodniały. Na prostackich twarzach żołdaków wykwitły nawet zdawkowe uśmiechy. Skończyło się na pobieżnej kontroli dokumentów i ładunku.

Magia cyrku, pomyślał Marco, gdy ruszyli dalej. Może faktycznie jakoś tam działa. Tylko czy każdy lubi wędrownych kuglarzy...?

Na dawne miejsce postoju dotarli przed zmrokiem. Tu nic się nie zmieniło od zeszłego roku. Wysoki mur oddzielał parcelę od starego ogrodu pełnego zdziczałych śliw. Stał tam od dawna opuszczony dom. Nad drugim murem czerwieniały cegłą zabudowania zamkniętej fabryczki. Płot zamykał kwadrat od strony skrzyżowania dwu uliczek. Kusy dyrygował ustawieniem wozów. Zmieściły się wszystkie, choć pozostały między nimi tylko wąskie przejścia. W narożniku murów powstał niewielki placyk, przy bramie drugi. Rozłożyli zagrodę montowaną z paneli i puścili wielbłąda, by mógł rozprostować nogi. Zazwyczaj rozstawiali namiot po drugiej stronie ulicy, na łące parku miejskiego. Teraz nie było po co... I tak nikt by nie przyszedł na przedstawienie...

Marco długo leżał, przewracając się z boku na bok. Z jednej strony czuł ulgę. Zakotwiczyli. Dotarli na stare leże. Wozy zatrzymały swój bieg w znanym mu miejscu. Z drugiej, czuł strach. Dopóki kryli się po lasach, wydawało mu się, że są w miarę bezpieczni. Teraz stali na widoku pośrodku miasta pełnego okupantów. Niby dwadzieścia lat temu też była okupacja, ale czuł przez skórę, że ta będzie zupełnie inna. Wpatrzył się w ciemność. W drugim końcu wozu było łóżko należące do Pola. Młody klaun westchnął. Brakowało mu zrzędzenia, żartów i delikatnych docinków starego... Przez te dwa lata przywykł traktować go może nie jak ojca, ale na pewno jak stryja. Teraz nie bardzo miał się kogo poradzić.

*

Cyrkowcy urządzali się przez kolejne dni. Dyrektor wraz z Kusym odwiedzili miejscowych handlarzy i po długich, burzliwych negocjacjach sprzedali wszystkie siedem koni. Marco nie próżnował, woził pożyczoną taczką gruz z ruin po drugiej stronie ulicy. Z kawałków cegieł dziewczyny układały w błocie ścieżki. Wielki Dżony wykopał latryny i zbił z desek dwie sławojki. Nocami wydrążyli kilka podziemnych skrytek i długi tunel wiodący spod wozu, pod murem do ogrodu. Przeszli się po zbombardowanych i spalonych domach i wyłamali każdy ocalały kawałek deski lub parkietu. Zebrali resztki mebli i gazet – słowem wszystko, co mogło posłużyć za opał. Pozaglądali do piwnic, szop i składzików w poszukiwaniu węgla. Przegrzebali piece i popielniki. Zebrali w sumie dwa worki miału, drobnych kawałków i niedopalonych resztek. Znaleźli też opróżnioną do połowy blaszankę nafty i kilkukilogramowy blok stearyny. Zdobyli więc opał na zimę, trochę paliwa do lamp, mieli z czego odlać świece...

Jakoś to będzie, pocieszał się chłopak.

Ale czuł przez skórę, że prawdziwe problemy dopiero przed nimi. Dziewczyny po sprzedaży koni snuły się apatycznie. Wszystkich ogarnął smutek i przygnębienie. Dyrektor wysupłał trochę pieniędzy i kazał zamówić w pobliskim kościele mszę za zabitych pracowników. Pan Kusy przeważnie milczał, od czasu do czasu wydawał krótkie, konkretne polecenia. Sam też nie oszczędzał

CYRK
AMFORA
zaprasza
na występ

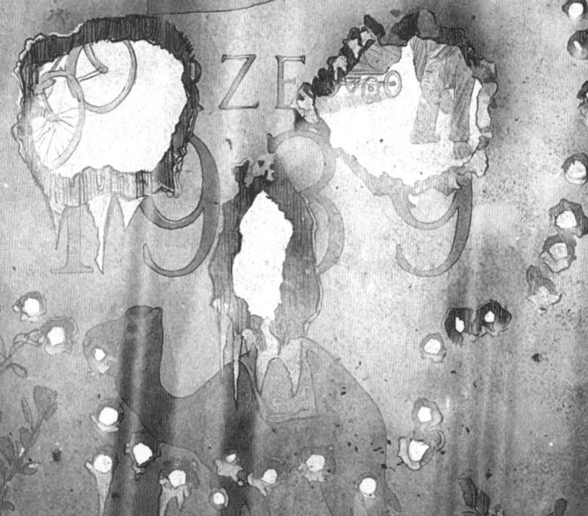
ZE
1939

się w pracy. Minął tydzień, potem drugi. Po pogodnym wrześniu nadszedł zimny i deszczowy październik...

*

Prześledzić losy cyrku, który siedemdziesiąt lat temu ruszył w trasę, to z pozoru nic trudnego. Trzeba nasiedzieć się nad mikrofilmami i w kilkadziesiąt godzin da się rzecz ogarnąć. Gazety lokalne chętnie informowały o takiej atrakcji. Kłopot w tym, że cyrki były różne. Te duże, poważne, jeździły od miasta do miasta. Te mniejsze chałturzyły po wsiach i zapyziałych miasteczkach. Im dalej od utartych szlaków, tym większe były szanse na zapełnienie widowni. I tym większe szanse na biologiczne przetrwanie. Nędza, w jakiej żyli ci ludzie, była zatrważająca. Znalezienie jakiegokolwiek śladu „Amfory" okazało się niezwykle trudne.

W zasadzie krzywda mi się nie dzieje, dumałem piątego dnia poszukiwań, pijąc trzecią kawę w zacisznym barku Biblioteki Narodowej. W okna bił ciężki, szary jesienny deszcz. Siedzę w cieple, robię to, co lubię, to znaczy przeglądam dawną prasę. I jeszcze mi za to płacą...

– Twoje zdrowie, Tytus. – Uniosłem filiżankę jak do toastu. Ale zawsze jednak lepiej przedstawić zleceniodawcy jakiekolwiek wyniki...

Znalazłem kilka rozproszonych wzmianek. Cyrk szedł przez kraj strasznym zygzakiem. W sierpniu 1939 popasał pod miasteczkiem Pionki opodal Radomia. W przepastnym katalogu biblioteki, wśród przeszło czterech milionów woluminów, znalazłem wydane grubo po wojnie pamiętniki jednego z mieszkańców. Wspominał ten – jak to określił – „ostatni cyrk". Opisał nawet dość szczegółowo jedno z przedstawień. Żonglerka, klauni, iluzjonista dający się zakopać żywcem, pokazy woltyżerki w wykonaniu dwu dziewcząt na koniach, wielbłąd, który wprawdzie nic nie robił, ale i tak był szaloną atrakcją, tańczące niedźwiedzie, tygrys tresowany przez podróżnika, który ponoć osobiście złapał go w dżungli. Autor nie wspomniał nic o Cyganach towarzyszących trupie ani nie pisał, dokąd cyrk ruszył dalej. Rzecz jasna, nie znalazłem też żadnej wzmianki o kociołku.

Wspomnień Cyganów z czasów okupacji było niewiele. No cóż – szlachetna sztuka pisania nie była w tamtych czasach ich mocną stroną... To, co odnalazłem i przeczytałem, budziło grozę. Najwyraźniej ta nacja miała jeszcze bardziej przechlapane niż Żydzi. Z drugiej strony, w wielu przypadkach ratowała ich mobilność, lekceważący stosunek do wszelkich zarządzeń okupanta i umiejętność przetrwania całego roku pod przysłowiową chmurką. Tabory, choć zdziesiątkowane, zaraz po zakończeniu wojny jak gdyby nigdy nic ruszyły w swoje trasy, a co więcej, przebojem wdarły się na Ziemie Odzyskane, gdzie nigdy wcześniej ich nie widziano. Czytałem wspomnienia, szukając jakiegokolwiek śladu kowala i niedźwiednika Kusego. Nadaremnie. Zapodałem jeszcze temat Arkowi. Choć wątpiłem, żeby zdołał cokolwiek znaleźć...

*

Zazwyczaj jesienią cyrkowcy z „Amfory" ściągali pod Warszawę i ci, którzy nie wracali do krewnych, wynajmowali kilka „pokoi umeblowanych" w starej kamienicy czynszowej na Targówku, należącej do rodziny dyrektora. Po raz pierwszy cyrk musiał zimować w takich warunkach. Tylko pan Kusy nie tracił humoru. Cyganie przywykli żyć okrągły rok w wozach taborowych. Bardziej od mrozu bał się Niemców. Dlatego zmobilizował wszystkich cyrkowców i pokierował przygotowaniami. Ściany wozów od zewnątrz obili słomianymi matami, od środka dywanami i chodnikami. Dodatkową warstwę słomy upchnęli między sufity a półokrągłe dachy wozów. Pod ten przy murze zgarnęli wielką kupę liści. Mieli nadzieję, że nikt nie będzie szukał podkopu w legowisku niedźwiedzi. Michał i Malwina z radością zagrzebały się w gawrze i niebawem zapadły w sen zimowy. Wywołało to nieliche konsternację, wszyscy zgodnie uznali, że to wyraźny znak nadchodzącej wczesnej i bardzo ciężkiej zimy.

Jak się okazało, instynkt nie zawiódł niedźwiedzi. W połowie listopada zaczęły się pierwsze zadymki. Ceny żywności zwariowały. Na szczęście jeszcze w październiku za pieniądze ze sprzedaży koni zakupili zapasy kartofli, zboża, kaszy i słoniny. Okupanci zaczęli wydawać przepustki umożliwiające podróżowanie po kraju. Ale członkowie trupy nie mieli dokąd jechać, dla nich wszystkich jedyną rodziną był cyrk.

Niemcy nakazali oddać wszystkie odbiorniki radiowe. Jednak iluzjonista zignorował zalecenie i wieczory spędzał ze słuchawkami na uszach. Czasem udawało mu się złapać polskie audycje nadawane z Francji. Generał Sikorski wzywał ludność okupowanej Polski do zachowania spokoju. Zapewniał, że przygotowania wojenne idą pełną parą, a każdy dzień przybliża klęskę Niemiec.

– Propagandowe bzdury – kwitował Wielki Dżony, wzruszając ramionami. – Ale daj Boże, żeby wreszcie coś się ruszyło...

Czasem udawało się złapać nielegalne audycje nadawane przez radioamatorów. Ci przekazywali wieści zgoła fantastyczne. Raz informowali, że w Odessie i Batumi wylądowali obcy interwenci. Innym razem podano, że trzy sowieckie armie zdezerterowały i zbiegły do Finlandii. To znów sztukmistrz dowiedział się, że marszałek Tuchaczewski, rozstrzelany w 1937 roku, nie tylko żyje, ale jeszcze Stalin przywrócił go do łask i uczynił głównodowodzącym. Nadajniki milkły stopniowo, zapewne Niemcy wyłapywali właścicieli.

Woltyżerki zamieszkały razem, Marco przeniósł się do iluzjonisty. Zawsze to oszczędność opalać trzy piecyki, a nie sześć... Ustalono też, że będą prowadzić wspólną kuchnię. Pan Kusy wygrzebał ze swoich bagaży spory miedziany kociołek.

– Będziemy gotować cygańską zupę – powiedział, widząc pytające spojrzenie chłopaka. – Prawdziwą. Taką, która zawsze stawia na nogi i której nigdy nie zabraknie.

– Jak to nigdy? – zdumiał się Marco.

– To nie jest taki zwyczajny kociołek. Sam z siebie jadła wprawdzie nie zrodzi, ale... Zresztą sam zobaczysz. I jeszcze jedno – mruknął. – Broń Profesora. Ta jego straszliwa strzelba na słonie...

– Wyczyszczona, naoliwiona i dobrze schowana – uśmiechnął się chłopak. – Sam diabeł nie znajdzie.

– Zatem dołóż tam jeszcze to. – Cygan otworzył szufladę, podał mu rewolwer i granat. – Może się nie przyda, ale... kto wie? Szwaby wprowadzili karę śmierci za posiadanie broni palnej, więc schowaj tak, żeby faktycznie nikt nie znalazł.

*

Pod koniec tygodnia znowu pojechałem na Pragę.

– Igła w stogu siana – referowałem Tytusowi postęp prac. – Szukam wzmianek w lokalnych gazetach...

Rozłożyłem mapę, na której czarnym markerem zaznaczyłem dziesiątki punktów. Część z nich układała się w wyraźne trasy, część nie. Kilka zaznaczyłem czerwonymi obwódkami.

– To na sto procent „Amfora" – wyjaśniłem. – Problem w tym, że małych cyrków w tamtym czasie było kilkadziesiąt. Lokalne gazety często wspominały, że przyjechał cyrk, ale tylko w przypadku największych i najbardziej znanych podawały nazwy. Trasy, którymi się przemieszczały, przecinają się, czasem zachodzą na siebie. W miasteczku latem mogły się pojawić nawet cztery. Oczywiście cyrkowcy starali się nie wchodzić sobie w drogę... Zapewne regulowały to jakieś niepisane zwyczaje. Tylko chyba nie wszyscy przestrzegali dżentelmeńskich zasad.

– Konkurencja musiała być ostra – mruknął Tytus.

– Owszem. A społeczeństwo było jednak dość biedne, więc cyrki dla uzyskania jakich takich zysków musiały się raczej trzymać z dala od siebie i nie dublować tras. W połowie sierpnia trzydziestego dziewiątego „Amfora" pojawiła się w Sandomierzu. To wiem na pewno. Teraz pytanie, dokąd powędrowała dalej? Może do Stalowej Woli? Moim zdaniem to był zbyt mały cyrk, by próbowali szczęścia w Krakowie czy Rzeszowie. Muszę siąść do czytnika mikrofilmów i przeryć kolejne tysiąc archiwalnych numerów gazet...

– No, tu ci nie pomogę... – Cygan rozłożył ręce.

Miałem na końcu języka szereg złośliwości natury rasistowskiej, ale zmilczałem. Pożegnałem się i pojechałem do siebie, na Wolę. Przy Towarowej mijałem niewielki skwer. Gdy byłem dzieckiem, czasem rozkładał się tu cyrk. Teraz część terenu zajmował parking, resztę zarosła trawa i chwasty. Nie widywałem charakterystycznego namiotu od lat.

Mamy masę innych rozrywek, pomyślałem.

Jak już wspominałem, w zasadzie nie lubiłem cyrku, mimo to czułem pustkę. Czegoś zabrakło, coś się skończyło. Kolejny element rzeczywistości uległ destrukcji. Oderwałem wzrok od opuszczonej parceli i spojrzałem w dal, na widoczne stąd wysokościowce centrum. Szczerze nienawidziłem tego typu architektury. Widziałem, jak moja Warszawa z roku na rok zamienia się w tanią prowincjonalną podróbkę Berlina...

Wysiadłem z tramwaju. Postawiłem kołnierz i ruszyłem szybkim krokiem. Mój dom... Śliczna mała kamieniczka, dekadę temu cudem uratowana przed wyburzeniem. Mnie już zabraknie, a ona nadal będzie cieszyła oczy kolejnych pokoleń warszawiaków.

Stary świat rozsypuje się, myślałem. To proces poniekąd naturalny. Trudno wymagać, by wszystko trwało niezmienione. Ale żal, gdy niszczone są cenne ślady przeszłości, a to, co wyrasta na ich gruzach, okazuje się brzydkie i tandetne... Żal, gdy znika stary zakład naprawiający parasole, a w jego miejscu wyrasta kolejny sklepik z najtańszym chińskim szmelcem... Żal, gdy umiera ostatni w dzielnicy fachowiec robiący pędzle do golenia z włosia borsuka...

*

Bazar stanowił jakby niewielki, cudem ocalały zakątek przedwojennej Polski. Na tle pustych, wymiecionych z towaru sklepów jawił się jako enklawa rozpasanego dobrobytu. Worki z kaszą, mąka, tytoń, rąbanka, kiełbasy... Tylko paskarskie ceny odstraszały klientów.

Marco rozłożył sobie kawałek szmacianego chodnika, położył czapkę na datki. Zdjął kurtkę, pozostając jedynie w skórzanym serdaku. Musiał mieć wolne ręce. Na dłonie wzuł rękawiczki z cieniutkiej skórki. Naszykował pięć piłeczek, puścił je w ruch. Pokaz żonglerki wzbudził raczej umiarkowane zainteresowanie. Ludzie mijali go obojętnie, smutni i zmęczeni. Czasem tylko ktoś przystanął na chwilę. Do czapki wpadła pierwsza moneta, potem druga. Jakaś przekupka dała mu jabłko, inna pięć bułeczek w papierowej torbie. Ktoś ze swoich zakupów ofiarował garść orzechów. Przez bazar przeszedł patrol granatowej policji. Otaksowali chłopaka, ale minęli obojętnie. Nim palce ostatecznie mu zgrabiały, wzbogacił się jeszcze o wianek suszonych śliwek, nanizanych na dratwę.

Przyszła Tina.

– I jak tam? – zagadnęła.

– Na razie mam pieczywo na drugie śniadanie, surowiec na rondelek świątecznego kompotu i orzechy. Słyszałem, że Gruzini gniotą je na miazgę i używają do smażenia zamiast tłuszczu... – Westchnął. – Tylko nie bardzo jest co smażyć. Chyba że kupię garść kartofli. – Spojrzeniem przeliczył groszaki w czapce. – Dosłownie garść.

– Zagrasz mi? – zapytała, wyjmując harmonijkę. – Coś dramatycznego i ponurego...

– Zamierzasz...?

– Może pójdzie mi lepiej.

Palce już się rozgrzały, ale z harmonijką był kłopot. Na takim mrozie wilgoć z oddechu szybko osiadała wewnątrz w postaci szronu. Marco zagrał gruzińską arię „Tavo Chemo", a potem kawałek „Upiora w operze". Muzyka sprawiła, że coraz więcej osób przystawało, by przypatrzeć się parze cyrkowców. Dziewczyna zdjęła płaszczyk.

– Panie i panowie – zakrzyknął Marco, opuszczając instrument – tylko dziś na waszym bazarze wielka sensacja, uczennica hinduskich fakirów i mnichów rytu Czohed, mademoiselle Tina, zaprezentuje mrożącą krew w żyłach sztukę. Panna Tina zazwyczaj połyka jadowite węże i skorpiony, ale z uwagi na trudny okupacyjny czas wszelaka jadowita gadzina trafiła już do naszych garnków.

Przez tłum przebiegł śmiech. Marco ujął harmonijkę i zagrał „Modlitwę dziewicy". Tina wydobyła z torby bagnet od karabinu Mosina – pamiątkę z poprzedniej jeszcze wojny.

Przeszła wzdłuż stojących w kręgu mężczyzn, zachęcając, by sami sprawdzali, że długa czworograniasta klinga jest naprawdę paskudnie ostra. Potem stanęła na chodniczku, odchyliła głowę do tyłu i zaczęła wsuwać ostrze do gardła. Tłum zaszemrał, a potem zapadła pełna nabożeństwa cisza. Dziewczyna połknęła klingę aż po tulejkę. A potem ostrożnie zaczęła ją wyciągać. Wreszcie ukłoniła się widzom. Nagrodzono ją gromkimi brawami i do czapki klauna sypnęły się groszaki, trafiło tam też pęto kiełbasy, trochę jabłek i orzechów oraz dwie woskowe świeczki i paczka zapałek.

Oboje zgarnęli honoraria do torby, ukłonili się widzom i przemarznięci na kość ruszyli do obozowiska. Marco wsunął harmonijkę za pazuchę, żeby nasiąknięte wilgocią drewno nie zamarzło. Dziewczyna nic nie mówiła, usiłowała zagrzać dłonie, wsunąwszy je pod pachy.

Muszę się z nią ożenić, dumał Marco. Żeby tak połykać nóż, trzeba mieć anielską cierpliwość i nerwy ze stali. To cechy bardzo przydatne w małżeństwie, zwłaszcza jeśli głównym źródłem dochodów jest cyrk! Tylko jak ją przekonać? No nic, pożyjemy, zobaczymy. Byle ta cholerna wojna wreszcie się skończyła!

*

Siedzieli wokół dobrze rozgrzanego blaszanego piecyka. Wiatr wył, drzewa za murem ponuro klekotały gałęziami. Wewnątrz wozu było jednak ciepło. Ściany obite z zewnątrz słomiankami, od środka osłonięte przybitymi dywanami, prawie nie przepuszczały zimna. Wnętrze oświetlała samotna świeca, postawiona na stole, i blask żaru z popielnika. Oszczędzali naftę jak tylko mogli. W kociołku coś pyrkotało. Pan Kusy co jakiś czas mieszał w naczyniu drewnianą łyżką.

Bez koni jesteśmy rozbitkami, rozmyślał Marco. Te wozy są jak resztka okrętu wyrzucona na niegościnny, bezludny, skalisty brzeg. Kilkoro ocalałych, którzy z desek wraku wznieśli tymczasowe schronienie i wegetują, ale nie mogą ponownie ruszyć na morze...

Dziewczyny siedziały skulone, wtulone w siebie, na jednym szerokim fotelu. Narzuciły na ramiona jeden szal. Brunetka Tina i blondyneczka Kunegunda. Ta ostatnia była naprawdę ładna, ale lisia twarzyczka Tiny podobała się klaunowi bardziej. Cygan mieszał w swoim kociołku. Mężczyźni nalali sobie po małej szklaneczce buraczanego samogonu. Dzięki dodatkowi rodzynek zajzajer kolorem i smakiem odrobinę przypominał koniak. Młodzi dostali po źdźiebku wina z przedwojennych jeszcze zapasów. Wypili. Alkohol trochę ich rozgrzał.

– Marco! – odezwał się iluzjonista.

– Tak? – Chłopak podniósł głowę.

– Musimy poważnie pogadać. Zabraliśmy cię ze sobą, bo twój dziadek był klaunem – powiedział pan Kusy. – Ale w tobie jest pewna... skaza. To kwestia wychowania w mieście, piętno przytułku dla sierot, w którym się wychowywałeś.

– Co też pan mówi? – zdziwił się Marco. – Cyrk to moje życie... Mój dom. Jestem od dwu lat członkiem naszej trupy. Nie oszczędzam się.

– Wiemy. – Cygan uniósł dłoń uspokajającym gestem. – Przykładasz się jak mało który praktykant przedtem. Obserwujemy cię. Cały zespół, od dawna. Bo widzisz... Cyrk... Przeznaczeniem cyrku jest los podobny do cygańskiego taboru. Wieczny ruch, wieczna wędrówka. Nieustanne życie na szlaku. Jesteśmy ludźmi pylistego gościńca. Tobie marzy się mały domek, małżeńskie łoże, dobra posada. Marzysz też o Tinie, tylko nie rozumiesz, że ta dziewczyna jest niczym wiatr. Nie utrzymałbyś jej w czterech ścianach, a gdyby poszła za tobą i osiadła w jednym miejscu, zmarniałaby jak polny kwiat, ścięty i umieszony w wazonie... – Język ciut mu się już plątał.

Woltyżerka spiekła raka. Klaun przełknął ślinę. Nie sądził, że ktokolwiek zauważył jego zainteresowanie dziewczyną... Ba, nie sądził nawet, że ona to zauważyła. Masz babo placek...

– Ale ja... – zaczął.

– Nie przejmuj się. Jesteś z nami w drodze dopiero drugi rok. To minie... – powiedział mag.

– Minie...?

– Nie zauroczenie dziewczyną, bałwanie, tylko niechęć do włóczęgi. Kwestia diety. Jadłeś zbyt długo miejskie jedzenie, takie, do jakiego cię przyzwyczajono w przytułku – wyjaśnił Kusy znad kociołka. – Za dużo chleba. To pokarm ludzi osiadłych. Zboże wymaga, by o nie dbać. Żąda tego. Zmienia świadomość człowieka, który je spożywa. Zachęca, by osiedlił się, zaorał pole, nawiózł, zadbał o przyszłe plony. By zasadził drzewa i latami czekał, aż zaowocują. Niewidzialnymi łańcuchami przykuwa go do ziemi, na której stanie...

– Zatem...?

– Zmienimy ci dietę. Dziewczynom też. Rozleniwiły się. Są jak dzikie kotki, tylko zamiast kociej zwinności zaczyna w nich dominować kocia ospałość. Zaczynają myśleć zupełnie jak ty. Strawa z kociołka pozwoli wam pewniej stąpać po ziemi. I nie pozwoli więcej się zatrzymać.

Marco puścił wywody podchmielonego Cygana mimo uszu. W brzuchu mu burczało. Pan Kusy mieszał zawartość garnka z natchnioną miną. Wreszcie sypnął hojnie garść siekanego czosnku. Niebiański zapach rozszedł się po ciasnym wnętrzu cyrkowego wozu. Chłopak poczuł gwałtowny ślinotok. Ale jeszcze kwadrans musieli poczekać.

Mężczyzna wyjął z szafki komplet glinianych, polewanych misek. Marco ruszył w stronę szuflad ze sztućcami, ale pan Kusy zatrzymał go gestem, pokręcił głową i rozdał wszystkim drewniane łyżki. Potem z namaszczeniem zanurzył chochelkę i wlał każdemu do talerza porcję ni to gęstej zupy, ni to sosu.

– Uwierzcie mojemu doświadczeniu, cygańska zupa jedzona drewnianą łyżką smakuje lepiej – powiedział.

Klaun skosztował potrawy. Była gęsta jak sos, sycąca. Smak nie dawał się z niczym porównać, składniki przegryzły się, zharmonizowały w jedną doskonałą kompozycję. Przytrzymał odrobinę jedzenia w ustach, by dokładniej rozpoznać skład. Rozgotowane kartofle, wędzonka, jęczmienna kasza, czosnek, cebula, zioła... Dużo ziół... Dyrektor wcinał niekoszerne danie, aż mu się uszy trzęsły.

Iluzjonista dolał wina do kubków. Marko pociągnął łyk i ponownie zawiosłował łyżką w sosie. Smak... Przyjemny ciężar pełnego żołądka... I naraz poczuł, że już nie jest mu zimno. Odniósł wrażenie, jakby kosztował wiatru. I przestrzeni. Samej kwintesencji włóczęgi. Czuł, jak po żyłach rozlewa się gorączka, przemożne, nieprzezwyciężone pragnienie dotknięcia stopami niekończącego się szlaku, zrobienia pierwszego kroku na pylistym gościńcu... Odstawił pustą miskę. Dziewczęta też już kończyły. Dopił alkohol. Gdy przełknął ostatni łyk, pochwycił spojrzenia Cygana i iluzjonisty. Uśmiechali się jakby kpiąco i porozumiewawczo mrużyli oczy.

Dosypali czegoś do tej zupy czy jak? – zadumał się. Zioła... Jeśli człowiek się na nich zna, może i otruć, i wyleczyć... I we łbie pomieszać też.

Na deser znalazła się garść przedwojennych jeszcze pierniczków. Przyjemnie było siedzieć. Za oknem sypał śnieg. Dyrektor snuł wspomnienia z młodości, gdy wraz z cyrkiem przemierzał Syberię, docierając aż do Chin. Ale wreszcie świeca wypaliła się prawie do końca. Przyszła pora spać. Dziewczyny zakutały się w swoje paltociki. Na głowy założyły chustki, na dłonie rękawiczki. Było chyba z piętnaście stopni mrozu.

– Odprowadzę was – zaproponował Marco.

Nie oponowały, choć do ich wozu było przecież zaledwie kilkanaście metrów. Wyszli, oświetlając sobie drogę wozackimi latarniami. Ścieżka znikła pod nawianym śniegiem, rano, gdy wiatr ustanie, trzeba będzie posypać ją popiołem. Na pierwszym schodku Tina odwróciła się do klauna.

– No cóż, dziękujemy za odprowadzenie i życzę dobrej nocy – powiedziała.

– Dobranoc – odpowiedział machinalnie.

Już miał odejść, gdy nagle spostrzegł, że coś się zmieniło. Dziewczyna ustawiła głowę profilem, niby to spoglądała gdzieś między wozy, ale lekko opuściła powieki. Zrozumiał w jednym momencie. Wspiął się na palce i pocałował jej policzek, gładki i chłodny jak marmur.

– Skoro już się wydało... – bąknęła i oddała pocałunek.

A potem uśmiechnęła się i wbiegła po schodkach. Dotknął odruchowo warg. Przez dwa lata marzył o tej chwili. I to też było jak pierwszy krok postawiony na nowej drodze, wiodącej gdzieś w dal, za horyzont, a może ku przyszłości.

Stał dłuższą chwilę, patrząc w ciemność. Śnieg i wiatr siekły go po twarzy. W gawrze pod wozem spały niedźwiedzie. Marco pomyślał, że dobrze byłoby wpełznąć pod plandekę, zagrzebać się w kupie liści obok kudłatego zwierza i spać, spać, spać... Obudzić się wiosną. Ruszyć na niekończący się szlak... Z Tiną.

*

Wiocha pod Sandomierzem powitała mnie ulewą. Nie bez problemów znalazłem dom staruszka, którego wspomnienia trafiły do zbiorku opowieści wydanego przez lokalnego regionalistę. Choć nie zapowiedziałem wizyty, przywitał mnie, nie okazując żadnego zdziwienia. Chyba rad był z każdych odwiedzin. Siedliśmy w małej, brudnej i zagraconej kuchni. Oparłem się plecami o nagrzane kafle pieca. Zmarznięte dłonie zacisnąłem na kubku. Kawa smakowała popiołem. I kurzem. I wszystkim innym, czym nie powinna smakować kawa. Włócząc się po kraju, kosztowałem już przeróżnych wynalazków. Ten był najgorszy.

– Palone żołędzie? – zagadnąłem.

– Yhm... – mruknął dziadyga. – Z cykorią. Pracuję nad tą recepturą od lat, prawie już osiągnąłem smak prawdziwej. Ale goryczki jakby mało. Następnym razem więcej upalonego na patelni owsa dodam... Bo chmiel bez sensu, to ma być kawa, a nie piwo. Piwo też robię. – Ruszył w stronę lodówki.

– Dziękuję, przyjechałem autem – powstrzymałem go.

– Zaradny człowiek jest prawie samowystarczalny – perorował dziadyga. – Zaparzone zioła nie są gorsze niż herbata, a zdrowsze, bo to nasze polskie rośliny, do których przywykliśmy od tysięcy lat ewolucji przebiegającej na tej ziemi... A herbata czy kawa są z daleka. Nie mamy genetycznej odporności na nie. Kto wie, może te zagraniczne używki od pokoleń nas wyniszczają i osłabiają? Albo takie, dajmy na to, kartofle. Skąd wiemy, że podbici Indianie nie podsunęli ich białym, by wytruć wrogów? Nasi przodkowie byli rośli, silni, a my karlejemy duchowo i fizycznie. A kasza jest zdrowsza. Z kolei ryż. Chińczycy go jedzą. Czy to nie jest przypadkiem główna przyczyna tego, że wyrastają mali, żółci i skośnoocy?

– Żółtą barwę skóry może powodować wiele czynników – zauważyłem. – Na przykład pita nałogowo herbata wykraplająca się wraz z potem przez pory skóry. Z kolei Turcy z ich zamiłowaniem do kawy i kiepskiego tytoniu...

– Sądzi pan, że są śniadzi, bo kawa z nich wyłazi przez skórę? Nie pomyślałem o tym! – Dziadyga patrzył teraz na mnie z czymś w rodzaju bałwochwalczego uwielbienia.

– Cyrk „Amfora", sierpień trzydziestego dziewiątego – podpowiedziałem.

– Cyrki i cyrkowcy – westchnął, podejmując wreszcie temat. – Gdy byłem mały, to było wydarzenie. Ktoś rano przybiegał do szkoły i przynosił nowinę. Do miasta przyjechał cyrk. Biegło się zaraz po lekcjach na wygon. A tam już wszystko było odgrodzone, stały wozy, konie wyprzęgano. A jak cyrk jechał przez miasteczko! Niby defilada wojskowa! Szły słonie, wielbłądy, konie, czasem zebry... Miejskie dzieci to widziały w zoo, my co najwyżej na obrazku w książce. A tu patrzysz, słoń na ulicy kupę robi... I wszyscy w śmiech. Takie to niezwykłe było. Kupa słonia... Furmanki jeżdżą, gęsi biegają, ktoś krowę prowadzi, a tu kupa słonia na naszej ulicy. A jak cyrk odjeżdżał, to żal był i cała czereda dzieciarni odprowadzała go na rogatki, a bywało, że dalej.

– Rozumiem. – Kiwnąłem głową.

– A ile dzieciaków marzyło o tym, by zamiast łazić do nudnej szkoły, uciec i przyłączyć się do trupy cyrkowej. U mnie w klasie chyba połowa to planowała. Bo reszta marzyła o karierze w lotnictwie. A teraz co? Moje prawnuki nawet raz w życiu w cyrku nie były... Chrzanią jakieś ekologiczne dyrdymały, że męczenie zwierząt i tak dalej. Jakie znowu męczenie? Koń w cyrku pracuje dwa razy dziennie po dwadzieścia minut, nawet doliczając treningi... Niech sobie porównają z orką w polu...

Nie byłem zwolennikiem tresury zwierząt, ale trochę racji dziadek miał.

– Albo taki lew. Co lepsze, leżeć w klatce w zoo czy trochę popracować w cyrku, a za to zwiedzić pół świata? – rozważał dalej.

Nie widziałem nigdy wędrującego cyrku, ale byłem dziwnie pewien, że lwy w drodze z miejsca na miejsce nie mają wielu okazji wyglądać przez okna cyrkowych wozów. Nadawaliśmy na trochę innych falach, ale pogadać z nim musiałem.

– Sztuka cyrkowa umiera – powiedziałem.

– Wie pan, wiele przyczyn się na to złożyło. Są inne atrakcje. Państwo cyrków nie chce dotować, a to są koszta, pasza dla zwierząt, prąd, ropa do traktorów, no i płace dla zespołu. Robota jest sezonowa, na zimę trzeba gdzieś przycupnąć i z czegoś żyć... Masakra po prostu. Dobre przedstawienie to kilkanaście zwierząt i kilkudziesięciu artystów. Koniki to jeszcze jak cię mogę, owies i siano drogie nie są. Ale gdy trzeba pokazać lwa, robi się problem. Taki ciapek żre mięso. Trzy, cztery kilogramy dziennie, siedem dni w tygodniu. Nawet licząc najtańszy żywiec, to miesięcznie wychodzą sumy konkretne... – rozgadał się.

Kojarzyłem, że staruszek był przed laty księgowym w miejscowym pegieerze. Zapewne stąd te ekonomiczne dywagacje.

– W pańskim miasteczku pod sam koniec lata trzydziestego dziewiątego cyrk „Amfora" dał ostatnie przedstawienie... – spróbowałem raz jeszcze wrócić do tematu.

I wreszcie zaskoczyło.

– Pamiętam jak dziś. Ludzie bali się wojny. To się czuło w powietrzu. Ten strach. Od maja, kiedy minister Beck przemawiał, wszyscy myśleli o wojnie. Chciałbym powiedzieć, że słyszałem w radio to jego słynne przemówienie, ale nie będę kłamał... Słyszałem tylko od dorosłych o tym. Ja wtedy dwanaście lat miałem. Co taki łebek może wiedzieć o wojnie? Myślałem, że wojna to przygoda. Że ucieknę z domu do żołnierzy na front. Zabiję kilku szkopów i wrócę w chwale. No bo myślałem oczywiście, że wygramy. Człowiek był taki głupi... W sierpniu, na początku sierpnia, wszyscy mówili, że Hitler zaatakuje lada dzień. Że przyjdzie teraz, kiedy zboże jest zebrane. Ale sierpień się kończył i mówili, że pewnie uderzy w październiku, jak będzie już po wykopkach kartofli...

Mówili też, że Niemcy nie są głupi, że zrobią pucz, obalą władze Gdańska, przyłączą miasto do Rzeszy i sprawa rozejdzie się po kościach. Ale że napadną we wrześniu? Tego się nikt nie spodziewał. Przechytrzył wszystkich, tak jak pruscy generałowie, którzy pierwszą wojnę też zaczęli tak ni w pięć, ni w dziewięć.

Czekałem cierpliwie, pozwalając mu się wygadać.

– Wujek mnie zabrał do cyrku. Żebym oderwał myśli od spraw dorosłych ludzi. I faktycznie. Pomogło. Znowu chciałem uciec z cyrkiem, a nie na front... Były dwie dziewczyny, woltyżerki. Taka drobna brunetka... Może z szesnaście, siedemnaście lat miała. Ja w piątej klasie byłem, dla mnie to już omal dorosła kobieta. Zakochałem się w niej po prostu... Od pierwszego wejrzenia do ostatniego, bo tylko raz w życiu ją widziałem. I druga też ładniutka, blondynka, może ciut starsza. I magik sztuki pokazywał, ale jakie! Można było uwierzyć, że to prawdziwe czary! I dwaj klauni byli z tresowanym pieskiem, popłakałem się ze śmiechu.

– A Cygan z niedźwiedziami?

– Był taki. Te misie to chyba młode były, bo nie bardzo duże... Pamiętam jak dziś...

Wyszedłem od niego godzinę później. Deszcz już nie padał. Stanąłem na skraju zabudowań. Po lewej miałem plac i skup buraków. Tu przed wojną zatrzymał się cyrk. Przed sobą – szosę na Sandomierz. Oni tu byli. Zapakowali się na wozy, ustawili cały tabor i ruszyli dalej, na południowy zachód... Ale dokąd? Staruszek znał tylko kierunek. Dobre i to.

*

Gestapowców było trzech. Przyszli bladym świtem i załomotali w bramę. Marco i Tina ćwiczyli właśnie żonglerkę na placyku między wozami.

– Otwórz im – polecił Kusy.

– Ale... – zaprotestował chłopak.

– Otwórz, zanim wyłamią bramę. Resztą zajmą się dorośli. Będę w wozie dyrektora, bo to pewnie po niego przyszli. Nie rób żadnych głupstw.

Marco powędrował ścieżką i wysunął rygiel. Poczuł grozę, widząc z bliska szare mundury i paskudne, smoliście czarne krawaty.

– *Guten Tag*... – zaczął, ale dostał pięścią w twarz, aż poleciał do tyłu.

Wyższy Niemiec, o mięsistej gębie, zapytał o coś. Klaun odrobinę liznął tego języka, ale pytanie wyszczekane zostało tak szybko, że nie zrozumiał.

– Pan Untersturmführer pyta, gdzie jest wóz dyrektora – odezwał się drobny, przestraszony człowiek, zapewne tłumacz.

– To ten z czerwonym szyldem – wykrztusił Marco, plując w śnieg krwią z rozciętej wargi.

Minęli go bez słowa. Po chwili walili już do drzwi wozu. Chłopak pobiegł chyłkiem pod mur. Podniósł plandekę, odsłaniając kupę liści. Rozgrzebał gawrę i pod śpiącym niedźwiedziem odnalazł starą skórzaną raportówkę. Wydobył z niej kłąb naoliwionych szmat, a spomiędzy nich rewolwer i granat.

– Nie aresztujecie mojego szefa – syknął i pobiegł z powrotem.

Dusiła go wściekłość, czuł zarazem, że robi z siebie durnia. Wpadł do wozu. W ciasnym wnętrzu było tłoczno. Dyrektor kulił się w kącie, a pan Kusy i Wielki Dżony stali przed nim, jakby chcieli go obronić własnymi piersiami.

– Nie zastaliście dyrektora – powiedział po niemiecku mag.

Gestapowiec gapił się na niego zaskoczony. Spojrzał nad jego ramieniem.

– *Raus.* – Zamachnął się.

Iluzjonista patrzył mu prosto w oczy. Marco poczuł straszliwe napięcie w powietrzu. I naraz uniesiona do ciosu ręka opadła.

– Nie zastaliście go – dodał Kusy po polsku.

Klaun zdumiony otworzył usta, ale nic nie powiedział. Postać pryncypała rozmazywała mu się przed oczami. Czuł, że coś jest nie tak, miał w głowie straszny zamęt. Wzrok Niemców i tłumacza stał się dziwnie maślany.

– Nie zastaliśmy? – zdziwił się dowódca patrolu.

– Nie zastaliście, bo uciekł jeszcze we wrześniu – sprecyzował Wielki Dżony. – Był Żydem, bał się was, uciekł do Sowietów.

Marco poczuł dziwne rozdwojenie jaźni. Sam już nie był pewien, czy dyrektor mieszka z nimi, czy może faktycznie wyjechał. I nagle zorientował się, że przecież słabo zna niemiecki, a mimo to rozumie każde słowo... I nie wiedzieć skąd ma świadomość, że to dobry berliński akcent.

– Uciekł we wrześniu? – upewnił się Niemiec.

– Uciekł – potwierdził pan Kusy.

Mówił po polsku, ale najwyraźniej Niemcy go rozumieli.

– Mamy go aresztować... – bąknął drugi gestapowiec.

– W ogóle nie planowaliście go aresztować. Wiecie od dawna, że uciekł. Mieliście tylko na wszelki wypadek sprawdzić, czy nie wrócił – poprawił go iluzjonista. Na skroniach perlił mu się gruby pot.

– Tak. Sprawdzić... – powtórzył Niemiec. – Sprawdzić? To on uciekł... No przecież...

– Dawno temu uciekł. Wiedzieliście, że uciekł. Przyszliście tylko sprawdzić, czy wrócił – tłumaczył raz jeszcze sztukmistrz, jakby chciał utrwalić informację w ich głowach. – Przeszukaliście dokładnie wszystkie wozy. Nie ma go tu. Nikt nic nie wie – powiedział Dżony. – I jeszcze zabrał wszystkie pieniądze. Cyrkowcy mają do niego żal. Gdyby wrócił, od razu by zameldowali.

– Przeszukaliśmy. Nie znaleźliśmy... – potwierdził Niemiec. – Zameldowaliby...

– Na pewno uciekł do Sowietów – podpowiedział Kusy.

– Tak, uciekł do Sowietów...

– To kapitalista. Sowieci z pewnością dali mu kulkę w łeb. Już nie wróci. Nie trzeba go szukać. Na pewno nie żyje – dodał mag.

– Na pewno nie żyje... – odetchnął Niemiec.

– No to macie kłopot z głowy.

– No to mamy kłopot z głowy – skonstatował drugi z ulgą.

– Wykreślcie go z ewidencji. – Iluzjoniście z ucha wyciekła kropla krwi. – Już jest dobrze, już nie trzeba go szukać.

– Już jest dobrze... – Trzeci gestapowiec też wyraźnie się odprężył.

– Możecie wracać do biura, napić się kawy, posiedzieć w cieple... Tu zimno i brudno. Zakurzone wozy. Śmierdzi. Nie trzeba więcej przychodzić...

– *Jawohl*...

Zasalutowali i wyszli z wozu. Szli niepewnie, jakby pijani, wodzili wokoło rozbieganym wzrokiem i pogwizdywali wesoło. Marco patrzył na to oniemiały. Palce zaciśnięte na kolbie rewolweru zbielały.

– Idź do naszego wozu i nalej mi szklankę tego koniaku – poprosił Wielki Dżony. – Panu Kusemu też. Zaraz przyjdziemy... To wyczerpuje... Tak bardzo wyczerpuje... I zapomnij, co widziałeś. A przede wszystkim schowaj tę spluwę, idioto nieszczęsny, bo tylko biedy nam napytasz.

– Ale... Co wyście zrobili!?

– Iluzja to sztuka oszukiwania zmysłów – mruknął Wielki Dżony. – Całe lata doskonalimy się w tym kunszcie. A czasem bywa i tak, że w trakcie występów metalowa kulka naprawdę zaczyna przechodzić na drugą stronę dębowego blatu... Albo że w jakimś przebłysku oszukamy nie tylko wzrok, ale i umysł drugiego człowieka. A oni... Oni musieli wstać o świcie, by łapać jakiegoś tam starego Żyda. A jakby go złapali, czekałoby ich wiele godzin przesłuchań, wypełniania protokołów, konwój do więzienia albo do obozu. Nudna, niepotrzebna robota... A tak: nie ma człowieka, nie ma problemu... Nie chcieli go złapać. Woleli się dowiedzieć, że nie żyje.

Kulka, dumał Marco, lejąc bimber do dwu musztardówek. A jeśli w tym nie ma żadnej sztuczki? A jeśli ona faktycznie przechodzi przez blat?

*

Zaparkowałem swojego trupa przy chodniku. Gdy wysiadałem z auta, pan Maciek właśnie spuszczał żaluzję.

– Co pan taki zmarnowany, sąsiedzie? – zagadnął.

– Jeździłem na prowincję, daleka droga, męcząca... I niepotrzebnie, jak się okazało. Trop wystygł.

– A czego to szukamy tym razem?

– Próbuję wytropić cyrk, który wcięło gdzieś podczas wojny. Za późno chyba. Ludzie, którzy mogliby coś wiedzieć, poumierali. Co chwila rwą mi się nitki.

– Hmmm... a kojarzy pan Julinek?

– Słabo. To znaczy wiem, że za komuny tam była szkoła cyrkowa. Ci ludzie, których szukam, kwalifikacje zdobyli grubo przed wojną... Choć, z drugiej strony, kto wie, może któryś z nich załapał się tam na wykładowcę? Sprawdzę.

Zegarmistrz uśmiechnął się lekko.

– Ja tam jeździłem do wujaszka na wakacje, miał dom dosłownie przez płot z nimi. Znał niektórych i kiedyś zabrali mnie na zwiedzanie kompleksu. To nie była tylko szkoła. To była wielka baza tych tam zjednoczonych przedsiębiorstw rozrywkowych. Jesienią zjeżdżały się cyrki z całego kraju, by przezimować. Szkoła, internat, hotele, czy może raczej bloki mieszkalne dla cyrkowców, do tego stajnie na kilkadziesiąt koni, pomieszczenia dla słoni i innych zwierząt, dwie hale z arenami, ujeżdżalnie, a wszystko to połączone podziemnymi tunelami, żeby zwierzaki nie marzły, idąc z menażerii na arenę. Były też warsztaty, gdzie naprawiali im ciągniki, wozy cyrkowe i inny tabor. Szwalnie, w których szyto kostiumy. Ćwiczyli tam sobie ludzie zimą, by wiosną z nowym programem jechać w trasę. No oczywiście mieli tam pewnie własny sklep z ciut lepszym zaopatrzeniem niż w miasteczku, komuna często tak robiła. Latem zostawali tam tylko dozorcy...

– Zimowa baza dla cyrkowców z całej Polski!? – zdumiałem się. – Czyli ludzie z „Amfory" mogli tam pomieszkiwać.

– No ba... Jak komuna padła, to i tam niestety wszystko zdechło. Bazę zamknięto, szkoła miała być zlikwidowana, ale część kadry przeniosła się do Warszawy i tu tak trochę chałupniczo nadal uczyli chętnych. Całe lata spędzili jak na wygnaniu, ale nie poddali się. Słyszałem, że baza ma być reaktywowana. A szkoła już znowu tam działa.

– Tak czy inaczej, mogą mieć jakieś archiwalia po przedwojennych cyrkach – mruknąłem. – Po wojnie zapewne ocalałe prywatne przedsiębiorstwa upaństwowiono... Dziękuję za radę!

– Tak myślę. Pewnie po wojnie cyrki były w tragicznej kondycji. Sprzęt zniszczony, zwierzęta skonfiskowane przez szkopów. Ale czy coś zostało z przedwojennych papierów? Trzeba jechać i pogrzebać – doradził. – To pańska robota.

– I może nawet w powojennych papierach znajdę więcej... – zadumałem się.

– Jak już pan znajdzie to, czego szuka, i zleceniodawcy zapłacą... Miałbym coś ciekawego. Komu innemu bym nie sprzedawał, ale...

Spojrzałem z ciekawością.

– Co pan powie, panie Robercie, na starą srebrną kieszonkową omegę?

– Jak starą?

– Zrobioną jeszcze w La Chaux-de-Fonds, przed przeprowadzką firmy do Bienne. W dodatku z naciągiem na godzinie dziewiątej.

– Niemożliwe... – szepnąłem.

Wyszczerzył zęby.

– Zajdziemy obejrzeć?

Nie dałem się dwa razy prosić. Poszliśmy do jego mieszkania. Wnętrze wypełnione kolekcją zegarów zawsze robiło na mnie spore wrażenie. Nieustanne cykanie sprawiało, że czułem się tu jak na łące o zmroku... Zegarmistrz otworzył sejf.

– Mechanizm w stanie idealnym – zachwalał.

Obejrzałem srebrną cebulę. Zegarek przez całe dekady musiał komuś służyć. Koperta była wytarta i poznaczona siateczką drobnych uszkodzeń. Otworzyłem. Wewnątrz wygrawerowano po polsku dedykację dla jakiegoś Pawła Skórzewskiego z okazji obronienia dyplomu lekarskiego w roku 1875.

– Ile by pan sobie życzył?

– Tylko dla pana trzy tysiące złotych. Nie sprzedawałbym, ale termin płacenia składki na ZUS mnie goni.

Zagryzłem wargi.

– To jak za darmo... – mruknąłem.

– Powtarzam, tylko dla pana, bo normalnie zaczynałbym rozmowy od ośmiu tysięcy. Ale tyle się namordowałem, czyszcząc mechanizm, że chcę, by trafił w ręce kogoś, kto doceni.

– Nie mam tyle...

– Ale jest pan na tropie tego cyrku. Poczekam, aż będzie pan miał.

Poczłapałem na górę. Zamknąłem drzwi, zdjąłem buty. Szczotką ze świńskiej szczeciny doczyściłem je z błota. Szczotką z końskiego włosia rozprowadziłem pastę. Podpolerowałem. Dobry but, wykonany przez szewca starej daty, jeśli się o niego dba, wytrzyma i dziesięć lat... Adidas z chińskiej fabryki po pół roku jest do wyrzucenia. Dobra szczotka z końskiej grzywy, z odrutowanymi pędzelkami osadzonymi w bukowym drewnie, jest prawie niezniszczalna. Kiedyś wszystko robiono trwałe, na lata, na dekady użytkowania. Skóra, drewno, porządny metal, naturalne włókna... Pędzel do golenia z sierści borsuka... Dobra brzytwa, tnąca luźno zwisający włos. Coraz trudniej o takie wyroby.

– Kiedyś radziliśmy sobie bez stosów jednorazowej plastikowej tandety. Kiedyś jeden zegarek służył przez całe życie i zapisywało się go synowi, by i jemu służył jeszcze wiele lat. I komu to przeszkadzało? – parsknąłem. – Wszyscy mieli pracę, doskonalono kunszt. A teraz...

Położyłem się do łóżka. Cyrk... Lata morderczych treningów. Miesiące spędzone na układaniu zwierząt. Tradycja, całe wielopokoleniowe rody artystów estrady. Rzemiosło umiera, sztuka cyrkowa zanika, architektura się barbaryzuje, w żywności chemia... Dokąd zmierzamy? Co zostawimy kolejnym pokoleniom?

– Jak ja nienawidzę tych gównianych czasów – burknąłem. – Straciliśmy tak wiele, a co dostaliśmy w zamian? Komputery? Telewizję?

Internet czasem mi się przydawał. Komórki używałem rzadziej. Telewizora nie miałem. Do kina nie chodziłem... Udręczony przebytą drogą i ponurymi myślami, zasnąłem wreszcie.

*

Z nieba delikatnie prószył śnieg. Dyrektor całymi dniami siedział ukryty w wozie stojącym najbliżej muru. Po najściu gestapo dorobili klapę w podłodze. Wystarczyło unieść, zejść do gawry niedźwiedzi, tam odnaleźć drugą pokrywę i już było się w podkopie prowadzącym za mur, do opuszczonego ogrodu.

Wielki Dżony wykopał dół, by pogrzebać ostatniego białego królika. Tina i Kunegunda z braku koni ćwiczyły, biegając po równoważni, ale śnieg i zimny wiatr wreszcie zagoniły je do wozu. Marco wbijał właśnie kolejny kołek, mający wzmocnić parkan, gdy spomiędzy wozów wyszli właściciel parceli i pan Kusy. Od czasu, gdy dyrektor zaczął się ukrywać, stary Cygan stał się jakby nieformalnym przywódcą małej kolonii.

– Możecie tu stać, ile tylko chcecie – powiedział właściciel posesji. – Jeśli pan Apfelbaum się po wojnie odnajdzie, rozliczymy się. Jeśli przepadł na amen, będziemy się zastanawiali, co dalej. Tyle lat udostępniam wam plac, nie obedrę was przecież ze skóry. Dogadamy się...

– Jak pan myśli? Ile jeszcze potrwa ta wojna? – odezwał się Marco. – Bo ja już mam dosyć...

Mężczyzna z frasunkiem poskrobał się po głowie.

– Minimum sześć lat – zawyrokował. – Pierwsza wojna światowa trwała cztery, teraz ludzie są o połowę głupsi. A może dwa razy głupsi, to wtedy osiem lat. A tobie, młody, dam radę. Idź do doktora Roszkowskego, powołaj się na mnie, daj parę groszy, niech ci wystawi zaświadczenie o podejrzeniu gruźlicy. Powiadają ostatnio w magistracie, że Niemcy będą zgarniać takich młodych, ale nie wiem, czy do roboty do fabryk, czy do swojego wojska może... W obu przypadkach lepiej, żeby się ciebie nie czepiali.

– Dziękuję za radę.

– Pan też niech nie lezie szkopom na oczy, panie Kusy. Na razie rejestrują Żydów, ale wedle ich ustaw rasowych także Cyganów nie poważają... Może być z tego jakaś chryja.

– Dlatego się nie melduję. – Kusy uśmiechnął się krzywo.

– Gorzej, jak pana sami znajdą... Albo jak ktoś doniesie. Bo i tak się, niestety, zdarza. Ludzie wiele przedwojennych porachunków chcą załatwić rękami obcych.

– Nie znajdą. W najgorszym razie przezimuję w lasach. My, Cyganie, przetrwaliśmy nie takie rzeczy, Niemcy i ich zarządzenia są dla nas jak pryszcz na tyłku. Ich już dawno szlag trafi, a my nadal będziemy podróżowali taborami przez całą Europę.

– Mimo wszystko niech pan uważa. Wygląda na to, że ta okupacja będzie zupełnie inna niż poprzednia.

Właściciel pożegnał się i poszedł.

– Jutro rano pójdziesz do doktora – rozkazał Kusy Marcowi. – Zajdź potem do mojego wozu, dam ci pieniądze.

– Coś tam mam własnych – zaoponował chłopak.

Żonglując piłeczkami na targowisku, zarobił niewiele. Także Tina połykająca bagnet nie była już szczególną atrakcją. Ludzie początkowo chętnie rzucali po parę groszy, czasem do czapki trafiało jabłko albo kawałątek kiełbasy, ale widowisko szybko się miejscowym opatrzyło. Klaun liczył, że zaczepi się przy odśnieżaniu, ale Niemcy zagonili do tej pracy Żydów. Im nie musieli płacić...

– Beznadziejne to wszystko! – wybuchnął.

Ciemne oczy spojrzały na niego badawczo.

– Dlaczego beznadziejne? – zdziwił się Kusy.

– Utknęliśmy. I to na dobre. Nie ma szans, byśmy wiosną wrócili w trasę... Nie mamy nic. Załatwili nas na amen.

– Uspokój się. Mamy namiot, mamy wszystko, czego potrzeba, by dawać przedstawienia. Dziewczęta ćwiczą regularnie, weź z nich przykład. Wielki Dżony też obmyśla nowe sztuczki. Opracuj kilka świeżych gagów. Jesteś klaunem, to właśnie ty powinieneś zarażać nas humorem i optymizmem.

– Nie mamy koni... Jak bez koni jechać na szlak?

– Sprzedaliśmy, bobyśmy ich tu zimą nie wykarmili. Dość mamy kłopotów z tym cholernym wielbłądem, żre bydlak za sześciu.

– Koni szkoda...

– Szkoda, ale tak bywa. Lepiej sprzedać teraz i za dobrą cenę, niż dobić na przednówku zagłodzone chabety tylko po to, by wylądowały w garnku. Wiosną załatwimy zezwolenia i rozstawimy cyrk w parku. Damy kilka przedstawień. Ludziom ciężko na duszy, chętnie przyjdą się rozerwać. Zarobimy na biletach, i to dobrze. Wynajmiemy konie i pojedziemy na zachód. Dębica, potem Kraków... Zarobimy więcej, może bank da nam pożyczkę i kupimy własne konie. Powtarzam, szykuj nowe gagi. Ćwicz. Jeszcze będzie o nas głośno. O tobie głośno...

Marcowi nie bardzo chciało się w to wierzyć, ale przywykł ufać słowom pana Kusego. Zabrał się do pracy... Przejrzał też rekwizyty pozostałe w pudłach po starym Polo.

*

Pojechałem do Julinka następnego dnia. Jak się okazało, przy szkole planowano otworzyć minimuzeum sztuki cyrkowej i od jakiegoś czasu gromadzono eksponaty, pamiątki i archiwalia. Na pytanie o cyrk „Amfora" oprowadzająca mnie kobieta rozłożyła bezradnie ręce.

– Wie pan, tyle tych małych cyrków przed wojną było... Zbiory mamy w zasadzie nieskatalogowane. W dodatku te przeprowadzki, wszystko popakowane w pudłach...

Zasiadłem do przeglądania papierów. Setki przedwojennych afiszy cyrkowych, część drukowana, ale także odbijane różnymi technikami, a nawet malowane ręcznie. Znalazłem jeden afisz „Amfory", spisałem pseudonimy artystów. Kobieta przydźwigała mi opasły tom, oprawiony w czarne płótno.

– Może to pana zainteresuje – powiedziała. – Zbiór wycinków prasowych.

– Dziękuję.

Zacząłem przeglądać księgę. Stronica po stronicy wklejono dziesiątki artykułów, wyciętych z różnych gazet. Marny kwaśny papier pożółkł już mocno. Znalazłem kilka informacji o dyrektorze nazwiskiem Jabłoński. Podejrzewałem, że to może być przedwojenny dyrektor „Amfory" – Apfelbaum. Ale dowodów nie miałem żadnych. Trafiłem na dwie wzmianki o iluzjoniście noszącym pseudonim Wielki Dżony. Przedwojenny mag z „Amfory" czy ktoś, kto przejął jego miano? Duet klaunów o idiotycznej nazwie Marco-Polo. Było nawet ich zdjęcie.

– Uzurpatorzy – mruknąłem, patrząc na upudrowane twarze. No, ten starszy mógł mieć około czterdziestki, ale młodszy był w wieku maturalnym. Ten duet powstał na początku lat trzydziestych, zatem klauni w latach pięćdziesiątych powinni być sporo starsi.

Wynotowałem sobie kilka tropów. I kilka tytułów czasopism do przejrzenia na spokojnie w Bibliotece Narodowej. Wreszcie trafiłem na coś naprawdę ciekawego. Nekrolog dyrektora Jabłońskiego.

– ...zasłużony dyrektor przedwojennego cyrku, wieloletni działacz Związku Artystów... po długotrwałej ciężkiej chorobie... pogrzeb odbędzie się na cmentarzu żydowskim przy ulicy Okopowej w Warszawie, o czym zawiadamiają pogrążeni w żalu współpracownicy – odczytałem. – No cóż, panie Apfelbaum, chyba dzięki panu znów jestem na tropie.

Przesiedziałem w pomieszczeniach muzeum jeszcze kilka godzin, ale nie znalazłem już nic ciekawego. Mimo to wracałem do Warszawy zadowolony. Wiedziałem, co zrobię jutro rano.

*

Wielbłąd wariował w zamknięciu i wreszcie pewnego dnia postanowił rozwalić zagrodę. Uderzył tak pechowo, że złamał nogę. Cyrkowcy długo stali w milczeniu nad okaleczonym zwierzęciem. Widać było, że nic nie da się zrobić.

To koniec, pomyślał Marco. Nie ma tygrysa, nie ma koni... Teraz nie mamy też wielbłąda. Z całego inwentarza zostały dwa niedźwiedzie i nas sześcioro.

Wreszcie pan Kusy dobił wielbłąda siekierą. Wystrzygli na ile mogli wełnę. Skóry nie mieli jak wyprawić – musiała iść na zmarnowanie. Mięsa i podrobów odzyskali przeszło dwieście kilogramów.

– I tak byśmy go nie wykarmili – westchnął iluzjonista. – Zapas siana był już na wyczerpaniu... A tak zrobimy zapas wędzonki na kilka miesięcy.

– To się je? – zdziwiła się Kunegunda.

– Mój ojciec jadł... Jeszcze w czasie pierwszej wojny. Twarde trochę, ale w naszej sytuacji nie ma co wybrzydzać.

Wypatroszyli zwierzaka. Marco najbardziej zdziwił się, gdy dobrali się do garbów. Wypełniał je dziwny żółtawy tłuszcz. Nie był tak spoisty jak słonina, prawie dawał się smarować. Sztukmistrz zbadał go z wyraźnym zainteresowaniem.

– Tak zwane wielbłądzie masło – powiedział, przeżuwszy kawałek. – Czytałem o tym. Wielbłądy podczas podróży przez pustynię spalają tłuszcz z garbów... Musi być bardzo odżywczy.

– Tylko czy my będziemy w stanie go strawić? – powątpiewała Tina.

– Zobaczymy. Tak czy siak, trzeba go przetopić na smalec i zlać do słojów. W najgorszym wypadku, jeśli faktycznie nie da się go jeść, zdobędziemy sodę i przerobimy wszystko na mydło.

Pocięli mięso na długie cienkie płaty. Zasolili, zużywając resztkę zapasu. W opuszczonym domu za murem urządzili sobie zaimprowizowaną wędzarnię. Wędzili mięso przez cztery kolejne noce, aż stwardniało na wiór. Wełnę przekazali znajomej babinie, która ją uprzędła, jako wynagrodzenie zatrzymując połowę. Gdy tylko dostali motki przędzy, dziewczyny zabrały się do robienia rękawiczek, skarpet i pończoch.

*

Na cmentarzu żydowskim poszło mi nieszczególnie. Odbiłem się od muru obojętności i biurokracji. Grób istniał, ale odmówiono mi informacji, kto się nim zajmuje i wnosi opłaty za jego utrzymanie. Zgrzytnąłem zębami. Na szczęście dysponowałem jeszcze planem B.

Willa wyglądała niepozornie. Tylko biała tabliczka przy drzwiach wskazywała, że mieści się w niej instytucja, której szukam. Zadzwoniłem. Otworzył mi dziwny typek, mierzący nie więcej niż metr sześćdziesiąt. Był w nieokreślonym wieku, ubrany jakoś dziwnie... Przedstawiłem się.

– Co potrzeba? – zapytał człowieczek.

– Szukam papierów po redakcji czasopisma „Sztuka Cyrkowa" – powiedziałem. – Ukazywało się w latach siedemdziesiątych. Z tego, co wiem, dysponuje pan archiwami kilku instytucji, które działały pod tym samym adresem.

– Każdy czegoś szuka – gderał, zapraszając mnie do wnętrza. – Ale jak był czas, nikt nie myślał, by ratować dokumenty.

– Na szczęście pan pomyślał.

– Kiedy likwidowano archiwa instytucji państwowych, tatko pracował na skupie makulatury i uznał, że te rzeczy mogą być kiedyś coś warte. Zebraliśmy tego dwie ciężarówki. Kilkanaście ton łącznie. Akta personalne, księgowe... A potem ZUS zaczął żądać udokumentowania stażu pracy. Ludzie latali jak nakręceni, a tu figa, wszystko poszło na przemiał. Ilu emerytów, którzy uczciwie tyrali całe życie, dostało wtedy po kilkaset złotych zamiast normalnej emerytury... Ale ze trzy tysiące ludzi z ojcem uratowaliśmy!

– Za obopólnym zyskiem. – Kiwnąłem głową.

– Im się opłaciło i nam się opłaciło – burknął.

– To bardzo chwalebny czyn! – uspokoiłem go.

Grzebał długo, aż wreszcie położył na stół pięć kartonów, a do tego oprawione w szare płótno roczniki czasopisma.

– Jest i „Sztuka Cyrkowa". Obawiam się, że to wszystko, co po nich zostało.

Zabrałem się do rycia. Najbardziej interesowały mnie książki korespondencji i dokumentacja księgowa. Zapach starego papieru kręcił w nosie. Wyobrażałem sobie dawne biuro, bez komputerów i niszczarki, za to wyposażone w dziurkacze do papieru, maszynę do pisania, kalkulator mechaniczny i inne zapomniane od dawna urządzenia.

Nieoczekiwanie spostrzegłem to, czego szukałem. Intuicja mnie nie zawiodła. Nekrolog dyrektora Jabłońskiego opłacił Jan Lampa – czyli iluzjonista Wielki Dżony. Tyle że przed wojną jego nazwisko brzmiało Lampe. Widocznie po wszystkich „wyczynach" hitlerowców nie chciał nosić niemieckiego... Sumienna księgowa sprzed czterech dekad wpisała imię, nazwisko, numer nekrologu i – co ucieszyło mnie najbardziej – adres zamawiającego.

Przepisywałem go do notesu, pogwizdując pod nosem. Znowu na tropie...

*

Sklepy były puste, jakby towar wymiotła wichura. Młody klaun obszedł trzy ulice, nim wreszcie zdołał kupić po paskarskiej cenie woreczek soli i małą paczuszkę kawy. Minął piekarnię. Zapach świeżo pieczonego chleba zakręcił go w nosie. Miał szaloną ochotę wejść choć na chwilę do ciepłego wnętrza, ale zagryzł tylko wargi. Chleb piekli sami, tak wychodziło znacznie taniej... Córka piekarza, gruba jak beczka i brzydka jak noc, rozkładała bułki na wystawie. Klaun spojrzał mimowolnie na jej dłonie. Serdelkowate paluchy ozdobione były połyskującą kolekcją złotych pierścionków. Miała ich po kilka na każdej ręce.

Okupacja to dobry czas dla młynarzy, piekarzy i właścicieli knajp, rozmyślał, drepcząc dalej. Ludzie mogą nie jeść mięsa czy jarzyn, ale do chleba są przyzwyczajeni... I piją znacznie więcej. By odpędzić od siebie złe myśli, zalać robaka, odgonić na chwilę strach...

Minął go niemiecki patrol. Hitlerowcy szli apatycznie, przemarznięci i zmęczeni. Przyspieszył kroku, by jak najszybciej znaleźć się za rogiem ulicy. Może okupanci myśleli tylko o tym, by jak najszybciej zakończyć obchód i zejść ze służby, ale wiedział też, że chłód i zmęczenie mogły ich rozdrażnić. Przechodził koło gospody. Odruchowo zajrzał przez okno do wnętrza knajpy i zmartwiał. Wielki Dżony siedział przy stoliku z kartami w dłoni. Naprzeciw niego zajmowało miejsce trzech Niemców. Dwaj byli z ss, trzeci miał na sobie mundur lotnika, u boku wisiał mu kordzik oficera Luftwaffe.

Na stole leżał stosik banknotów, zarówno waluty Generalnej Guberni, jak i marek Rzeszy. Wielki Dżony, wbity w najlepszy garnitur i śnieżnobiałą koszulę, przetasował talię. Zagadał coś i rozłożył karty na stole. Nie minęło pięć minut, jak lotnik z uśmiechem zgarnął całą pulę i zaczął upychać pieniądze w portfelu. Jeden z esesmanów poczerwieniał ze złości, drugi rozłożył bezradnie ręce. Wielki Dżony spuścił głowę, zrezygnowany.

Przegrał wszystkie pieniądze, uświadomił sobie ze zgrozą młody klaun.

Zwycięzca zawołał kelnera. Na stole wylądowała butelka sznapsa i śledziki. Jeden z esesmanów wstał i wyszedł obrażony. Dwaj pozostali spłukani gracze przyjęli poczęstunek lotnika. Niemcy dopili i pożegnali się zdawkowymi uściskami dłoni. Wielki Dżony pozostał sam przy stoliku. Wlał sobie ostatnie kilka kropli z butelki, zakręcił kieliszkiem i przełknął jednym haustem jak lekarstwo. Wreszcie wyszedł z knajpy. Na widok Marca uśmiechnął się lekko.

– Znikamy, młody! – polecił wesoło.

– Przegrał pan...

– No co ty gadasz, prawdziwy mistrz nigdy nie przegrywa!

Ruszyli nie w stronę obozowiska, lecz okrężną drogą. Iluzjonista szedł nieco chwiejnym krokiem, ale wyraźnie się spieszył.

– Znikamy – powtórzył. – Za chwilę może być nieziemska awantura. Albo może jej nie być. Ale lepiej, żeby nas nikt tu już nie zastał...

Szli opłotkami, zataczając wielki łuk. Sztukmistrz co jakiś czas oglądał się dyskretnie za siebie, ale na szczęście nikt ich nie śledził. Zrobiło się późno, zbliżała się godzina policyjna. Potykali się na grudach, nie wiedzieć dlaczego obowiązywało zaciemnienie. Dopiero gdy zamknęła się za nimi furtka obozowiska, iluzjonista zatrzymał się. Wyciągnął z kieszeni portfel i w słabym świetle kieszonkowej latarki przeliczył gruby plik banknotów.

– Starczy nam na dwa, może nawet na trzy miesiące – powiedział z zadowoleniem. – Dokupimy nafty i cukru, soli też przyda się więcej. I mydła niewiele zostało.

– Ale jak to?! – zdumiał się młody.

– Szkop włożył wygraną do kieszeni, a ja wyjąłem. A kto będzie najbardziej podejrzany? Ten, który niby to obrażony i rozwścieczony stratą całego żołdu wyszedł pierwszy. Ja jestem czysty, przegrałem wszystko co do grosza i zostałem zalewać robaka. Esesmani będą podejrzewać lotnika o szwindel, on esesmanów o kradzież, a moja chata z kraja. Ja jestem drobny komiwojażer z Berlina, który bardzo chciał zagrać w karty z bohaterami frontowymi i przerżnął koncertowo wszystkie pieniądze... Szkoda tylko, że jest to numer na jeden raz. No i lepiej teraz przez czas jakiś na oczy Szwabom nie leźć...

– Ale jak to pan wyjął? Przecież on był cały czas daleko... Magia?

– Jaka tam magia – prychnął Wielki Dżony. – Trochę zręczności w palcach.

– Bardzo proszę, niech pan nie robi ze mnie idioty.

– Chcesz mnie o coś zapytać?

– Czy magia istnieje?

– Magia... – Iluzjonista zastanawiał się przez chwilę. – Problem z nią jest taki, jak z ogniskiem. Żeby się paliło, musi coś spopielać – powiedział wreszcie. – Dlatego wolę myśleć, że to była hipnoza. Że patrząc w oczy, wmówiłem gestapowcom to, co chcieli usłyszeć o naszym dyrektorze. W knajpie wmówiłem hazardzistom, że siedzę przy stole, podczas gdy sam byłem gdzie indziej. Bo jeśli nie... Cóż, zostanie nam kiedyś wystawiony rachunek... Być może słony i niemożliwy do zapłacenia... To nie są bezpieczne rzeczy.

– A kulka?

– Co kulka?

– Pańska sztuczka z kulką, która przelatuje przez blat...

– Ciii! – syknął Wielki Dżony.

Z daleka słychać było stukot podkutych buciorów. Patrol? Obaj cyrkowcy umilkli i przyczaili się za płotem. Przepisy dotyczące godziny policyjnej były mało precyzyjne. Teoretycznie znajdowali się na zamkniętej i ogrodzonej posesji, ale okupantom wystarczał często błahy pretekst... Na szczęście Niemcy nie mieli psów, minęli furtkę, nie zwracając uwagi na mężczyznę i chłopca ukrytych w cieniu. Tupot podkutych butów powoli ucichł. Cyrkowcy odczekali jeszcze długą chwilę, szczękając zębami z zimna, i wreszcie ruszyli do wozu, kierując się słabym poblaskiem świecy, sączącym się przez grubą zasłonę w oknie.

Mieszkańcy obozowiska jak co wieczór siedzieli w wozie pana Kusego. Na piecyku gotowała się kolejna zupa. Pachniało rosołem z wielbłąda i zarazem jakby krupnikiem. Cygan mieszał w zadumie zawartość. Dyrektor zmęczonym ruchem przecierał okulary chusteczką.

– Szukają mnie. Nie mogę z wami zostać – najwyraźniej kontynuował rozpoczętą wcześniej rozmowę. – To dla was zbyt duże ryzyko. Raz się udało, ale gdyby się nie udało, to was by pewnie rozwalili, a dzieciaki... nie wiadomo. W najlepszym razie do jakiegoś obozu koncentracyjnego w Niemczech.

– I gdzie pan pójdzie? – burknął Wielki Dżony. – Bez dokumentów? Zaraz pana zwiną. Przepustki na podróż pan nie dostanie, a fałszywych papierów tu nie zdobędziemy. Za małe miasto. I nie znamy żadnego fachowca.

– Mam trochę pieniędzy, spróbuję dotrzeć do krewnych w Łodzi... Jakoś to będzie...

– I myśli pan, że tam będzie bezpieczniej niż tu? Nie będzie – warknął Kusy, dolewając sobie herbaty. – W Austrii i Rzeszy zabroniono Żydom pracy w większości zawodów i prowadzenia interesów. Deportuje się ich, przesiedla, konfiskuje mienie, niszczy synagogi. U nas to się dopiero zaczyna, wydano pierwsze rozporządzenia... Ale będzie gorzej. Dużo gorzej... Szwaby się rozochociły.

– Z całym szacunkiem, ale pan, panie dyrektorze, z tak mało aryjskim wyglądem nie ma żadnych szans przemknąć się przez okupowany kraj – dodał iluzjonista. – W Chełmie spalono dwie synagogi. Co więcej, tę informację podało niemieckie radio, więc zapewne jest prawdziwa. Idzie sztorm, jakiego ta ziemia jeszcze nie widziała. A Żydzi zapewne pójdą pod nóż pierwsi...

Dyrektor nie odpowiedział.

– A może wykorzystać piwnice tego domu za murem? – podsunął Marco. – Jest opuszczony od lat. Gdyby przekopać do nich tunel... To znaczy przedłużyć ten, który biegnie spod wozu za mur. Można by tam urządzić doskonałą kryjówkę. Trzeba tylko zasypać wejście i okienka gruzem. Jesteśmy wysoko, park w dole, piwnice powinny być suche.

– Zajmiemy się tym jutro. – Cygan kiwnął głową. – Trzeba zrobić rekonesans i jeśli nadają się na kryjówkę, zaczniemy kopać.

– Ciężko będzie – mruknął iluzjonista. – Przecież ziemia zamarzła już na kamień.

– Zamarzła może na czterdzieści centymetrów – uspokoił go przyjaciel. – Bardziej martwi mnie, skąd wytrzaśniemy dechy do oszalowania przedłużenia tunelu... To jest z dziesięć, dwanaście metrów... Ale może coś wyłamiemy w budynku. Będzie kilka tygodni roboty...

– Mam się zakopać w ziemi jak szczur w norze? – skrzywił się szef.

– Czasem trzeba – westchnął Kusy. – Lepiej być żywym szczurem niż martwym lwem.

Nalał gorącą zupę do misek. Jedną trzecią zawartości kociołka zostawił jak zwykle na jutro. Marco jadł, spoglądając spod oka na Tinę. Dziewczyna była smutna, krążyła myślami gdzieś daleko. Ale nawet taka przygnębiona wydawała mu się urocza.

Wojna się skończy, to się jej oświadczę, postanowił. Choć mam nadzieję, że nie będę musiał czekać na to osiem lat! Może ludzie nie są dziś głupsi, ale wręcz przeciwnie, mądrzejsi? Może wojna potrwa tylko dwa lata? Może wiosną nareszcie wybuchnie konflikt na zachodzie i Niemcy zostaną pobici? Włochy, Węgry i Rumunia zdradzą Hitlera, wtedy polska armia mogłaby wkroczyć tu z południa. Horthy, Mussolini i Franco podobno wcale nie są tacy źli. Przejdą na stronę aliantów. Tylko jak zachowają się wtedy Sowieci?

Gdzieś z daleka wiatr przyniósł odgłosy strzałów. Wielki Dżony przeżegnał się odruchowo. Dziewczyny zadrżały i wtuliły się w siebie przerażone.

*

Starszy mężczyzna w wyświechtanym kożuchu stanął koło furtki i uprzejmie uchylił kapelusza. Marco przesunął skobel i wpuścił go między wozy. Pan Kusy wyszedł na spotkanie gościa. Uścisnęli sobie dłonie.

– Pan mnie zapewne nie pamięta... – zaczął przybysz.

– Chyba nie. Ale jestem tu dopiero drugi raz w życiu – wyjaśnił Kusy. – Jeśli szuka pan dyrektora, to niestety, uciekł jeszcze jesienią na Kresy.

– Jestem kierownikiem szkoły, tej dwie ulice stąd – wyjaśnił chudzielec.

– Czym zatem możemy służyć?

– Dowiedziałem się, że w naszej miejscowości zimuje cyrk, i tak mi błysnął pomysł. Święta za pasem, chciałem zrobić coś dla dzieciaków. Wie pan, czasy są ciężkie, ponure, nikomu dziś do śmiechu. A ja bym chciał... Taki świąteczny prezent. Nie tylko normalne jasełka, bo to wystawiamy co roku, ale chciałem jeszcze coś dodatkowego.

– Przedstawienie cyrkowe? – zadumał się Kusy. – Ale co to za przedstawienie bez zwierząt, trapezu... Nie mamy nawet linoskoczka, wyjechał. No chyba że Kunegunda spróbuje.

– No ale część zespołu przecież została? – Przybysz powiódł spojrzeniem po ciemnych, opuszczonych wozach i zagryzł wargi.

– Tak, dwie dziewczyny od woltyżerki, tylko że bez koni. Do tego klaun i iluzjonista. Ja tu jestem wozakiem i kowalem w dodatku, ale ze swoją cygańską gębą wolę Niemcom nie leźć w oczy.

– Te dziewczyny... Umieją coś jeszcze?

– Potrafią żonglować, no i gibkie są, wyćwiczone, jak to cyrkóweczki. Może pokazałyby trochę akrobacji? Zapytam.

– Klaun, magiczne sztuczki i trochę żonglerki – podsumował kierownik szkoły.

– Marco gra na trąbce, fujarce i skrzypcach, ale wirtuozem nie jest. To, niestety, wszystko co możemy zaoferować. Jest jeszcze tresowany niedźwiedź, nawet dwa, ale obudzą się wiosną dopiero...

– Wie pan, mnie nie chodzi o wielką rewię. Ta czwórka przecież pokaże coś ciekawego. Angażuję cyrk, tylko, khm... Jak by to powiedzieć...

– Ech – westchnął Cygan. – Rozumiemy sytuację. Jak trzeba dla dzieci, zagramy gratis.

– Z zupełnie pustymi rękoma bym przecież nie przyszedł – obruszył się belfer. – Proponuję za państwa występ worek kartofli, pięć kilogramów wędzonych żeberek, dwadzieścia świec i trzy litry pierwszorzędnej nafty.

– Zważywszy na obecne ciężkie czasy, to honorarium całkowicie nas satysfakcjonuje. Oto moja ręka. – Pan Kusy uścisnął gościowi prawicę.

*

W szkolnej auli było zimno. Dzieciaki siedziały zakutane w jesionki. Ale światło elektryczne na szczęście było. Zdekompletowana trupa niewiele mogła przygotować, ale postarali się dobrze wypaść.

Występ zaczęła para klaunów: Marco w stroju Pierrota i Tina przebrana za chłopaka. Wykonali kilka prostych gagów, które wywołały u dzieciarni salwy śmiechu. Potem wystąpił Wielki Dżony. Pokazywał rozmaite sztuczki. Wyciągał przedmioty z kapelusza, „wyczarowywał" jedwabne chusteczki. Kunegunda dała pokaz żonglerki. Wprawdzie umiała wprawić w ruch zaledwie sześć piłeczek naraz, ale dzieciarnia i tak patrzyła jak zaczarowana. Potem obie dziewczyny zademonstrowały kilka układów akrobatycznych. Salto w przód, salto w tył, gwiazda... To, co zazwyczaj prezentowały, stając na siodłach.

Marco zza kulis obserwował ich występ. Czuł dojmującą melancholię. Wiedział, że to degradacja, że obie dziewczyny powinny galopować wokół areny na końskich grzbietach, swobodne jak letni wiatr.

Przeklęta wojna, pomyślał. Jakby zapadła noc. Martwy sezon rozciągnięty na całe lata... Okupacja niszczy nas, dusi... One potrzebują przestrzeni, koni...

Ale widział też, że występ – nawet tak skromny i przed niewielką publicznością – rozbudził je, ożywił twarze dawno niewidzianymi uśmiechami. A on... To była pierwsza od czterech miesięcy okazja, by założyć kostium, upudrować twarz na biało. By obudzić w sobie tę drugą osobowość, ożywić ducha areny.

Potem znowu wystąpił iluzjonista. Kunegunda za kulisami przebierała się pospiesznie, chłopakowi mignął obcisły biały gorset. Wciągnęła na siebie pasiasty kostium. Teraz Wielki Dżony udawał tresera dzikich zwierząt. Obie dziewczyny, osadzone w roli tygrysów, rycząc, przeskakiwały przez płonącą obręcz. Dzieciarnia wprost kwiczała z radości.

Występ zakończyła znowu para klaunów. Z przewidzianej godziny zrobiły się prawie dwie. Nagrodzono ich rzęsistymi brawami. Nawet belfer od niemieckiego, ponury blondyn z wąsikiem „na Hitlera" i ze znaczkiem NSDAP w klapie, uśmiechnął się krzywo i zaklaskał. Kierownik szkoły chyba był zadowolony, bo obiecany worek kartofli okazał się większy, niż się spodziewali, i zachęcająco pękaty. Wędzonki też było, na oko sądząc, trochę więcej.

– A mówiliście, że nie macie dzikich zwierząt – uśmiechnął się, puszczając oko do Tiny i Kunegundy.

– Zrobiliśmy, co się dało. Sam pan rozumie, nazwa cyrk do czegoś zobowiązuje. A co to za cyrk bez dzikich bestii – pokpiwał sobie iluzjonista.

– Jeszteszcze wszpaniałymi ahtystami. – Befler od niemieckiego najwyraźniej też był pod wrażeniem. – Jesztem pelen pocifu... – Poczęstował nawet iluzjonistę papierosami.

Wyszli na mróz. Wschodzący księżyc wysrebrzył zaspy. Dziewczęta, zmęczone, ale rozgrzane i szczęśliwe, szły pod rękę. Za nimi został gwar rozradowanej dzieciarni. Klaun wyczyścił twarz świeżym śniegiem.

Cyrk, magia cyrku, dumał, ciągnąc za sobą sanki. Jesteśmy potrzebni i wszyscy nas lubią... Nawet ten głupi szkop, przysłany tu, by wyuczyć niewolników języka ich panów...

Do obozowiska nie było daleko. Na widok słabego blasku świecy w oknie wozu chłopak poczuł się, jakby wrócił do domu. Zjedli ciepłą kolację, przygotowaną przez Cygana. Dziewczyny poszły do siebie, a chłopak postanowił jeszcze chwilę zostać z mężczyznami. Siadł na miękkim fotelu, narzucił koc i zasnął, sam nie wiedząc kiedy. Ocknął się, ale nie chciało mu się otwierać oczu.

– Panie Kusy – Marco usłyszał głos iluzjonisty – mam sprawę.

– Domyśliłem się, od tygodnia chodzisz z miną, jakbyś miał jeża w tylnej kieszeni spodni. Znaczy musimy poważnie porozmawiać.

Jakiś szczególny ton w ich głosach sprawił, że chłopak zdecydował się udawać uśpionego. Czuł, że od tej rozmowy będzie zależało bardzo wiele. Może nawet życie ich wszystkich.

– No co tam? – zapytał Cygan. – Chcesz rozmawiać, to nie kryguj się jak panienka, tylko wal prosto z mostu.

– Sytuacja jest tragiczna. Pieniędzy w kasie smętne resztki. Za to, co wpadło ze sprzedaży koni, pociągniemy może pół roku. Mięsa z wielbłąda wystarczy wprawdzie do wiosny, ale co dalej? Tu nie mamy szans na znalezienie pracy. Nawet miejscowi ledwo sobie radzą. Drożyzna, że zgroza bierze!

– Apfelbaum z pewnością ma jakieś zaskórniaki. Przecież nie da nam umrzeć z głodu. Kocha te dzieciaki jak własne.

– Nawet jeśli coś zachomikował, to pewnie trzyma na czasy powojenne, gdy zechce wracać na trasę...

– Ja też coś tam mam odłożone, i to w carskich świnkach.

– Po prawdzie, i u mnie coś się znajdzie – przyznał iluzjonista. – Problem w tym, że terror szkopów z dnia na dzień wzrasta. Co i rusz ludzie gadają o rozstrzeliwaniach, aresztowaniach, wywózkach w nieznane. Podobno Niemcy chcą zbudować w Polsce takie obozy pracy, jakie mają u siebie. W dodatku jakoś nie lubią wędrownych artystów ani ludzi wolnych zawodów. Boję się o dzieciaki. Co będzie, jak wyślą je na roboty? Do pracy w polu jeszcze pół biedy. A co będzie, jeżeli wsadzą je do obozu przy jakiejś fabryce? No i szef. Jak go znajdą, to koniec. I z nim, i z nami.

– Do czego zmierzasz?

– Słyszałem o pewnej metodzie... Sposobie, którego wy Cyganie używacie, gdy okoliczności są zdecydowanie przeciw wam... Gdy już nie da się uciekać dłużej. Niedźwiedzi szlak... Niedźwiedzi czas... Czy jakoś tak.

– O, to cholernie dużo o nas wiesz – burknął Kusy, najwyraźniej mocno poirytowany. – Aż za dużo. Są pewne opowieści i rytuały nieprzeznaczone dla was, gandzich. Ale czas niedźwiedzia to tylko legenda.

– Naprawdę martwię się o dzieciaki.

– Ja też się martwię.

Zapadła cisza. Zabulgotało, gdy iluzjonista polał wódki. Wypili w milczeniu. Wielki Dżony pierwszy nie wytrzymał.

– Może gdyby... Przyjmijmy na chwilę, że to nie jest legenda.

– Słuchaj no, Janie – pan Kusy użył prawdziwego imienia magika. – Przyjmijmy, że są pewne zioła. Ale to nie wszystko. Czas niedźwiedzia to nie jest twoje hokus-pokus w rodzaju „ja wejdę w trans, spowolnię oddech i bicie serca, a wy zakopcie mnie w trumnie na dwa kwadranse". Wiesz, jak niedźwiedź przesypia zimę? To są dni, tygodnie, miesiące. Jesienią niedźwiedź tyje. Zasypia, budzi się wiosną wychudły i osłabiony. A my nie jesteśmy przecież niedźwiedziami! I jest ryzyko.

– Jak duże?

– Zbyt duże – uciął Cygan. – No, chyba żeby nie było już absolutnie innego wyjścia. Chcesz wiedzieć? Proszę... Powiem tyle: dzieciaki mrą jak muchy, może co drugie przeżyje. Dorośli trochę łatwiej to znoszą... Trochę łatwiej nie znaczy, że dobrze! To wyprawa na tamtą stronę. Prawie na tamtą stronę. Głęboko w mrok. Nie każdy wróci. I jeszcze jedno... – ściszył głos.

Marco wyłapał tylko słowo „niedźwiedzie".

– Rozumiem – westchnął iluzjonista. – No trudno, jak się nie da, to się nie da...

*

Willa w podwarszawskim Milanówku najlepsze lata miała już za sobą. A zarazem chyba dopiero przed sobą. Budynek pochodził z okresu powojennego. Elewacji nie odmalowano od bardzo wielu lat, za to jeden z boków obito już elegancko plastikowym sidingiem. Także dach aż raził wyjątkowo agresywną czerwienią blachodachówki. Okna wymieniono niedawno. W ogródku straszył plastikowy dinozaur ogrodowy. Szyję gada oplatał łańcuch krowiak, zapięty na kłódkę. Jego koniec ginął w trawie.

Żeby nie ukradli czy żeby sam nie uciekł? – przeleciało mi przez głowę.

Bestia ładnie się komponowała z dwiema sarenkami, krasnalem i metrowej wysokości figurą Jana Pawła II. Ktoś musiał zrobić gospodarzy koncertowo w jajo, bo na tarczy umieszczonej nad drzwiami domostwa namalowano białego niedźwiedzia pomiędzy trzema drzewkami.

Herb miasta Chełma, zidentyfikowałem.

Tak czy inaczej, wyglądało na to, że iluzjonista już tu nie mieszka. Ale może żyli tu jacyś jego potomkowie? Wcisnąłem guzik dzwonka. Z domu wylazł dzieciak w wieku wczesnogimnazjalnym. Ubrany był w workowaty dresik i piłkarskie korki. Wygolona na łyso czacha przyjemnie współgrała z ujemnym ilorazem inteligencji, malującym się na gębusi. Na szyi miał złoty, a może tylko pozłacany łańcuszek.

– Robert Storm, historyk – przedstawiłem się. – Szukam pana Jana Lampy.

Chłopak popatrzył na mnie, nic nie odpowiedział, tylko poskrobał się po łysej głowie. Na szczęście z wnętrza wyszedł mężczyzna. Wyglądał niemal identycznie jak szczeniak, wydedukowałem, że to ojciec małego dresika. Na byczym karczychu połyskiwał złoty „kajdan” grubości parówki. Trzy paski na nogawkach dresiku oślepiały bielą.

– Lampa? – powtórzył.

– Znany też jako Wielki Dżony – podpowiedziałem.

– Ten stary magik. To pamiętam. W przedszkolu byłem, to przychodził parę razy w roku i pokazywał fajne sztuki. Dobry był! Ten dom to mój dziadek od niego kupił, jakeśmy się z tatkiem dorobili wreszcie – zarechotał, wskazując staruszka w dresie, snującego się po podwórzu. – Dziadek, gibaj no tu, gościa mamy.

Staruch podszedł. Też był łysy. Jego twarz zdobił przetrącony, kapciowaty nos. Łapy miał jak bochny. Mimo podeszłego wieku trzymał się prosto. Pod dresem rysowały się pozostałości muskulatury.

Kiedyś musiał to być prawdziwy kawał chłopa... – pomyślałem. Chyba były bokser, a może zapaśnik? Taki kinol i łapska to pewnie pamiątka z ringu.

– Najpierw kupiliśmy pół, a potem drugie pół – wyjaśnił pra-dresiarz. – A magik to ze dwadzieścia lat, jak pochowany. Albo piętnaście może? – Poskrobał się z frasunkiem po łysinie. – Najpierw kupiliśmy, potem go pochowali, bo przecież jak papiery u notariusza podpisywał, to jeszcze żył.

Duży dres i mały dres zarechotali usłużnie. Kto jak kto, ale dziadek miał szacun u młodszych pokoleń.

– Zostały po nim jakieś rzeczy?

– Nic. Myśmy tu od zera remont robili, papiery, meble wszystko poszło do pieca... – wyjaśnił młodszy dres jakby z dumą.

– A jego rodzina?

– Cholera go wie... Miał wnuka czy wnuczkę, ale gdzie mieszkają, to nie wiem... I taki młodszy cyrkowiec do niego czasem przyjechał. Młodszy, ale też już stary piernik, taki będzie, jak nasz dziadek. – Wskazał starego paluchem.

– No cóż, dziękuję serdecznie za informacje i nie zawracam głowy. – Uścisnąłem potężną łapę.

Na paluchu grubym jak serdelek błysnął sygnet. Na nim też wyryto herb, ale inny niż nad drzwiami...

– Nie ma za co – burknął dresiarz. – Chodź, młody, dziabniemy koksu i idziemy przypakować, bo my tu gadu-gadu o pierdołach prehistorycznych, a tam tatko już pewnie dwieście razy wycisnął – zwrócił się do syna.

Z niejaką ulgą opuściłem okolicę. Oczyma wyobraźni ujrzałem całą ich genealogię. Mały dresik, duży dresiarz i stary dres, i dziadek pra-dres... Zapewne do tego były jakieś dresiary, bo bez nich nie byłoby przecież małych dresiątek... Brrr...

Zaszedłem jeszcze na pocztę i pogadałem ze starym kierownikiem, jak się okazało, byłym listonoszem. Pamiętał dobrze iluzjonistę, ale też był przekonany, że ten nie żyje już od wielu lat. Rodzina w okolicy chyba nie mieszkała, nie kojarzył przesyłek na ich nazwisko. Nie pamiętał też, z kim magik prowadził korespondencję.

– Kolejna zerwana nić – westchnąłem, pakując się do auta.

Z drugiej strony, na co właściwie liczyłem? Lata lecą, coraz mniej ludzi pamięta przedwojenne czasy. Kłopot w tym, że był to jedyny z dawnych pracowników „Amfory", którego adres udało mi się ustalić.

– Znajdę was. Odszukam... – mruczałem, dociskając gaz. – O ile jeszcze żyjecie...

Materiały, dokumenty, relacje. To wszystko zaczynało powoli składać się w jakiś obraz, choć do finału poszukiwań było jeszcze bardzo daleko.

– Każdy powinien spisywać historię swojego życia – mruczałem pod nosem, jadąc do Warszawy. – Każda poważna instytucja powinna prowadzić i publikować księgi pamiątkowe... I pełną dokumentację wszystkiego.

Zajechałem do domu późno, rozczarowany i nieludzko zmęczony. Zakład zegarmistrzowski był już zamknięty. Pomyślałem o starej kieszonkowej omedze z nietypowo umieszczonym mechanizmem nakręcania. Ale debety na kartach powoli się wyczerpywały, a chwilowo nie mogłem sprzedać samochodu...

*

Wigilię spędzili w komplecie. Tego dnia nie oszczędzali świec. Okna zawiesili dodatkowymi derkami. Choinkę zastąpić musiała pojedyncza gałąź świerkowa, wycięta cichcem w parku. Zawisły na niej cukierki oraz szyszki i orzechy złocone szlagmetalem. Bibułkowe łańcuchy rozciągnięto od ściany do ściany. Stół nakryli białym obrusem. Dziewczęta postarały się o przygotowanie jedzenia – była zupa grzybowa, śledzie, zamiast karpia w galarecie podano karasie, ale pierogi z kapustą i grzybami okraszono prawdziwym masłem. Dyrektor, choć nie było to święto jego religii, też wpadł w odwiedziny. Przełamał się z nimi opłatkiem, złożył życzenia i tylko kolęd nie śpiewał... Wielki Dżony długo grzebał w eterze, aż zdołał wreszcie wychwycić nadawane z Francji życzenia składane Polakom przez członków rządu generała Sikorskiego. Na pasterkę nie było szans iść – Niemcy nie zgodzili się na zawieszenie godziny policyjnej. Siedzieli, jedli, na stole pojawiła się butelka wina i mała flaszeczka przedwojennej cytrynówki Baczewskiego. Była też czekolada, prawdziwa, od Wedla, przechowana od lata przez Tinę. Podczas wigilii Marco jakoś się trzymał, ale gdy wreszcie położył się do łóżka i naciągnął na głowę kołdrę, długo szlochał, nim wreszcie zasnął.

Przyszedł styczeń. Mróz nadal trzymał, nie trafiła się do tej pory ani jedna odwilż. Gazety przynosiły nowe rozporządzenia i zarządzenia, jedno gorsze od drugiego. Część nowych zakazów i nakazów dotyczyła Żydów. W wielu miastach zaczęto ich przesiedlać do wyznaczonych dzielnic. Po co tak robiono, nikt nie wiedział, ale nie wróżyło to nic dobrego. Amatorskie radionadajniki zamilkły definitywnie. Audycje nadawane z Anglii i Francji ginęły w szumach, a gdy dawało się wyłapać jakieś wiadomości, okazywały się propagandową sieczką. W kolejkach powtarzano półgębkiem informacje, że Mussolini porozumiał się z Francuzami, by wspólnie zaatakować Hitlera. Opowiadano też, że Węgrzy dogadali się po cichu z aliantami i chcą zerwać pakt z Rzeszą. Cyrkowcy z „Amfory" nie bardzo w to wierzyli. W mieście parę razy urządzono łapanki, zatrzymanych podobno wywieziono do pracy w niemieckich fabrykach. Marco zaprzestał wypraw na bazar. Zresztą pokazy żonglerki opatrzyły się ludziom, a coraz powszechniejsza okupacyjna nędza sprawiała, że mało kto decydował się wrzucić cokolwiek do położonej w śniegu czapki. Jakby tego było mało, niemiecki urząd pracy zorganizował rejestrację bezrobotnych. Obiecano zasiłki. Na szczęście złota dziesięciorublówka, którą iluzjonista wręczył urzędnikowi, wystarczyła, by formalnie stał się zarządcą „pożydowskiego mienia cyrkowego", a młodzi członkowie trupy – jego pracownikami. Marco i obie dziewczyny wystarali się o zaświadczenia, że chorują na gruźlicę, ale wiedzieli też, że Niemcy zapewne się na to nie nabiorą. Strach było chodzić po mieście, strach było iść w niedzielę do pobliskiego kościoła... Ale przecież chodzili. Przemykali się chyłkiem, pospiesznie. Nawet pan Kusy, choć ryzykował znacznie więcej, kilka razy wybrał się na wieczorną mszę.

Zima i okupacja... Jak bardzo jedna jest podobna do drugiej, dumał Marco, niosąc bochenek chleba dla dyrektora. Obie duszą, dławią, odbierają chęć do życia... Ale po zimie przychodzi wiosna. Wojna zapewne kiedyś się skończy. Tylko kiedy? Na razie nie widać jej kresu. Pewnie będzie wojna z Francją. A może nie będzie? Może poświęcą nas tak, jak poświęcono Czechosłowację? Może to już na zawsze?

Między wozami naciągnięto kawał grubej liny. Dzięki temu można było przejść, nie zostawiając śladów. Gdyby do obozowiska wpadli Niemcy, istniała szansa, że do wozu pod murem nawet nie zajrzą. Otaczały go dziewicze zaspy, nietknięte stopą od tygodni... Dotarł do drzwi. Zostawił chleb na stole, obok położył paczkę świec. Pan Apfelbaum przebywał zapewne w piwnicy opuszczonego domu, ale wiktuały i książki zostawione przed trzema dniami znikły. Zatem przyszedł po nie i wrócił do kryjówki.

Szef siedzi w ciemnościach, zagryzł wargi Marco. W piecyku pali tylko nocami, żeby go dym nie zdradził. Nie wyściubia nosa na zewnątrz. Boi się, albo może lepiej powiedzieć: jest ostrożny. Wielki Dżony czytał to całe „Mein Kampf" i wysnuł wniosek, że Niemcy prędzej czy później zechcą wymordować wszystkich Żydów. To chyba bzdura, bo jak niby zgładzić miliony ludzi? Z drugiej strony, wysiedlić na Madagaskar czy do Palestyny tak nieprzebrane rzesze też trudno...

Podniósł klapę w podłodze i zajrzał do gawry. Ostra zwierzęca woń dźgnęła go w nos. Pod wozem panowała cisza i spokój. Miśki spały.

– Pijmy bimber, jedzmy śledzie, będziem silni jak niedźwiedzie – mruknął pod nosem.

Zbierał się w sobie i wreszcie, zamknąwszy drzwi wozu, powędrował po linie z powrotem. Łydki trochę mu drżały, nie miał też tyczki pomagającej utrzymać równowagę, ale pięciometrowy odcinek przeszedł bez przygód.

Obiad... Pan Kusy gotował w swoim kociołku gulasz z wielbłąda. Cygan od kilku dni chodził ponury jak chmura gradowa. Twierdził, że śnią mu się zmarli krewni i przyjaciele. Tego dnia był szczególnie posępny. Zjedli w milczeniu. Marco spoglądał ponad stołem na Tinę. Dziewczyna była blada, na szczęście na diecie wzbogaconej o wielbłądzie masło odzyskała trochę ciała. Włosy spięła tego dnia z tyłu, odsłoniła uszy. Spojrzał na jej wargi. Jak do tej pory, pozwalała się całować co najwyżej w policzek, ale tak wiele razy marzył o tym, by posmakować jej ust...

Kupiłbym jej jakieś ładne kolczyki, myślał. Żeby tylko ta cholerna wojna jak najszybciej się skończyła...

Zjedli, sprzątnęli ze stołu, ale jeszcze nie wstawali. Żal było opuszczać ciepłe wnętrze. Pan Kusy westchnął wyjątkowo ciężko.

– Znowu dręczą cię złe sny? – zagadnął iluzjonista.

– Zmarli wychodzą mi naprzeciw. Po tym właśnie my Cyganie wiemy, że zbliża się nasz koniec.

– Nie przesadza pan aby? – zirytował się Marco.

– Przywykłem ufać moim przeczuciom – głos Kusego był ponury i uroczysty.

Podszedł do szafki i wyjął z niej niewielkie rzeźbione pudełko. Wyciągnął ze środka talię nieprawdopodobnie starych, zatłuszczonych kart do tarota. Dłuższą chwilę trzymał je w dłoniach, jakby wahając się, czy w ogóle ich użyć.

– Przełóż mi karty – poprosił Tinę.

– Wolałabym tego nawet nie dotykać – bąknęła dziewczyna.

– Tylko przełóż, dalej już sobie poradzę... To musi być ręka kobiety.

Przetasowała, przełożyła i podała mu. Rozłożył zatłuszczone kartoniki na blacie. Mignęły obrazki odbite chyba jeszcze z drzeworytów i pokolorowane wyblakłymi już dawno farbami. Marco spojrzał ciekawie. Łamiąca się wieża trafiona piorunem, kobieta w papieskiej mitrze na głowie, szkielet z kosą i koło fortuny. Dodatkowo karty opisane były liczbami i znakami hebrajskiego alfabetu. Klaun od samego patrzenia poczuł nieprzyjemne mrowienie na plecach.

– Tarot jest zły – mruknął Wielki Dżony. – Nazywają go Biblią Szatana...

– Tarot jest zły – przyznał Kusy, badając wzrokiem układ kart. – Ale duchy ciemności posiadają jedną cechę. Przyszłość nie jest przed nimi tak do końca zakryta. Umieją przepowiedzieć nieszczęścia i katastrofy. Czemu tak czynią? Bo krzywda ludzi tak je cieszy, że nie potrafią utrzymać jęzorów za zębami. Jeśli karty mówią, że stanie się coś złego, masz to jak w banku. Dla odmiany, jeśli przepowiadają coś dobrego, to się spełni albo nie spełni... Nów księżyca przypada za trzy lub cztery dni? – Spojrzał w ciemne okno.

– Owszem – potwierdził iluzjonista. – Myślisz, że...

Kusy dotykał palcem poszczególnych kartoników, kreśląc w powietrzu jakieś znaki. Łączył poszczególne obrazki liniami, które tylko jemu jednemu coś mówiły. Robił się przy tym coraz bardziej blady. Zburzył układ, przetasował i rozłożył ponownie. I tym razem na jego obliczu odmalowały się troska i jakby rezygnacja. Wreszcie oderwał wzrok.

– Pytałeś mnie kiedyś o czas niedźwiedzia. Powiem ci, o jakie zioła chodzi i jak rzecz przeprowadzić. Ale pamiętaj, tylko w ostateczności!

– A ty?

– Ja już nie zdołam ci pomóc.

– To tylko karty...

Kusy nie odpowiedział, złożył jedynie ostrożnie kartoniki i wrzucił całą talię w palenisko „kozy". W ślad za nimi cisnął pudełko. Siedział potem długą chwilę, patrząc, jak płoną. Marco widział tekturki zwijające się od żaru, buchające czarnym, brzydko pachnącym dymem.

Może to tylko tłuszcz i brud, którymi przesiąkły przez dziesięciolecia? – pomyślał.

Poblask płomieni ożywiał cienie na smagłej, pobrużdżonej zmarszczkami twarzy Kusego. Młody klaun uświadomił sobie, że nie wie nawet, ile jego towarzysz ma lat. Czterdzieści? Sześćdziesiąt? Twarz spalona słońcem i wygarbowana wiatrem podczas nieustannej włóczęgi nie zdradzała wieku. Oczy ciemne, zapadnięte, zdradzały za to zmęczenie życiem.

Jego też dobija ta wojna, pomyślał Marco. Znużenie okupacją. Nawet nie walką o byt, bo szczęśliwie mamy zapasy, które wystarczą nam na kilka tygodni, ale sama sytuacja jest nie do zniesienia... Radia trzeba słuchać w ukryciu. Wesoła Lwowska Fala milczy od września. Co stało się ze Szczepkiem i Tońkiem? Czy jeszcze ich kiedyś usłyszę?

Gdzieś z daleka echo przyniosło huk dwu wystrzałów karabinowych. Chłopak podskoczył jak ukłuty szpilką.

Głupi jestem, zganił się w myślach. Mam co jeść, śpię w cieple i wśród przyjaciół. Tysiące ludzi nie ma dziś nawet tego. A są i tacy, którzy umierają właśnie w tej chwili.

Stary Cygan nadal milczał. Wyraźnie układał sobie coś w głowie, bo na zakończenie uśmiechnął się krzywo. Wydobył z kieszeni wiekowy kuty kozik, zakrzywiony jak szpon, i małą osełkę... Ostrzył nóż długo i uważnie, co jakiś czas sprawdzając, czy klinga przetnie luźno zwisający włos.

*

Był sobotni wieczór. Październik ustępował listopadowi. Zrobiło się bardzo zimno, a wiatr przenikał na wskroś.

Dowlokłem się do kamieniczki. Kolejny dzień poszukiwań. Kolejny bez efektu... W oknach warsztatu na parterze paliło się światło. Zegarmistrz jeszcze siedział nad jakąś robotą. Przez chwilę wahałem się, czy nie zajść do niego, posiedzieć w pomieszczeniu wypełnionym delikatnym tykaniem setki mechanizmów, może napić się herbaty i pogadać ze starym fachowcem... Obejrzeć raz jeszcze ponadstuletni nietypowy zegarek, który czeka, aż może kiedyś będę miał pieniądze... Ale poczułem, że jestem zbyt zmęczony. Ominąłem drzwi pana Macieja. Wdrapałem się po schodach i z ulgą zanurzyłem w cieple swojego mieszkania. Błogosławiony czas, gdy wystarczy wsunąć grubą kłodę w żar dogasający na kominku i można wreszcie chwilę odpocząć po całym tygodniu gonitwy... Sprawdziłem mejle. Marta nie pisała. Zaległem w fotelu i wyciągnąłem z torby upolowaną w antykwariacie książkę. Tomik rozsypywał się w dłoniach... Trzeba oprawić.

– Kto dziś w ogóle słyszał o Jadwidze Warnkównie? – mruknąłem, przekładając pożółkłe stronice relacji z podróży po Szwecji i Norwegii, odbytej w roku 1908.

Wczytałem się w treść. Niektóre ustępy odczytywałem na głos, ciesząc się lekko archaiczną składnią utworu. Pięć damulek z Polski pod wodzą leciwej pani nauczycielki z Brwinowa wypuściło się na dwumiesięczną włóczęgę po Skandynawii. Podróżowały pieszo, koleją, kariolkami, okrętem... Wspinały się na szczyty i przełęcze... Poznawały przyrodę i zabytki sztuki ludów północy. Wspomnienia z eskapady, obok opisów skandynawskich krajów, chwaliły religijność, uczciwość i czystość mieszkańców. Tanie życie w krajach nordyckich? Religijni Szwedzi?!

– I komu to przeszkadzało? – rzuciłem w przestrzeń.

Czytałem opisy włóczęgi po mniej i bardziej cywilizowanych okolicach. Niektóre opisane miejsca znałem. Innych nie. Kobitki zwiedzały intensywnie, tropiły ślady Polaków, poznawały obyczaje...

– Urodziliśmy się za późno, by badać świat, i za wcześnie, by badać kosmos – powtórzyłem w zadumie zasłyszane kiedyś zdanie i wróciłem do lektury.

Trzaskanie ognia za grubą szybą. Ciepły pled. Stuletnia książka w dłoni. Do pełni szczęścia brakowało mi jeszcze herbaty, ale jakoś nie miałem siły wstać i iść do kuchni. Brakowało mi też Marty. Brakowało mi jej rozpaczliwie. A najgorsze było poczucie, że w tej sprawie jestem kompletnie bezsilny. Ocknąłem się niespodziewanie. Co się stało? Przysnąłem. Spojrzałem na zegar – prawie druga w nocy. Co mnie wyrwało ze snu? A tak, komunikator internetowy zapikał. Konsultant na linii.

– Coś znalazłem o zamówionych klientach z cyrku „Amfora" – zameldował Arek. – Kowal i treser niedźwiedzi o nazwisku lub ksywie Kusy. Zginął w Tarnowie.

– Tarnów? – zastanowiłem się. – Hmm... Może i pasuje? Z Sandomierza na południe... To by się zgadzało!

– To ściągnij pocztę, wysyłam skan mejlem.

Odpaliłem komputer. Mejle... Od Marty nadal nic. Otworzyłem załącznik i zagłębiłem się w lekturze.

Kowal cyrkowy i niedźwiednik nazwiskiem Kusy wpadł głupio. Chodził po mieście bez większych przeszkód, cerę miał jasną, jak na Cygana, zresztą nikt go tu nie znał, więc i nie miał kto na niego donieść. Tego feralnego dnia poszedł na rynek. Może chciał coś kupić, a może sprzedać, tego nie wiem. W każdym razie był między krama-

mi, kiedy nadjechali Niemcy. Przybyło ich na trzech ciężarówkach kilkudziesięciu, otoczyli cały plac. Zaraz zaczęli sprawdzać ludziom papiery, kto miał coś nie w porządku albo nie posiadał książeczki pracy i zaświadczenia, że jest zatrudniony, zaraz go pakowali do budy. Kusy wiedział, że już po nim. Nigdy nie zgłosił się do urzędów, nie miał nawet kenkarty. Może też obawiał się, że na torturach zezna, gdzie się ukrywał? Zaczął krzyczeć po niemiecku, że ma ważne informacje, że powie, gdzie ukrywają się inni Cyganie. Niemcy odprowadzili go do swojego dowódcy. Wtedy Kusy wytrząsnął z rękawa kozik i jednym pociągnięciem noża wypatroszył oficera gestapo jak wieprzka. Szkop stał zdumiony i patrzył w dół, a tam jelita z rozciętego brzucha wylały się na bruk. Zaraz też zabrali go do szpitala. Zaszyli wszystko, ale widać niedokładnie wypłukali czy coś, bo wdało się zakażenie i oprawca skonał w straszliwych męczarniach. Kusego rzecz jasna zastrzelili na miejscu. W zasadzie można powiedzieć, że zważywszy na okoliczności, to była dobra śmierć. Całe miasto długo jeszcze opowiadało sobie o tym wyczynie i chwaliło, że Cygan tak się okupantom pięknie odpłacił. Po wojnie chcieli mu nawet pomnik stawiać, ale na planach się skończyło – odczytałem, zaskoczony.

– I co ty na to? – zagadnął Arek.

– To faktycznie może być człowiek, którego szukam... – przyznałem. – Co to za publikacja?

– Tomasz Siejka, „To ja – klaun Marco, czyli obrazki z życia cyrku", nadbitka artykułu z czasopisma „Arena". Wrzesień tysiąc dziewięćset siedemdziesiątego dziewiątego.

– Na przedwojennym afiszu „Amfory" był zapowiedziany numer w wykonaniu duetu klaunów Marco-Polo – myślałem na głos. – Ten Tomasz chyba był w trupie „Amfory". Zatem oczywiście znał Kusego. Podał sporo szczegółów. Teraz pytanie, czy jeszcze żyje i czy posiada jakieś informacje, które mogą mi się przydać.

– Na to, że żyje, specjalnie bym nie liczył – westchnął Arek. – W trzydziestym dziewiątym miał co najmniej dwadzieścia lat. Zapewne więcej. Dziś to chybaby liczył sobie setkę jak nic.

– Spróbować trzeba – odparłem. – Może napisał coś jeszcze?

– Nie wydaje mi się. W katalogu Biblioteki Narodowej nie ma śladu. Chyba że jego rodzina ma, na przykład, rękopisy wspomnień albo coś podobnego. Ewentualnie może trzeba dokładniej przejrzeć ich prasę branżową.

– Marco-Polo – powtórzyłem na głos.

– Sądzisz, że ego miał tak rozbuchane, że z trudem mieściło się w drzwiach?

– Wydaje mi się raczej, że w podrzędnym cyrku taki pseudonim był swego rodzaju smutną koniecznością – westchnąłem. – Profesor, Wielki Dżony, Marco-Polo, siłacze: bracia Tantal, Tartar i Hades, wszystkie pseudonimy krojone tak, by brzmiały niezwykle... By oszołomić i oczarować kmiotków z prowincji.

– Tantal, Tartar i Hades – uśmiechnął się Arek. – O ja pierniczę, ale zestawienie. Czy oni mitologii nie czytali?

– Zapewne ksywy wymyślił im ten sam wariat, który nazwał swój cyrk „Amfora".

*

W marcu siarczysty mróz odpuścił. Przyszły wreszcie tak długo wyczekiwane odwilże. Jednak koniec zimy tylko wzmógł terror. W gazetach zamieszczono obwieszczenia o konieczności oddania wszelkich narzędzi rzemieślniczych, wolno było zatrzymać tylko niezbędne, a i to za specjalnym zezwoleniem Niemców. Na wsiach na każde obejście nałożono obowiązek oddawania co miesiąc określonej ilości makulatury, złomu, metali kolorowych i stłuczki szklanej. Niemcy chyba nie liczyli na wypełnienie tych żądań, ale dzięki temu zyskali nowe możliwości nakładania dotkliwych kar na „buntowników". Żydom zakazano podróżować koleją. W mieście mówiono dużo o polskiej armii we Francji i wojnie, która miała wybuchnąć wiosną. Liczono, że państwa sprzymierzone napadną na Rzeszę i pobiją Hitlera. Identyczne informacje podawały alianckie stacje radiowe. Podobno we Francji z inicjatywy generała Sikorskiego powstawała prawdziwa polska armia.

– Mrzonki – skwitował to Wielki Dżony. – Pobić Hitlera mogli jesienią, gdy jego banda atakowała Polskę. W tydzień zajęliby całą Nadrenię... Koniec dostaw na front i szlus. Jeśli wtedy nie uderzyli, to znaczy, że w ogóle nie planują ruszyć zadów.

– Mieli prawie pół roku spokoju – oponował Marco. – Z pewnością zarządzili mobilizację i przygotowali armię.

– I co im z tej armii? Hitler też miał pół roku, a on z pewnością przygotował się znacznie lepiej, także dlatego, że dysponuje obecnie fabrykami broni w Czechach i naszymi w Radomiu oraz w Pionkach. Do tego ma surowce od Ruskich za psi pieniądz, do wypęku. I ropę naftową z sojuszniczej Rumunii. A jakby tego było mało, może kupić żelazo w neutralnej Szwecji. Wojna oczywiście będzie, ale ja bym nie liczył na żadne zmiany! Jeśli już, to na gorsze – dodał cicho. – U-la-la... O wilkach mowa! – syknął, widząc za płotem hełmy żandarmów.

Przez chwilę łudzili się, że Niemcy ominą furtkę, ale niestety... Marco obejrzał się na wóz dziewczyn, ale już było za późno na ukrycie się lub ucieczkę. Żandarmi nie trudzili się pukaniem, wywalili furtę kopniakiem. Hitlerowców było całe mrowie. Czterech milczących cywilów, kilku gestapowców, granatowy policjant i ten sam przestraszony tłumacz, co poprzednio.

– Karl von Liedke – przedstawił się jeden z cywilów. – Dyrektor cyrku „Liedke i synowie".

– Bardzo nam miło – zaczął Wielki Dżony po niemiecku, ale Untersturmführer walnął go w twarz prawym sierpowym.

Mag padł w zaspę tającego śniegu.

– Panowie z cyrku mają nakaz natychmiastowej konfiskaty wielbłąda – wyjaśnił tłumacz. – Podstawa prawna to przejęcie porzuconego mienia żydowskiego. Panie Lampe, jako zarządca jest pan odpowiedzialny przed niemieckimi władzami za ten cyrk. Proszę okazać i wydać zwierzę.

– Wielbłąd zdechł jeszcze jesienią – wyjaśnił po niemiecku iluzjonista, gramoląc się z ziemi. – Sprzedaliśmy go wędrownemu handlarzowi padliną.

Ponownie dostał w twarz, aż się zatoczył. Niemiec zaczął się drzeć. Zapluł się z wściekłości. Wyrzucał z siebie słowa z szybkością karabinu maszynowego. Marco rozumiał piąte przez dziesiąte. Tłumacz stał z bezradną miną, nie nadążał. Granatowy policjant spoglądał współczująco... Pozostali gestapowcy przygnali przed bramę obie dziewczyny.

– Ścisła rewizja! – szczeknął ich dowódca. – Mieliście tygrysa i wielbłąda. Gadaj prawdę, coście z nimi zrobili? – wydarł się na Dżonego.

– Tygrysa i jego tresera zabił nalot jeszcze we wrześniu. Konie sprzedaliśmy. Wielbłąd zdechł...

– Gdzie je ukryliście? Podaj adres albo zastrzelę!

W tej chwili zza wozów rozległy się wrzaski przerażenia, a potem dwie długie serie. Marco zamarł. Dopadli dyrektora!?

– Co tam, do cholery!? – ryknął hitlerowiec.

Dwaj jego podwładni wybiegli na placyk.

– Żywy niedźwiedź pod wozem! To znaczy dwa! – wykrztusił ten niższy. – Robiliśmy rewizję, sprawdzamy pod wozem, co to za kupa liści nakryta brezentem, a ten się obudził i machnął łapą.

– Żywe niedźwiedzie? – zainteresował się niemiecki dyrektor.

– No teraz to już nieżywe! – oznajmił drugi żandarm dumnie. – Skosiłem bestie. – Poklepał pistolet maszynowy.

Karl von Liedke zaszczekał coś gniewnie. Untersturmführer zaczął się drzeć na podwładnych z taką furią, jakby chciał ich zastrzelić na miejscu. Pobledli nagle Niemcy spuścili głowy i tylko co chwila mamrotali pod nosami: *jawohl*.

Chcieli wielbłąda, ale nie wiedzieli o niedźwiedziach, uświadomił sobie klaun. Też by je zabrali, gdyby ci dwaj wyrywni durnie ich nie zastrzelili. No i dyrektor wróci do swego cyrku z pustymi rękami... Bez łupu.

Cyrkowiec wraz ze swoimi ludźmi poszedł rewidować wozy. Trzej gestapowcy podeszli do Marca. Dwaj złapali go za ramiona, trzeci zaczął bić. Walił długo i metodycznie. Chłopak nie miał się jak uchylić, mógł tylko zaciskać zęby. Wreszcie Niemiec ściągnął pokrwawione rękawiczki i rzucił je na ziemię. Z kieszeni wyjął zdjęcie. Przedstawiało pana Kusego. Miał zamknięte oczy, wydawało się, jakby jego twarz się zapadła. Zrobili fotografię z pewnością po tym, jak został zabity.

– Znasz go? – syknął Niemiec po polsku.

– Nie znam. Nigdy go nie widziałem – pokręcił głową Marco.

Krople krwi z rozbitego nosa i warg padały w rozmiękły wiosenny śnieg.

– Ty kłamiesz!

– Nigdy kogoś takiego nie widziałem... – z trudem dobierał znane sobie niemieckie słowa. – Nie znam.

– Zastrzelimy te dwie smarkule! – zagroził szkop, machając lugerem w stronę przerażonych dziewcząt.

Idiota... Na co niby liczy? Przecież jak się przyznam, że Kusy był od nas, to przepadniemy wszyscy, pomyślał klaun.

Strach odpłynął. Zabiją jego i iluzjonistę. Trudno. Ale może dziewczyny przeżyją?

– Nie znam tego człowieka – powtórzył z uporem.

Znowu otrzymał kilka ciosów. Obok druga grupa katowała maga. Dawno już padł w śnieg. Kopali go teraz podkutymi buciorami, aż trzaskały żebra. Wreszcie Untersturmführer ich powstrzymał. Więzień był potrzebny żywy...

– Cztery posłania, nikt poza nimi tu nie mieszkał. Po wozach tobołki, a w nich kupa jakichś szmat, ubrań i kostiumów, ale nic podejrzanego – zameldował po niemiecku granatowy policjant, wracając z obchodu obozowiska. – Sami tu żyją. Ten Cygan nożownik z targowiska z pewnością nie był stąd.

Kłamie, żeby nas chronić, uświadomił sobie chłopak.

Nadszedł też niemiecki dyrektor cyrku. Był wyraźnie poirytowany i rozczarowany wynikami poszukiwań.

– Sprzęty stare i zniszczone, liny i trapezy wysłużone – sarkał. – Namiot też mały i łatany. Masztów nie warto zabierać, na opał co najwyżej się nadają. Nic wartościowego, siodła co najwyżej, ale mi zbędne.

– Zabrać tego zakichanego magika. – Gestapowiec wskazał iluzjonistę. – Jeszcze sobie z nim szczerze pogadam w naszej piwniczce...

Uderzył raz jeszcze klauna na odlew i poszli. Marco usiłował się podnieść, ale padł ponownie twarzą w śnieg. Dziewczyny pochyliły się nad nim, coś mówiły, lecz nie wiedział co. Przed oczyma tańczyły mu plamy... Zwymiotował.

Doszedł do siebie w wozie woltyżerek. Widocznie dziewczyny go tu przeniosły, bo nic nie pamiętał. Przesunął językiem. Brakowało mu chyba sześciu zębów. Nawet nie pamiętał, kiedy mu je wybili. W ustach czuł metaliczny posmak krwi. Policzki, gdy dotknął ich językiem, od środka były poranione. Popatrzył wokoło. Kunegunda krzątała się przy piecu. Coś gotowała w kociołku pana Kusego. Obiad? Nie czuł żadnego zapachu, nos całkowicie blokowały mu strupy. Złamany? Miał nadzieję, że nie...

– Wody... – wychrypiał.

Tina ostrożnie przyłożyła mu kubek do poranionych, opuchniętych warg. Wypił chciwie. Miał zawroty głowy. Policzek spuchł jak bania.

– Nic nie powiedziałem? – wolał się upewnić.

– Nic – uspokoiła go. – Ale zabrali Dżonego. Nam na szczęście nic nie zrobili... Na szczęście nie znaleźli radia ani nic trefnego.

Rozgorączkowany pomyślał o broni ukrytej w gawrze. Flinta na słonie, pistolet Browning, granat... Oddychał dłuższą chwilę. Trzeba iść odbić maga. Iść do siedziby gestapo, zastrzelić strażnika... Dla kuli Nitro Express drzwi nie stanowią przeszkody. Potem... Nie bardzo wiedział, co mógłby zrobić potem. Browning jest siedmiostrzałowy. I ma jeszcze dwa zapasowe magazynki. Nie, tak się nie da. W siedzibie gestapo z pewnością jest kilkunastu Niemców. Zastrzeli trzech, czterech, może pięciu. Jeśli wybuchnie strzelanina, momentalnie zjedzie się Kripo, esesmani, Wehrmacht... Kilkudziesięciu bydlaków z karabinami. Może gdyby znał jakichś miejscowych konspiratorów... Zaatakować większą grupą. Byłaby szansa powodzenia? Gdyby była, pewnie by już coś podobnego zrobili. A może boją się, że potem na miasto spadłyby straszliwe represje? Nie, tak się nie da. To niemożliwe. Z drugiej strony, przyjaciela trzeba ratować. A gdyby porwać jakiegoś ważnego szkopa i wymienić? Nie, to też mrzonki... Bezsilność, poczucie całkowitej bezradności, ból...

– Zabili oba niedźwiedzie – powiedziała przez łzy Kunegunda. – Nic już nie zostało z naszego cyrku. Tylko my troje, szapito, wozy i garść rekwizytów... No i jeszcze... – Wykonała ręką nieokreślony gest.

Wiedział, że ma na myśli dyrektora ukrywającego się w piwnicy pobliskiego budynku. Ale wojna już ich nauczyła, by o pewnych rzeczach nie mówić na głos.

Marco zamyślił się. Ci łajdacy pewnie będą torturować maga. Co może im powiedzieć? Zdecydowanie za dużo... Chyba trzeba czym prędzej uciekać. Tylko jak? Nie bardzo był w stanie się ruszyć! A może ich przyjaciel wytrzyma tortury? Nie, nie można na to liczyć. To fachowcy. Wielki Dżony pęknie wcześniej czy później. Chyba że popełni samobójstwo. Nie! Trzeba go odbić. A może kogoś przekupić? Jakiegoś ważnego Szwaba. Tylko jakiego i czym?

– Zjesz coś? Byłeś długo nieprzytomny... Ze dwie godziny – powiedziała Tina. – Powinieneś coś przegryźć, choroba lubi czepiać się głodnych.

– Trochę zjem.

Wprawdzie nie czuł głodu, ale w tym, co mówiła, było wiele racji. Potwornie bolała go głowa i jeden z obojczyków. Obmacał go, ale na szczęście kość nie była złamana. Wymiotował. Wstrząs mózgu? Prawdopodobnie. Trzeba wyleżeć. Kasza z mięsem i warzywami, omaszczona wielbłądzim masłem, rozgrzała żołądek. Marco łyknął jeszcze dwie tabletki aspiryny i zasnął w wozie dziewczyn, zakutany po uszy w grube koce.

*

Drzwi uchyliły się na długość łańcucha. W szparze błysnęło grube szkło mocnych okularów. Mężczyzna miał chyba ponad dziewięćdziesiąt lat. Twarz przeorały mu zmarszczki, z włosów pozostały kłaczki jakby białej waty, tu i ówdzie zdobiące czaszkę, ale zęby miał białe jak śnieg i równiutkie. Zapewne implanty. Oczy patrzyły zaskakująco bystro. Zatem istniała szansa, że pamięta użyteczne szczegóły...

– Robert Storm, historyk i poszukiwacz pamiątek przeszłości – przedstawiłem się. – Czy mam przyjemność z panem Marco?

Starzec kiwnął głową i przechyliwszy głowę, spojrzał na mnie z dziwnym uśmiechem, czającym się w kąciku ust.

– Poszukuję informacji o przedwojennym cyrku „Amfora". Z tego, co udało mi się ustalić, jest pan jedynym żyjącym członkiem dawnej, przedwojennej trupy dyrektora Apfelbauma. Gdyby zechciał pan poświęcić mi pół godzinki...

– Najpierw odpowiedz mi na pytanie: kto jest najważniejszy w cyrku? – rzucił.

Głos miał cichy, ale mówił wyraźnie i z doskonałą dykcją. Słowa dosłownie spływały z jego ust.

Efekt wielu lat pracy na scenie, oceniłem.

– Najważniejszy w cyrku? Zapewne dyrektor...

– Won, lebiego. – Wskazał mi schody. – Wróć jutro, jeśli oczywiście zmądrzejesz do tego czasu!

Odwróciłem się potulnie, dotarłem na parter, zawróciłem i zadzwoniłem do drzwi. Uchylił je ponownie na szerokość łańcucha.

– Znowu ty!? Miało być jutro!

– Jestem oczywiście kompletnym idiotą, ale doznałem oświecenia, schodząc po schodach – wyjaśniłem uprzejmie.

– Zatem kto jest najważniejszy w cyrku? – ponownie zadał swoje pytanie.

– Klaun! To przecież oczywiste...

Drzwi zatrzasnęły się z hukiem. Ale po chwili wewnątrz zahurgotał łańcuch i otworzyły się na całą szerokość. Czyli zgadłem.

– Poszedłeś po rozum do głowy – pochwalił starzec. – Zapraszam. Lubię ludzi, którzy szybko myślą. Klaun to dusza i serce cyrku. On decyduje o frekwencji, o klimacie, dba o intelektualne przesłanie sztuki cyrkowej – wygłaszał te przemyślenia z natchnioną miną.

Całkiem jak Tytus, gdy mówił o zupie z kociołka... Przeszliśmy do salonu. Gospodarz wskazał mi fotel. Ładna dziewczyna w skromnej płóciennej sukience, zapewne wnuczka, a może raczej prawnuczka przyniosła z kuchni imbryk i szklanki do herbaty. Rozejrzałem się wokoło i poczułem lekkie rozczarowanie. Spodziewałem się pamiątek, oprawionych plakatów, zdjęć z dawnych występów, a tymczasem otaczała mnie meblościanka, książki ustawione karnymi rządkami na regałach oraz dwie reprodukcje Czachórskiego. Tylko jeden element przykuł moją uwagę.

– Bycie klaunem to najwyższy honor, jaki może spotkać cyrkowca – ciągnął starzec. – Treserzy zwierząt, akrobaci, nawet iluzjoniści, to wszystko tylko nieistotny dodatek do nas, prawdziwych artystów sceny. Się nie uśmiechaj pod nosem, bęcwale! Pomyśl tylko, kogo po latach pamiętają ludzie? Umiesz wymienić nazwiska wielkich pogromców lwów? Albo woltyżerek?

– E...

– A jeśli powiem teraz Bim-Bom? Skoro jesteś, jak twierdzisz, historykiem, powiedz, kołacze się coś w głowie?

Przegrzebałem w panice pamięć.

– Eee... Yyy... To był duet klaunów – wykrztusiłem. – W Rosji, za cara... Jeden Rusek, drugi Polak. Występowali też w Warszawie. Rosjanina zamordowali po rewolucji bolszewicy. To było w cyrku. Któryś z sowieciarzy uznał, że klaun się z nich nabija. A może co innego im się ubzdurało. W każdym razie wtargnęli na scenę i strzelili mu w plecy, jak uciekał...

– No i sam widzisz. Duet, który masz ma myśli, który występował w Warszawie przed pierwszą wojną światową, tworzyli Iwan Raduński i Mieczysław Staniewski. To Raduński był Bimem, jego zastrzelili. A Bomów było kilku, zmieniali się. Faktycznie umarł zabity na arenie przez Sowietów. A jeśli powiem Din-Don?

– Eeee... Coś przed wojną i chyba zaraz po wojnie w Polsce? Ojciec i syn... Syn spisał wspomnienia chyba... W latach siedemdziesiątych, jakoś tak. Ale nazwiska nie kojarzę.

– Wiktor i Edward Manc! No i proszę, zielony jesteś, człowiek z ulicy, nic wspólnego z cyrkiem nie masz – a czterech legendarnych klaunów kojarzysz. Mancowie to była klasa, a jacy serdeczni ludzie! Wiele ja się od nich nauczyłem! – westchnął. – A ilu kojarzysz innych artystów?

– Eee...

– Czyli mówiąc po ludzku, zero. Sam widzisz, czyja sztuka przeszła do legendy!

– No cóż...

– O mnie pewnie wcześniej nie słyszałeś, gdzie mi do takich tuzów – westchnął. – Też miałem duet, nazywał się Marco-Polo. Ja byłem Marco. Marco Trzeci tak konkretnie. Bywa czasem tak, że w duetach przejmuje się imię po poprzedniku. Mój pryncypał Polo miał już wcześniej innego Marca, Marca Zezowatego. Gdy ten zaczął strasznie chlać, wyrzucił go i znalazł innego. Tego pechowo stratowały rozbiegane konie dorożkarskie. Nie było co zbierać. Potem ja dołączyłem do „Amfory" jako klaun, no i teraz ja byłem Marco. Mój partner zginął we wrześniu trzydziestego dziewiątego. Po wojnie dobrałem sobie towarzysza do duetu i wtedy to on został Polo. Polo Drugi. Łapiesz, o czym mówię?

– Tak. Dziedziczenie pseudonimu, jak w starożytności przejmowanie przez ucznia imienia mistrza. Praktykowano to również wśród niektórych rzemiosł w średniowieczu.

– Do legendy wprawdzie nie przeszedłem, bo to nie takie proste. Ale ludziska mnie uwielbiali. Dyrektorzy cyrków trochę mniej. Jak się rozkręciłem, zawsze coś chlapnąłem. Raz już było krucho, przesadziłem z aluzją polityczną. A to był pięćdziesiąty drugi rok i za dowcipy nawet pięć lat można było dostać. I wiesz, co mnie uratowało? Główny radomski ubek bywał na przedstawieniach. Z całą swoją zawszoną rodzinką. I jego bachorom się podobało, jak robię z siebie małpę. Kazał tylko spuścić mi solidny łomot i puścił wolno. Dwa tygodnie odchorowałem, ale co to jest dwa tygodnie? Wolny byłem! Nawet z roboty mnie nie wyrzucili. Taka oto siła mojej sztuki, nawet komunistyczni oprawcy ulegali czasami temu czarowi...

Nie wszyscy ulegali, pomyślałem, przypominając sobie o losie jego nieszczęsnego kolegi po fachu zabitego przez bolszewików.

– Dziś prawdziwa klaunada to już przeszłość – powiedział ze smutkiem. – Nie powiem, są młodzi i zdolni w tym fachu. Ale idą w pantomimę. Milczą. Zaginęła sztuka improwizacji wierszyków. Zresztą i kabaret, jak w telewizji puszczą, to nawet nie bardzo jest się z czego pośmiać. Mancowie... Ci potrafili dać do pieca. Języki jak żądło. Dziś takich ludzi już nie ma.

Słuchałem z zainteresowaniem. Wnuczka czy prawnuczka krzątała się po kuchni. Słyszałem szum gotującej się wody, trzaskały drzwiczki lodówki.

– No dobra – westchnął. – My tu sobie gadu-gadu o dawnych dobrych czasach, a może się spieszysz?

– Nigdzie się nie spieszę – uspokoiłem go.

– No, młody, obwąchałem cię już, dobrze ci z oczu patrzy, łeb masz na karku, słuchać też umiesz. To gadaj teraz konkretnie, co cię sprowadza.

– Szukałem ludzi związanych z przedwojennym cyrkiem „Amfora".

– To już powiedziałeś mi, stojąc w drzwiach. Ale konkretnie? Po co komu wiedza o małym trzeciorzędnym cyrku, który tłukł się po prowincji, a po wojnie przestał istnieć? – Spoważniał i zmrużył oczy, czekając na dalsze wyjaśnienia.

– Próbuję ustalić, co stało się z treserem niedźwiedzi i kowalem o nazwisku Kusy – powiedziałem. – To znaczy z pańskiego artykułu wiem już, że został zabity przez Niemców w Tarnowie...

– O ty w dziuplę! – syknął. – Nie słyszałem tego nazwiska... no, będzie z siedemdziesiąt lat. Treser to może za dużo powiedziane. – Wydął wargi. – Ot, kilku sztuczek ich nauczył, a i to nie zawsze im się chciało pracować. Ale kowal i wozak z niego był pierwsza klasa... Miał rękę do koni. A teraz gadaj wprost. Na co ci on?

Dziewczyna wniosła świeżo pokrojoną szarlotkę i talerzyki. Z kuchni pachniało kawą.

– Bez owijania w bawełnę... Krewni jego żony pragną ustalić, gdzie mogą zapalić mu świeczkę. Pragną też odzyskać pamiątkowy kociołek, w którym gotował jedzenie.

– Mówisz poważnie!? – Łypnął na mnie zaskoczony.

– A dlaczego nie?

– Ktoś sobie po siedemdziesięciu latach przypomina o zapomnianej mogile pociotka i jeszcze chciałby odnaleźć jego garnek na zupę?

– Zdziwiłby się pan, ilu Niemcom pomogłem odnaleźć mogiły ich przodków poległych jeszcze w czasie pierwszej wojny światowej. I nieźle mi za tę przysługę potrafili zapłacić, choć w wielu przypadkach jedyne, co mogłem im wskazać, to kawałek lasu gdzieś w Polsce z resztkami krzyży opartymi o drzewa i zapadniętymi garbami dziesiątków zbiorowych mogił. A co do pamiątek, szukałem już tak kuriozalnych rzeczy, że też niewiele mnie dziwi. I dodam od razu, że chyba bardziej im zależy na tym kociołku niż na grobie.

– Człowieku, przecież to, co wygadujesz... to ciężki idiotyzm! Ile czasu szukałeś ludzi z „Amfory", nim do mnie trafiłeś?

– Yyyy... – liczyłem szybko w pamięci. – Czterdzieści dwa dni.

– Aberracja! Nudzi ci się czy co?

– Płacą mi za te poszukiwania. Taki mam zawód – wyjaśniłem.

– Są w tym kraju bogaci kretyni, gotowi wynająć kogoś, żeby przez miesiąc uganiał się w poszukiwaniu starych cyrkowców mogących coś wiedzieć o jakimś tam garnku?!

– Znaleźli się, jak widać...

– Ja rozumiem, że jest kryzys i bezrobocie, ale masz, chłopcze, inteligentną twarz, bystry jesteś, naprawdę nie było dla ciebie sensowniejszego zajęcia?

– Lubię tę moją dziwną pracę.

– No cóż, gdy ludzie dowiadywali się, że jestem klaunem, też często pukali się w głowę, a ja zwykle odpowiadałem tak jak ty. I też naprawdę lubiłem swoją pracę. – Zamyślił się. – Mamy chyba podobne kuku na muniu... – Uśmiechnął się.

Milczał chwilę.

– A zioła Kusego? – zapytał.

– Nie mówili nic o ziołach – zdziwiłem się.

– Znał parę iście piekielnych mieszanek. Myślałem, że może o to im chodziło... Nie było mnie przy tym, jak zginął. Widział to z daleka iluzjonista. Nasz przyjaciel, Wielki Dżony. On też nie żyje... Będzie z piętnaście lat. Wykrusza się stara gwardia. Z mojego pokolenia cyrkowców nie ma już chyba nikogo. Nie wiem, co było dalej – powiedział po chwili milczenia. – To znaczy ciało pana Kusego trafiło albo do jakiegoś zbiorowego grobu, albo do lasu na spalenie... Jego żonę już wcześniej pochowali, przed wojną. Chorowała na coś, ale bała się lekarza wezwać. No i trach, „zawinęła się", jak to wtedy mówiliśmy. Nie wiem, gdzie ją pogrzebano. W Lublinie chyba wtedy byliśmy. Zresztą dziś i śladu nie znajdzie. Taki grób przedwojennej biedoty, kopczyk ziemi rozmyły deszcze, krzyż spróchniał... Jego rzeczy podzieliliśmy między siebie. Wojna. Wszystko było na wagę złota.

– Kociołek? Miedziany, wyklepany z jednego kawałka, półokrągłe dno... – delikatnie spróbowałem wrócić do tematu.

– Był... Używaliśmy go nadal w kuchni. Tak jak on. Wszystko, co się trafiło, wrzucaliśmy do środka. Zupa trzymająca przy życiu. Co kto zarobił, kupił, zdobył, wymienił, wszystko szło do gara. Ale przede wszystkim wędzone mięcho z wielbłąda. I wielbłądzie masło na okrasę.

– Wielbłądzie... masło? – zdumiałem się. – To wielbłąda można doić?!

– Każde zwierzę da się wydoić – uśmiechnął się Marco. – Ale wielbłądzie masło to tłuszcz z garbów. Podobne trochę do słoniny. Niezwykle pożywne. Kilkanaście tysięcy kalorii na kilogram. Dziwne to potrawy były. Cygańska kuchnia jest specyficzna. Przyprawiają potrawy też inaczej niż my. Nie każdemu podchodzi. Najczęściej gotują różne rzeczy aż do rozgotowania, ale umieją to zrobić tak, że nie gubią przy tym smaku. Niemcy też mieli coś podobnego, rozumiesz, „rasa panów" naśladowała „podludzi" Cyganów w ramach oszczędności wojennych, gadali na to *Eintopf*... – Roześmiał się z własnego porównania. – Ale czy podobne w smaku? Chyba nie. W każdym razie konie udało się sprzedać wcześniej. Staliśmy... Cyrk na postoju. Pięć długich lat. Szukaliśmy sobie roboty, a wieczorami, umęczeni po całym dniu, ciągle staraliśmy się trzymać formę. Żonglerkę ćwiczyłem dzień w dzień. Były dwie dziewczyny od woltyżerki, ale nie miały co robić, konie sprzedane przecież. I ciągle planowaliśmy, co będzie po wojnie. Tylko że gdy wojna się wreszcie skończyła, nie było już jak ruszać dalej. Pięć lat postoju. Smarowaliśmy łożyska czym się dało. Ruszaliśmy co jakiś czas wozy do przodu i do tyłu po parę metrów, ale i tak korozja je żarła. Wóz cyrkowy jest jak żywa istota. Bez ruchu umiera. No i nie było siły pociągowej. Cztery wozy byłyby jeszcze jako takie, ale koni brak. Po wojnie rozjechali się ludzie z dawnej „Amfory" po różnych cyrkach. Czasem gdzieś w trasie się spotkaliśmy, a czasem na zimowaniach w Julinku, to się powspominało dawne przedwojenne czasy. Nasz dyrektor, Apfelbaum, nazwisko sobie zmienił na Jabłoński, śmiechu warte. Albo i nie śmiechu, bo to znak, że pozostał w nim wojenny strach... Ten to się rzucił w wir roboty. Organizator pierwsza klasa. Stary był, chcieli go wysłać na emeryturę, zapierał się rękami i nogami. Nowotwór go zżerał, a ten dalej harował jak wół. Umarł w trasie, na szlaku... Dla aktora największy honor umrzeć na scenie. Dla cyrkowca śmierć na arenie to tragiczny wypadek, ale śmierć w drodze to coś szczególnego.

Czekałem cierpliwie, aż się wygada. Wreszcie urwał i łypnął na mnie.

– Ty to umiesz czekać – pochwalił. – I słuchać umiesz.

– Lubię słuchać – powiedziałem. – Niech pan spisze te wspomnienia, wiele pan widział, wiele przeżył, wielu ludzi z branży poznał. Szkoda, żeby te informacje uleciały.

– Ażebyś wiedział, huncwocie, że spisuję. – Wskazał maszynę do pisania z wkręconą kartką i westchnął. – No dobra, kociołek. Jak mieliśmy wyjeżdżać, przyszedł do nas belfer ze szkoły, co to była dwie ulice dalej. Tej, gdzie dawaliśmy przedstawienie dla dzieci, w wojnę. I poprosił, że jak mamy coś niepotrzebnego ze strojów czy z rzeczy, to on by zabrał dla szkolnego teatrzyku. Kupę rozmaitych łaszków dostał. To, co było zbędne, co zostało po Kusym i jego żonie... I tak mi się zdaje, że kociołka nikt z nas nie brał. Kuliste dno, do normalnej kuchni zbędny. I może do szkoły trafił? Tak teraz myślę – czemu go nie zabrałem choćby na pamiątkę! Wszak tyle wieczorów siedzieliśmy, czekając, aż w nim się zupa zagotuje, i grzejąc się przy ogniu. Nie myślał człowiek, cieszył się na podróż, kwatery na nas czekały, pieniądze, praca... Niby dla czerwonych trzeba było robić, ale komuniści jakoś tak na szczęście uznali nas za braci klasowych. Po prawdzie, przygotowanie każdego numeru to jest harówa i fizyczna, i psychiczna... A jeszcze trzeba wymyślić. Widz tego nie wie, nie czuje. A tu każde salto trzeba powtarzać setki razy, by dojść do perfekcji. I często ryzykuje się życie. Nawet gdy jest rozciągnięta siatka, można połamać ręce i nogi... O czym to ja? Ach tak, kociołek. W każdym razie został tam. A może z drugiej strony wojna źle nam się kojarzyła. Była we wszystkich chęć, by zapomnieć złe chwile, by zacząć od nowa. Ja w tamte strony do Tarnowa trafiłem ponownie dopiero piętnaście lat później. W każdym razie, jeśli ten garnczek przetrwał, to w szkole, może u jakiegoś nauczyciela...

– Szkoła w Tarnowie – zanotowałem. – Czy pamięta pan nazwę ulicy?

– Nie, ale zaraz ci narysuję mapkę, gdzie co było. Znajdziesz, taki bystrzak jak ty z pewnością sobie poradzi.

Dopiłem herbatę i pora była się zbierać.

– Jak pan wyda te wspomnienia, chętnie kupię jeden egzemplarz. – Położyłem wizytówkę na rogu stolika.

– Chcesz jeszcze o coś zapytać?

– Ta strzelba na ścianie to prawdziwa spluwa na słonie?

– Owszem. Pamiątka po moim przyjacielu Profesorze. Flinta, z której wielcy biali myśliwi strzelali kiedyś do nosorożców i innego grubego zwierza...

*

Robert Storm wyszedł. Stary klaun obejrzał wizytówkę i włożył do kredensu za szybkę.

– Lepszy wariat – powiedział do prawnuczki. – Młody, wyrywny i szalony, całkiem jak ja w jego wieku... Jest w nim niepokój, wieczny ruch... to nasz człowiek, człowiek szlaku. Czegoś w kuchni się chowała, trzeba było z nami przy stole siadać! Dwadzieścia lat masz, najwyższa pora sobie kogoś fajnego znaleźć, może akurat wpadłabyś mu w oko.

– Nie był w moim typie, choć sympatyczny – uśmiechnęła się dziewczyna.

– W typie-srypie... Przynajmniej byś się z nim nie nudziła przez kolejne sześćdziesiąt, może osiemdziesiąt lat... – gderał. – Pomyśl sama, co za fantazja nietuzinkowa! Żeby po siedmiu dekadach szukać garnka po starym Cyganie. I tak czuję, że w końcu go znajdzie. Skoro mnie zdołał odszukać... Z takiego chłopaka to gwoździe kuć.

– Zatem dlaczego nie opowiedziałeś mu reszty tej historii?

– Bo choć to kompletny świr, i tak by przecież nie uwierzył... Ja sam mam czasem wątpliwości, czy przeżyłem to naprawdę... – Stary klaun westchnął i zadumał się głęboko.

*

Wielki Dżony wrócił po czterech dniach. Świtało, gdy chyłkiem przeskoczył mur od strony zamkniętej fabryki. Mag był blady jak ściana, całą twarz pokrywały mu świeże strupy, obrzęki i sine ślady po biciu. Kulał, a palce lewej ręki miał opuchnięte i sinoczarne. Paznokcie zostały zerwane. Marco na jego widok popłakał się ze szczęścia.

– Pan żyje!

– Prawdziwy mistrz wygrywa zawsze – powiedział iluzjonista i zatoczył się.

Gdyby Marco go w ostatniej chwili nie podtrzymał, padłby na ziemię. Powoli, kuśtykając, mag ruszył do namiotu dziewcząt. Widać było, że ma uszkodzone kolano i stopę prawej nogi.

– Boże, myślałem, że już po panu – szepnął klaun.

– Byłoby po mnie – westchnął Wielki Dżony. – Śmierć przeszła blisko... Ale raz jeszcze udało się wywinąć.

– Przecież pana nie wypuścili. Uciekł pan?

– Puścili... trupa. Pobili mnie strasznie, razili prądem. Wziąłem ich na sposób. Wszedłem w głęboki trans – wyjaśnił. – Obudziłem się na wózku pełnym zwłok, w drodze do lasu, na spalenie... Była noc, ześlizgnąłem się, odczołgałem w krzaki i tyle. Dwadzieścia minut później i spłonąłbym żywcem... Tyle dobrze, że raczej nie będą mnie szukać. Umarłem, więc zniknąłem z ewidencji... I znajdę się dopiero po wojnie, gdy ich już tu nie będzie.

Dziewczyny, słysząc znajomy głos, wybiegły z wozu. Podtrzymały mężczyznę i pomogły mu pokonać schodki. Potem Tina mocnymi szarpnięciami nastawiła iluzjoniście połamane palce i zabandażowała ciasno. Kolano miał strasznie rozbite. Kostka nogi też wymagała nastawienia. Namalowali na skórze kratkę jodyną. Jod powinien wyciągnąć opuchliznę. Oparzenia od elektrod posmarowali oliwą. Lekarza bali się wzywać. Kunegunda zakrzątnęła się, odgrzała wczorajszej kaszy z mięsem. Mag jadł powoli i wodził po nich wzrokiem, układając sobie coś w głowie. Wreszcie zdecydował się odezwać:

– Dzieciaki kochane... Gdy mnie akurat nie bili, przemyślałem, zdychając w tej gestapowskiej piwnicy, wiele rzeczy. Ta wojna potrwa. Potrwa bardzo długo. Kilka lat. Może jeszcze więcej. Okupacja będzie gorsza niż wszystko, co spotkało ten kraj wcześniej. Sami widzicie, co się dzieje. Giniemy. Jesteśmy torturowani i mordowani. Codziennie zabijają Żydów. Sądzę, że zechcą ich wszystkich wykończyć, a w najlepszym razie gdzieś wygnać. Potem zabiorą się za Polaków. Ucieczka na Węgry jest bardzo trudna, a zapewne w ogóle niemożliwa. Świętej pamięci pan Kusy znał pewien sposób. Stary cygański sposób na przeczekanie złych czasów...

– Ukryjemy się w lesie? – uśmiechnęła się niepewnie Tina. – Wykopiemy sobie ziemiankę w nieprzebytych gąszczach... Jak Indianie.

– Co się stało z niedźwiedziami? – odpowiedział mag pytaniem na pytanie.

– Zastrzelone... – bąknął Marco.

– Wiem. Nie to mam na myśli. Zabrali je, a może wy zakopaliście?

– Ja... – bąknął klaun – nie mogłem... Nie dałem rady. Słaby jestem, poza tym ziemia stwardniała na kamień. Leżą nadal w gawrze, gdzie je zabito.

– To doskonale... Cztery noce mrozów... Zamarzły na kamień.

– Może jednak przejdziemy przez góry na Węgry albo do Rumunii? – podsunęła Tina. – Mówią o ludziach, którzy tak uciekają. Ponoć jak się pojedzie do Zakopanego lub Szczawnicy, można znaleźć przewodnika, który poprowadzi na południe. Jak przyjdzie wiosna...

– Droga bardzo daleka, trudna i nie wiadomo, co czekałoby nas u celu – pokręcił głową sztukmistrz. – Nie, musimy zostać tutaj... Ale mam pewien plan. Tina, idź proszę podkopem do dyrektora, zaproś go jutro na kolację. Będzie wiedział, o co chodzi.

*

Zaparkowałem auto przed bramą. Długo patrzyłem przez zmywane mżawką brudne szyby. Tynk tu i ówdzie znaczyły purchle. Niezamieszkały, nieopalany dom szybko zaczyna umierać. Po czerwonej tabliczce i godle zostały tylko rdzewiejące zaczepy. Jedna z licznych szkół zamkniętych rzekomo z powodu niżu demograficznego... Budynek wyglądał na kompletnie opuszczony. Ale gdy odpowiednio długo i mocno połomotałem w drzwi, otworzył mi kafarowaty ochroniarz. Początkowo był nieugięty jak blok granitu i nie chciał słyszeć o żadnym poszukiwaniu pamiątek po nieistniejącym cyrku. Jednak na widok niebieskiego papierka z podobizną Kazimierza Wielkiego doszedł do wniosku, że „inspektora kuratorium z Warszawy" w zasadzie może wpuścić na obiekt. Przypomniał sobie także, że pudła z jakimiś dziwnymi gratami leżą na strychu.

Niby od pokoleń mamy demokrację, ale jednak naród zachowuje mimowolny szacunek do władcy... – rozważałem, idąc w ślad za nim. Wystarczy wizerunek króla na kawałku papierka i każdy od razu staje na baczność.

Opuszczona szkoła robiła ponure wrażenie. W mijanych klasach widać było nieliczne stoliki i krzesła. Lepsze meble zapewne zabrały inne placówki. Na ścianach wisiały jeszcze stare, czarne tablice. Tradycja... Przez sto lat albo i dłużej w tych murach nasiąkały wiedzą kolejne pokolenia uczniów. Szkoła przetrwała okupację, przetrwała komunę, a potem przyszedł jakiś palant i kazał ją zamknąć, podobnie jak trzy tysiące innych.

Wdrapaliśmy się na ciemny i zakurzony strych.

Unosiłem po kolei wieka skrzyń. Wewnątrz były ubrania, a dokładniej rzecz biorąc, resztki ubrań. Nikt nie zaglądał tu od lat. Całe generacje moli miały używanie... Dobrze, że myszy się nie wdarły. Patrzyłem na fraki, kurtkę podobną do munduru, haftowaną złotą nitką. Kto w niej występował? Dyrektor Apfelbaum? Pogromca lwów zwany Profesorem? A może jeden z klaunów? Marco był młody, może zatem jego starszy partner, Polo?

Stoczone przez korniki drewniane maczugi i obręcze do żonglowania... W oddzielnej skrzyni równo ułożono stroje, najwyraźniej używane w przedstawieniach. Ktoś zadał sobie masę trudu, tnąc, fastrygując i szyjąc, by pasowały na młodych aktorów. Tylko potem moda na szkolne teatry minęła, a może zabrakło nauczyciela, który byłby ich animatorem? W kącie spoczywała jakaś kula okręcona gazetami. W pierwszej chwili sądziłem, że to stary globus, ale gdy odwinąłem pożółkłą płachtę „Trybuny Ludu", błysnęła czernią okopcona powierzchnia. Kociołek. Cygański kociołek, wyklepany z grubej miedzianej blachy. Poszukiwany artefakt. Nawet się nie zdziwiłem...

– I jak? – zagadnął bysio. – Jest coś ciekawego? O! Niezły sagan pan wygrzebał – mruknął z uznaniem.

– Załóżmy, że w latach sześćdziesiątych szkolna kucharka przepaliła niechcący aluminiowy garnek. Zbliżała się pora obiadu, na szczęście kiedyś była na strychu i przypomniała sobie, że jest tam coś odpowiedniego. Więc przyleciała tu, zabrała ten kociołek. Potem zaś jakoś tak się złożyło, że zapomniała odnieść go na górę. To ludzka rzecz zapomnieć...

– No zdarza się – załapał aluzję. – Z drugiej strony, jakbym ja coś zapomniał, toby mi obcięli ze dwie dniówki. – Spojrzał wyczekująco.

– Aż dwie? – Pokręciłem z potępieniem głową. – Nie rozpieszcza was kierownictwo.

– Minimum dwie. Szef to prawdziwy sadysta.

Ile może przez dwa dni zarobić ochroniarz? Nie miałem pojęcia, więc odliczyłem mu sto pięćdziesiąt złotych.

Chyba mocno przeceniłem prowincjonalne stawki, bo bysio wyraźnie poweselał. A może był monarchistą i dlatego tak się uhecował? W końcu co dwaj króle, to nie jeden.

– W sumie to w latach sześćdziesiątych nie było mnie jeszcze na świecie – powiedział. – Skąd wiemy, że kucharka zabrała tylko ten gar? Może i cały wór fantów nazgarniała. Ewidencji żadnej, zresztą po tylu latach nikt nie dojdzie...

Odwrócił się do okienka, dając mi do zrozumienia, że mogę grzebać do woli. Oj, nie dałem sobie tego dwa razy powtarzać! Przeglądałem pospiesznie zawartość skrzyń. Niestety, nie było w nich nic, co mogłoby mnie zainteresować... Z przyzwyczajenia szukałem wszelkiego rodzaju papierów, ale natrafiłem tylko na resztki starych gazet, przeważnie z epoki Edwarda Szczodrego i Wojciecha Ślepaka. Żadnych dokumentów, kronik, ksiąg rachunkowych „Amfory". Tylko stroje pocięte przez myszy i podziurawione przez całe generacje moli... Czy muzeum w Julinku chciałoby coś z tego przygarnąć? Cyknąłem kilka fotek komórką – niech sami ocenią... Rozejrzałem się jeszcze po strychu. Plastikowy kościotrup, podarte mapy z lat osiemdziesiątych, zawilgłe tablice z odmianą rosyjskich rzeczowników. Plastikowe bryły geometryczne z pracowni matematycznej. Żadnego starego mikroskopu, żadnych ciekawych narzędzi, żadnych starych preparatów biologicznych... Nic. Ale też na nic specjalnie nie liczyłem. Zadanie wykonane. Miło byłoby trafić jeszcze coś, jakiś mały bonus wytrwałego szperacza, ale i tak byłem zadowolony.

– Kucharka znalazła tylko garnek – zameldowałem bysiowi.

– To chodź pan do mnie, do kanciapy, obmyje się pan trochę – zaprosił. – Bo ten syf przesikany przez myszy to i dla zdrowia może być groźny.

Faktycznie ręce miałem, jakbym ziemię rył.

*

Siedzieli w wozie przy murze. To był dziwny wieczór. Nadchodziła wiosna, pachniało rozmarzniętą ziemią. Wychodki, niestety, też rozmarzały. Śnieg już w zasadzie stopniał. W powietrzu czuć było dziwne napięcie... Może to przyroda szykowała się do wielkiego przebudzenia? Wiatr wył jak potępieniec, bezlistne gałęzie klekotały ponuro. Marco pomyślał, że rano, jeszcze przed świtem trzeba będzie przejść się po parku i pozbierać chrust strącony z drzew przez wichurę. Byle tylko ubiec miejscowych i nie wpaść w oko żandarmom. Przyoszczędzi się opału...

Podziemnym tunelem przyszedł też dyrektor Apfelbaum. Po zimie spędzonej w piwnicy był blady i wyglądał na bardzo osłabionego. Jego broda, jeszcze jesienią smoliście czarna, teraz upstrzona była licznymi nitkami siwizny. Pejsy, dawniej zawinięte w fantazyjne sprężynki, zwisały smutno. Ale błąkający się na wargach uśmiech był taki sam, jak przed wojną.

Jemu też brakuje ruchu, pylistych gościńców, turkotu kół, nowych widoków zmieniających się jak w kalejdoskopie, pomyślał chłopak.

W miedzianym imbryczku gotował się jakiś wywar. Wielki Dżony ugotował kociołek kaszy, dobrze omaścił wielbłądzim masłem. Usmażył też całą patelnię wątróbki, nakroił dobrego białego chleba. Dyrektor wcinał niekoszerny posiłek, aż mu się uszy trzęsły.

– Wypijmy teraz na pamiątkę pana Kusego... – powiedział iluzjonista, nalewając z imbryczka do kubków. – To prawdziwe cygańskie zioła. Niezwykła mieszanka, której zazwyczaj nie dają skosztować gandzim.

– Zioła? Na co pomagają? – zainteresował się Marco.

– Pomagają przetrwać ciężkie czasy – wyjaśnił mag. – Trochę gorzkie paskudztwo, więc dodałem melasy...

Dyrektor wychylił kubek trzema długimi łykami. Gdzieś z daleka wiatr przyniósł huk kilku wystrzałów. Niemcy... Strzelali do uciekających, a może urządzili publiczną egzekucję? I znów wszystkie odgłosy utonęły w potępieńczym wyciu wichru.

– Faktycznie paskudztwo – stwierdził Apfelbaum, odstawiając kubek na stolik. – Ale skoro ma pomóc...

Poszli w jego ślady. Napój był trochę gorzki, trochę słodki, smakował jak syrop prawoślazowy, ale przebijały też inne nuty, coś jakby suszone śliwki, mięta... Marco spostrzegł, że iluzjonista nie dotknął nawet swojego naczynia.

Za gorące dla niego czy jak? – myśli trochę mu się mieszały.

Było mu ciepło i jakoś tak lekko na duszy. Wesoło, nawet odrobinę frywolnie. Objął Tinę ramieniem, a ona tym razem nie uchyliła się. Pomyślał, że mógłby spróbować ją pocałować, tak naprawdę. Poszukać wargami jej ust... Dziewczyna miękła mu pod ramieniem jak wosk. Ale jakoś nie miał siły wprowadzić tego planu w życie. Dyrektor oparł głowę na stole i przymknął oczy. Chłopakowi na ten widok zachciało się śmiać, ale nie zdążył zachichotać, bo sam zasnął. Wszyscy zasnęli.

– No i dobra – westchnął Wielki Dżony, wstając od stołu. – Mam nadzieję, Kusy, że niczego nie pomyliłeś i że to naprawdę zadziała.

Otworzył klapę w podłodze. Czekała go ciężka praca...

*

Dojechałem na Pragę kilka minut przed osiemnastą. Przełożyłem rewolwer do kieszeni i dopiero wtedy wysiadłem z auta. To nigdy nie była bezpieczna okolica, a teraz zapadał zmrok i powoli budziła się ta gorsza, nocna Praga. Tytus już spuszczał rolety. Niby był tu swojakiem, kiziorem z dziada pradziada, ale jednak sprzęt antywłamaniowy miał z górnej półki.

– O, Robert? – zdziwił się na mój widok.

– Mam coś dla ciebie. – Wyszczerzyłem zęby.

Ściągnąłem plecak. Rozsznurowałem i uroczyście wydobyłem z wnętrza pakunek zawinięty w worek na śmieci. Odpakowałem z folii, zostawiając zleceniodawcy ostatnią warstwę do samodzielnego usunięcia.

– Oto wasz święty grill. – Położyłem sagan przed nim, na stoliku.

Rozchylił płachty zetlałego, pożółkłego papieru. Podczas tej operacji towarzysz Breżniew stracił głowę, a dzielni sowieccy komsomolcy – nogi.

– A niech mnie, udało ci się! – szepnął, patrząc z nabożną miną na naczynie. – Ty kopany cudotwórco!!!

Więc to prawda, co o tobie ludzie gadali... Szczera prawda, a ja nie wierzyłem...

– To chyba ten. Tak przynajmniej sądzę – westchnąłem. – Był wśród gratów pozostałych po cyrku „Amfora". Zakładam, że w jednym miejscu nie trafiłyby się dwa tak podobne. Ale stuprocentowej pewności nie będziesz miał...

– To nasz. Tu jest... hmmm... jak to się fachowo i naukowo nazywa? Gmerk? – Wskazał puncę wybitą głęboko w zaśniedziałej blasze. – Tak znakowali swoje wyroby kowale z mojego klanu. Wiesz, jak to jest, gdy się zjedzie wiele wozów w jeden tabor? Trzeba wszystko poznakować. Cygan Cygana nie okradnie, ale po prostu żeby się nie myliło. To się punce na metalu biło.

Z szacunkiem obracał artefakt w dłoniach. Trzymał go delikatnie jak kryształowy puchar... Gęba mu się śmiała.

– Trochę zarosło grynszpanem. Wyczyścić trzeba – zauważyłem. – Zrób słaby roztwór kwasku cytrynowego...

– Się wie.

No tak, komu ja to mówiłem? Na pewno nieraz przed wystawieniem poprawiał wygląd gratów, którymi handlował.

– Zatem zadanie wypełnione. – Uznałem, że trzeba dać mu nacieszyć się łupem w samotności. – Raport z opisem poszukiwań wyślę ci na mejla.

– Jestem dozgonnie wdzięczny. Cały mój klan zachowa tę przysługę we wdzięcznej pamięci. Jakbyś czegoś potrzebował albo jakby ci kto zalazł za skórę, tylko gwizdnij, a flaki mu przez nos wyprujemy! Zapraszam też na ślub i moje wesele. – Błysnął w uśmiechu złotym zębem.

– Dziękuję, nie skorzystam, jestem rasistą, w dodatku nie lubię ani waszej kuchni, ani waszej muzyki...

– To i weselnej zupy z jeża nie spróbujesz.

Nie byłem pewien, czy mówi poważnie, czy raczej kpi sobie ze mnie w żywe oczy, ale znalazłem dyplomatyczne wyjście z sytuacji.

– Nie przeszłaby mi przez gardło! Choć nie lubię ekopajaców, idee ochrony przyrody są mi bardzo bliskie! – oświadczyłem z godnością.

– I pewnie jeszcze chciałbyś uwolnić orkę... – Uśmiechnął się i wyciągnąwszy grubaśny portfel, wypłacił resztę honorarium.

Pożegnaliśmy się. Samochodu szczęśliwie nikt w tym czasie nie ukradł. Zresztą, po co komu taki stary trup? Na części co najwyżej... W domu przeliczyłem pieniądze. Kwota się zgadzała. Wszystkie banknoty wyglądały na prawdziwe. Wprawdzie wydawało mi się, że odlicza kwotę pięćdziesięciozłotowymi, a z portfela wyjąłem same setki, ale w sklepiku było ciemno, a ja tak zmęczony, że pewnie mi się w oczach mieniło.

– Może to faktycznie tylko stereotypy – mruknąłem, przekładając zegarek na właściwą rękę. – Ale ostrożność jednak nie zawadzi!

Wypiłem kawę i długo stałem pod prysznicem, aż ciepła woda spłukała ze mnie zmęczenie wielogodzinnej jazdy. Kolejną godzinę spędziłem bardzo miło, grzebiąc po Internecie w poszukiwaniu szewra, szelaku i końskiego włosia. Jutro zapłacę też zaległe rachunki za prąd i wodę... I może zajdę do zegarmistrza. Po tę starą omegę.

*

Wiosła skrzypiały w dulkach. Stara krypa bezgłośnie rozcinała dziobem rzęsę wodną. Płynęli przez rozległe bagna. Z czarnego błocka wyrastały stare omszałe olchy i dęby błotne. Nad oparzeliskami unosiły się języki mgły. Tina i Kunegunda wtulone w siebie rozglądały się przestraszone. Dyrektor Apfelbaum klęczał na dziobie z latarnią w dłoni. Co jakiś czas mijali na wpół zatopione łodzie. Przegniłe burty i resztki wręgów sterczały z błota. Na kępach bagiennej trawy bielały ludzkie kości... Panowała upiorna, świdrująca w uszach cisza. Gdzieś daleko, daleko przed nimi lśnił jasny punkt, niczym płomyk lampy naftowej lub świeczka osłonięta latarką. Marco miarowo naciskał na wiosła. Kierował się ku światłu. Nie pamiętał, dlaczego to robi. Nie wiedział, skąd wzięli się w tym straszliwym miejscu. Przerażała go odległość, jaką miał do przebycia, ale czuł, że da radę. Jeszcze kawałek... Walcząc ze śmiertelnym zmęczeniem, wiosłował przez bagno.

*

– Wstawać, śpiochy! – Marco poczuł potrząsanie za ramię.

W ustach miał jakiś potwornie gorzki smak. Spróbował się poruszyć. Wszystkie stawy zareagowały wściekłym bólem. Uchylił powieki. Nad sobą widział sklepiony piwniczny sufit. Było jasno, ktoś wybił cegły blokujące okienko. Klaun poruszył się z trudem. Tkwił okutany w jakieś kołdry. W barłogu obok niego przecierały oczy obie dziewczyny. Czuł, że śmierdzi wręcz nieprawdopodobnie niemytym ciałem, zastarzałym potem, stęchlizną.

Włosy pchały mu się do oczu. Grzywka Tiny zasłaniała jej prawie całą twarz. Włosy polepiły się w strąki z brudu.

– Co się stało? – wychrypiał.

– Wojna się skończyła! – oświadczył radośnie Wielki Dżony. – Jesteśmy wolni. No, może nie do końca, bo do Polski wkroczyli Sowieci.

– Co pan gada...? – burknęła dziewczyna. – Skąd tu Sowieci?

– Pobili Hitlera. Wojna się skończyła – odezwał się inny głos.

W wejściu do piwnicy stał dyrektor Apfelbaum. Był blady i wymizerowany, broda opadała mu aż na piersi.

Marco potrząsnął głową. Ostatnie, co pamiętał, to potrawa z kaszy i wielbłądziego masła, wątróbka... I ten paskudny wywar, po którym zasnął... Dotknął lichego zarostu na brodzie i policzkach. Pod palcami wyczuł wiotką skórę. Dłonie miał słabe i blade. Skóra jak rękawiczka naciągnięta na kości... Jakby spalił się cały tłuszcz.

– Ile czasu... spałem!? – wychrypiał.

– Prawie cztery lata – odparł mag.

– Cztery... lata!? Ale jak to!?

– To stary cygański sposób – wyjaśnił Wielki Dżony. – Gdy okoliczności ich zmuszają, kopią sobie nory, piją wywar ze specjalnych ziół, jedzą wątrobę niedźwiedzia i zapadają w długi sen. Muszą mieć tylko kogoś, kto ich z niego obudzi. We śnie ich ciała zamierają, życie zwalnia bieg. Serce uderza raz na kilka minut... Tak jak u niedźwiedzi, gdy zapadną w sen zimowy.

– Co pan gada, przecież to kompletne bzdury! – zirytowała się Tina.

W odpowiedzi podał jej gazetę. Nazywała się „Trybuna Ludu", a obok tytułu wyraźnie widać było datę – 20 marca 1945.

– No, wyłaźcie, niedźwiadki, z tej gawry. Najpierw kąpiel, potem śniadanie. Zagrzałem wam ze dwadzieścia wiader wody.

Każdy ruch wywoływał wściekły ból zdrętwiałych stawów, ale młody klaun z pomocą sztukmistrza zdołał powoli wyjść na powierzchnię. Chciwie wciągnął głęboki haust powietrza. Ciepły, pachnący wiosną wiatr owiał mu czoło. Wtedy też była wiosna... Ale czuł w powietrzu zmianę. Wojna skończyła się. Zbyt dużo czasu spędził w jednym miejscu. Pora wyruszyć z przyjaciółmi na szlak...

*

Na Tytusa wpadłem jakiś miesiąc później. Snuł się po giełdzie na Kole, podobnie jak ja oglądając wystawione graty i usiłując wyłowić ze stosów wszelakiej starzyzny rzeczy cenne, choć niepozorne.

– Żałuj, że nie byłeś na moim weselu – powitał mnie docinkiem.

– Przyjmijmy, że trochę żałuję. Pewnie fajne było, muzyka i ładne tańczące Cyganichy. I jak ten kociołek? Działa? Zupa smakowała? – zainteresowałem się.

– Wiesz, dobra była, cholernie dobra... To jak łyk wiatru i otwartej przestrzeni. Obudziła nas trochę z tego zgnuśnienia. Przypomniała o porzuconym szlaku... Co ci będę gadał, i tak nie zrozumiesz. Ale wiesz, było w niej coś dziwnego. Miała posmak zwierzęcia, którego nikt nie umiał zidentyfikować. Najstarsi Cyganie nie mogli rozkminić, co też takiego Kusy dodawał do swoich potraw.

Wielbłądzie masło, pomyślałem, ale na wszelki wypadek nie powiedziałem tego głośno.

Cholera wie, czy wielbłąd to dla nich zwierzę jadalne, czy nie. Smakowała zupka, to smakowała. Niech im będzie na zdrowie. Po co mają sobie psuć apetyt na dolewkę?

*

Przez kolejne dni przejrzeli starannie zawartość wszystkich pakunków. Namiot zwinięty przez pięć lat niestety nie wytrzymał. Płótno było słabe, rozłaziło się w palcach. Większość kostiumów i rekwizytów jako tako zniosła próbę czasu. Gorzej było z samymi wozami. Łożyska osi nagryzła korozja. Obręcze kół pordzewiały. Dyszle złożone pod wozem złapały sporo wilgoci. Także deski spodów, ścian i burt tu i ówdzie stoczyły korniki.

Dyrektor, jak się okazało, miał zachomikowane ponad dwieście dolarów złotem. Liczył, że kupi za to choć kilka koni. Teraz, gdy polska armia stała na przedpolu Berlina, miał nadzieję, że ściągną ocalali członkowie jego dawnej trupy. Wielki Dżony pamiętał wiele przedwojennych adresów, więc gdy tylko poczta zaczęła na dobre działać, rozesłał ze trzydzieści listów.

Jednak zamiast kolegów z trupy jako pierwszy odnalazł ich stary konkurent. Marco malował właśnie wóz, gdy do furtki zapukał wysoki mężczyzna w powyciąganej marynarce. Jego strój zdecydowanie najlepsze lata miał za sobą, a właściciel wychudł wyraźnie, ale nadal w złachanym przyodziewku znać było rękę pierwszorzędnego przedwojennego krawca.

– Wszelki duch! – wykrztusił klaun. – To przecież pan Staniewski!

– Witaj, ty musisz być... – Gość zamyślił się na chwilę. – Polo?

– Polo nie żyje, jestem jego dawnym partnerem.

– Słusznie, zatem witaj, Marco.

– Dzień dobry panu.

Reszta trupy wysypała się z wozów. Dyrektor na widok przybysza ironicznie ukłonił się kapeluszem.

– Cóż pana sprowadza w nasze skromne progi, drogi odwieczny wrogu? – zagadnął.

– Jezus Maria! – syknął Staniewski. – Apfelbaum... To ty też żyjesz!?

– To ja... – wychrypiał dyrektor. – Coś sobie pan myślał? Przeżyłem, złego diabli nie biorą. I właśnie zbieram mój zespół. Mnie nie tak łatwo się pozbyć... Jeszcze się ze mną i moją trupą pan nażerasz do znudzenia! Myślałeś pan, że ze mną już koniec? Jak dziad ożyje, to cię torbą zabije... – Urwał, widząc, że przybysz nadal się uśmiecha i stoi z ręką wyciągniętą na powitanie.

Po chwili wahania uścisnął mu prawicę. Pierwszy raz w życiu.

– Aleście zmizernieli... I dzieciaki wychudzone... Wyszliście z obozu koncentracyjnego? – domyślił się gość. – No nieważne, odkarmimy was. Panie kolego, czy wie pan, jaka jest sytuacja branży?

– Domyślam się, że kiepska, skoro podjąłeś pan próbę odnalezienia resztek mojego malutkiego cyrku i zapewne skaptowania moich ludzi do swojej przetrzebionej trupy? A jeśli tytułujesz mnie pan kolegą, to znaczy, że jest nawet gorzej niż źle.

– Mój cyrk na Ordynackiej zbombardowali jeszcze we wrześniu. Co do reszty... – Staniewski westchnął. – Wracaliśmy ze Lwowa całą trupą z letnich wojaży. Nalot dopadł nas na dworcu. Musieliśmy wystrzelać wszystkie zwierzęta, nie było jak uratować ich z pożaru. Inni ponieśli podobne straty. Ja z bratem przez cztery lata robiliśmy za bileterów przy karuzeli. Większość naszej wesołej braci wymordowano. Nadal szacujemy, ale już wiadomo, że sił naszych mało. Przy dobrych wiatrach odszuka pan trzecią część swojej trupy.

– Zatem co? Proponujesz pan połączyć siły?

– Jest pewna iskierka nadziei. Komuniści, psia ich mać, jednak cenią nasz kunszt. Dostałem bardzo szerokie prerogatywy, cała branża ma mi podlegać. Nie wiem, na jak długo, w końcu jestem „wrogiem klasowym" i przedwojennym kapitalistą, ale jest szansa wyrwać, co się da, dla naszej branży. To będę rwał.

– Fiuu... Czyli co, odbudowujesz pan przedwojenny związek zawodowy?

– Znacznie więcej. Chcą nas upaństwowić. To znaczy – dusząc protest w zarodku, uniósł rękę – mamy obiecane: pieniądze, kartki na mięso, cukier i buty. Dają stałe zatrudnienie cyrkowcom, w tym, proszę sobie wyobrazić, poza sezonem będą nam wypłacać pensje!

– Coś podobnego?! – wykrztusił dyrektor, naprawdę zdumiony. – Podali konkretne kwoty?

– Taaaa... Płacić będą oczywiście kompletnie dziadowsko, ale za to co miesiąc, gotówka na rękę, nie jest ważne, czy zarobimy na siebie, czy nie. W Julinku nieopodal

Warszawy tworzą dla nas bazę materiałową. Mamy się tam wszyscy zebrać z tym, co zostało z dobytku i zwierząt. Dostaniemy – przyciszył głos – namioty, rekwizyty i zwierzęta zdobyte na Szwabach. Jako odszkodowanie za to, co szkopy zabrały nam. Mają rzemieślników, dadzą sowiecki i amerykański brezent z wojskowych zapasów. Uszyjemy nowe namioty! Chcą, żebyśmy jak najszybciej byli gotowi ruszyć w trasę. Jak najwięcej zespołów. Chcą też, żebyśmy otworzyli szkołę i zimą przyuczali młodych.

– Szkołę? – zdumiał się jeszcze bardziej Apfelbaum. – Prawdziwą szkołę cyrkową i jeszcze może dadzą na to pieniądze?

– Tak obiecali. Na razie tam są baraki i pościągane z całego kraju wozy, ale zapewniają, że z czasem zbudują dla nas hotele, a dla szkoły internat. To może być nowa epoka dla naszej branży!

– Przywykłem jednakowoż sam decydować o sobie – westchnął stary dyrektor.

– A co ja mam powiedzieć? Pan w życiu nie widziałeś takich pieniędzy, jakimi miesięcznie obracaliśmy mój brat i ja. Ale to już przeszłość. A przed nami przyszłość. Zapewne trudna i burzliwa, ale... żyjemy. I wracamy do pracy. Wracamy na szlak.

– No jak gadamy szczerze, muszę przyznać, że „Amfora" to też już przeszłość. Szapilo zniszczone. Wozy stały przez pięć lat. Zwierzęta wybite... Nie wiem, kogo z mojego dawnego zespołu zdołamy odnaleźć... – Apfelbaum podrapał się po głowie. – Jeśli znajdzie się dla nas miejsce w tym nowym czerwonym cyrku...

– Znajdzie się miejsce – zapewnił Staniewski. – Nie wiem, na jak długo, ale fachowców brakuje im rozpaczliwie. Zapewne przeżują nas i wyplują, ale liczę, że przy dobrych wiatrach przez jakiś czas przymkną oko na to, kim byliśmy kiedyś.

– Julinek... Nie kojarzę. Ale jak opodal Warszawy, to kawał drogi. A my uziemieni. Zorganizuje pan konie?

– Ugada się Sowietów, by przeciągnęli wozy ciągnikiem na dworzec. Pojedziecie koleją. Tylko to potrwa dwa do trzech tygodni, brak wagonów i parowozów. A na razie... – Wyciągnął z teczki jakieś formularze. – Przeczytajcie na spokojnie. Angaż, umowy... Podpiszcie papiery, macie tu kartki na mięso, na buty, na cukier... Jeśli potrzebne nowe dokumenty czy coś, to i na to mam druki... I pieniędzy wam trochę przywiozłem.

– To zapraszam do mnie. – Dyrektor wskazał wóz. – Tina, zaparzysz nam herbaty?

W dwie godziny dopełnili formalności i gość ruszył dalej. Odprowadzili go do furtki.

– Nic nie będzie tak, jak dawniej – westchnął Apfelbaum. – Ale może da się jakoś żyć... Może komuniści też lubią się pośmiać.

– Trzeba być dobrej myśli, wie pan, gadałem już z kilkoma dyrektorami sowieckich cyrków i z ich urzędasem od kultury – Staniewski przyciszył głos. – Trochę mózgi zwichrowane i czerwone okulary na nosach, ale poza tym podobni do nas. Zachowało się trochę tych dobrych odruchów i obyczajów jeszcze z carskiej szkoły. A kunszt... Klasa! Sowieckie cyrki obiecały nam pomóc. I to nawet dość konkretnie. Na początek dostaniemy mongolskie wielbłądy, kilka sztuk młodych tygrysów i niedźwiedzi do tresury oraz wojskowe konie, które odsłużyły już swoje. Czerwoni wprawdzie, ale cyrkowcy jak my i chyba dobrzy ludzie. Nie to, co szkopy, których się naoglądałem przez te lata...

– Po ciężkich wojennych przeżyciach ludziom przyda się trochę rozrywki – zadumał się Apfelbaum. – Zainteresowanie przedstawieniami pewnie będzie większe niż przed wojną.

– O, no patrz pan, Cyganie znowu jadą. – Gość wskazał na wóz ciągnący ulicą.

Wyleniała chabeta człapała apatycznie. Wóz był stary i zniszczony, ale mimo to kolorowy. Na dachu przywiązano rozmaite pakunki i tobołki. Spora gromadka dzieciaków wyglądała przez okna. Nad tylnym pomostem zawieszono całe pęki świeżo wypolerowanych miedzianych patelni i plecionych wiklinowych koszyków – zapewne na handel.

– Widzi ich pan?

– No jadą – nie zrozumiał dyrektor. – Co w tym dziwnego?

– Tego to już kompletnie nie rozumiem. Przecież Niemcy jak tylko mogli tropili i mordowali tych nieszczęsnych Cyganów. Przykładali się do tego chyba jeszcze mocniej niż do niszczenia Żydów. A tu niespodzianka, wiosna przyszła, wojna się skończyła i wszędzie pełno taborów, na targach Cyganów mrowie. Handlują, grają na skrzypcach i harmoniach, żebrzą, wróżą, stawiają karty. Wyroili się, jakby ich sama ziemia nagle zrodziła. Gdzie oni się przechowali i jak...

– Niech ich pan sam zapyta. – Apfelbaum wzruszył ramionami.

ZABCD
EFGHIK
LMNOPQ
RSTVW
XYZ
12XP
ROBERT STORM

Robert Storm – (nazwisko należy wymawiać tak, jak się je pisze, a nie z niemiecka) – młody, choć już doświadczony „handlarz starzyzną". Z tym że nie jest to zwykła starzyzna, ale przedmioty, które jego kontrahenci uważają za takową. Storm potrafi wypatrzyć w pozornie bezwartościowym kawałku metalu cenną tablicę, wie też, która drewniana, brudna i odpychająca wyglądem kłoda może kryć wspaniałą rzeźbę... A przede wszystkim jest swojego rodzaju detektywem, fachowcem do wynajęcia, potrafiącym rozgryźć każdą historyczną zagadkę. Właśnie tak zarabia na chleb i na możliwość uzupełniania własnych kolekcji.

Absolwent archeologii, która to nauka nierzadko przydaje mu się w pracy, aczkolwiek w jego przypadku główną rolę odgrywa talent.

Robert, poza tym, że posiada rozległą wiedzę, bywa chwilami cwaniakowaty, przemądrzały i wręcz irytujący. Jak to wieczny chłopiec – bo nim właśnie jest. Z drugiej strony, prezentuje iście przedwojenne poczucie honoru, połączone z pewną naiwnością. Ta ostatnia cecha może pozornie stać w sprzeczności z cwaniakowatością, jednak należy oddzielić tutaj pracę zawodową Roberta od życia osobistego. Bo właśnie w codziennym obcowaniu ze zwykłymi ludźmi pozwala sobie na daleko posuniętą łatwowierność. Najlepszym tego przykładem jest jego skomplikowany emocjonalnie układ z Martą, którą nazywa wprawdzie narzeczoną, jednak status tego związku jest bardzo niejasny. Bo czy można nazywać narzeczeństwem parę, która nie widuje się tygodniami, a nawet miesiącami? Raz są bliżej siebie, raz dalej, ale tej prawdziwej bliskości nie jest im dane zaznać.

Takie jest życie, chciałoby się rzec – zazwyczaj nic nie jest w nim zupełnie proste i oczywiste. I takie też są przygody Roberta. Nawet jeśli wydają się mieć jasne i klarowne zakończenie, zawsze pozostaje jeszcze miejsce na tajemnice i domysły.

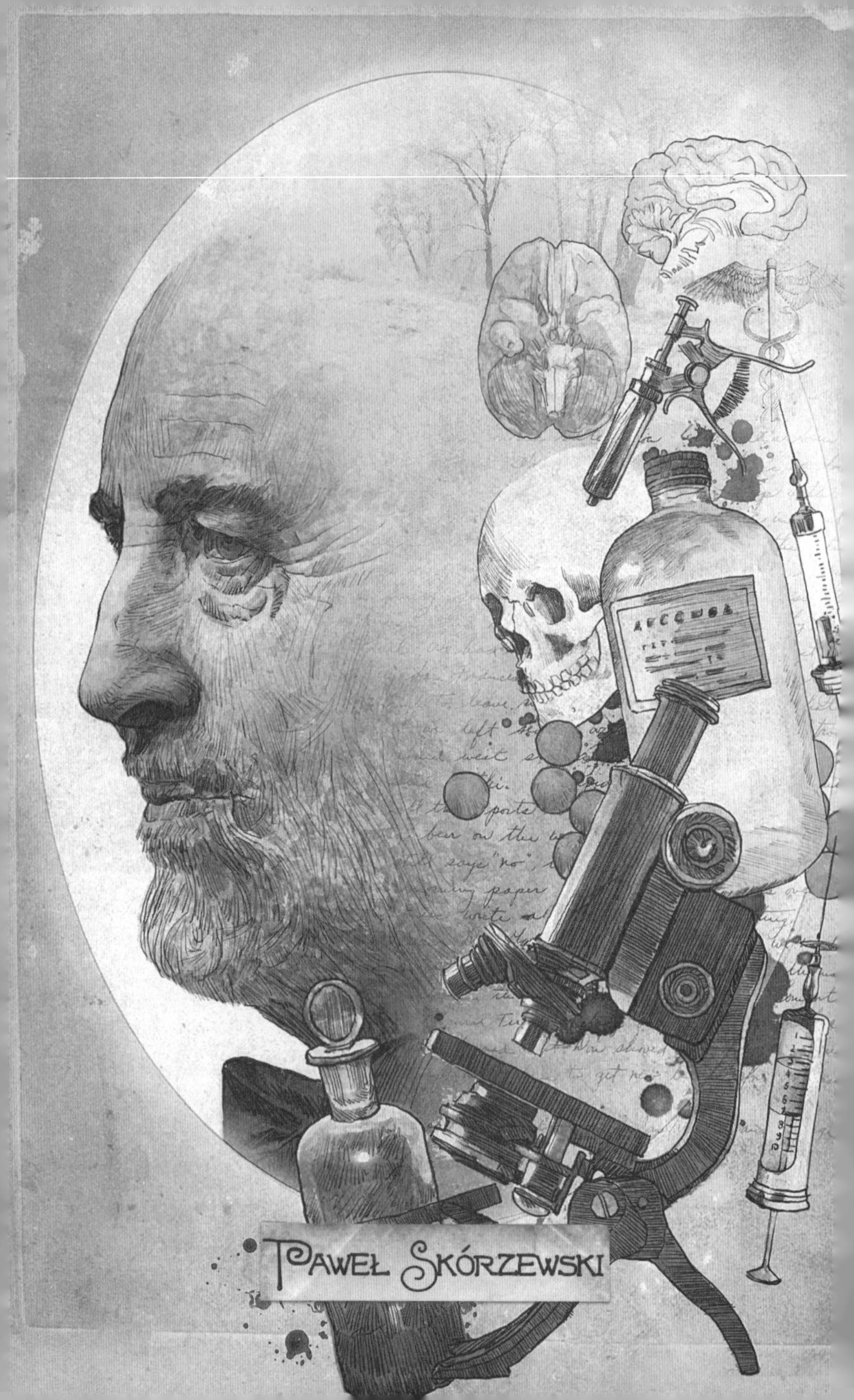
PAWEŁ SKÓRZEWSKI

Doktor Paweł Skórzewski – żyjący na przełomie wieków dziewiętnastego i dwudziestego lekarz, badacz i podróżnik... A może podróżnik, badacz i lekarz? Zresztą można te trzy terminy ustawiać w dowolnej kolejności. Bo też nie ogranicza się on do jednej dziedziny: raz bywa bardziej medykiem, raz mocniej skupia się na pracach naukowych, innym razem wyrusza w dalekie podróże. Wszystko to kwestia potrzeb i okoliczności.

Elegancki starszy pan w nienagannie skrojonym fraku, przemierzający z kosztowną laseczką ulice bogatych dzielnic najsławniejszych stolic świata w poszukiwaniu drogich lokali, w których mógłby się rozerwać i zawrzeć ekscytujące znajomości...

Nie, nie – zaraz! To nie jest biogram tego pana! Starszy pan – tak, elegancki – zdarza się, ale frak zakłada raczej rzadko, a jeśli nawet nosi laseczkę, prędzej niż złotych wykończeń należy się spodziewać w niej ukrytego ostrza. Bogate dzielnice? Drogie lokale? Dziewczynki? W żadnym wypadku!

Doktor Skórzewski jest osobnikiem, którego można śmiało nazwać patologicznym dobroczyńcą. Niestraszne mu śmiertelne i straszliwe choroby, jak trąd czy dżuma. Nie broni się przed wyruszeniem w najdalsze choćby zakątki świata, aby wytępić zarazę, leczyć z gruźlicy czy zwalczać kołtun, nie waha się podjąć śmiertelnie niebezpiecznych wyzwań, aby uratować czyjeś życie.

Wiele razy jest zmuszony walczyć – nie tylko z ludźmi, ale też z istotami, których pochodzenie jest równie tajemnicze jak etiologia niektórych schorzeń.

Postać ze wszech miar fascynująca. Z kimś takim można wyruszyć na koniec świata, wiedząc, że można nań liczyć zawsze i wszędzie, że prędzej odda życie, niż zdradzi.

Ma także swoje mroczne tajemnice, jednak tym bardziej czynią go one prawdziwym człowiekiem...

Zbiory opowiadań

2586 kroków
Czerwona gorączka
Rzeźnik drzew
Aparatus
Szewc z Lichtenrade
Carska manierka
Reputacja

Cykl Norweski Dziennik

Norweski dziennik – tom 1. Ucieczka
Norweski dziennik – tom 2. Obce ścieżki
Norweski dziennik – tom 3. Północne wiatry

Cykl Oko Jelenia

Droga do Nidaros
Srebrna Łania z Visby
Drewniana Twierdza
Pan Wilków
Triumf lisa Reinicke
Sfera Armilarna
Sowie Zwierciadło

Cykl Wampir z...

Wampir z M-3
Wampir z MO

Operacja Dzień Wskrzeszenia

Komiksy

Dobić dziada
Zabójca
Krasnoludy

foto © Fabryka Słów

Andrzej Pilipiuk

Człowiek z przeszłości. Niestrudzony tropiciel ciekawostek z lamusa. Kolekcjoner nagród literackich, który z pisania z pasją uczynił swój sposób na życie. Miarą jego sukcesu jest miejsce na podium ścisłej czołówki najpoczytniejszych pisarzy w Polsce.

Homo literatus, który do pisania podchodzi z żelazną regułą – pracuje planowo, codziennie, a kiedy poczuje zmęczenie fabułą, zabiera się do innego tytułu. Uprzedzając krytykę, sam siebie nazwał Wielkim Grafomanem. Z wykształcenia archeolog, z zamiłowania łowca meteorów. Beznadziejnie zauroczony zapomnianymi odkrywcami i wynalazkami XIX wieku. Społecznik. Własnym sumptem i ogromnym zaangażowaniem wydał unikatowy album o Wojsławicach, mieście, w którym narodził się Jakub Wędrowycz.

Twórca panteonu niezwykłych bohaterów literackich oraz Jakuba Wędrowycza – zawistnego, mściwego kmiota, bimbrownika i egzorcysty. Jedynego w polskiej literaturze rdzennie polskiego superbohatera, który przez lata rozśmieszania do łez dorobił się własnego festiwalu.

Pija herbatę. Ani wstrząśniętą, ani tym bardziej mieszaną. Parzoną w samowarze.